# Oscar Wilde

# Le Portrait de Dorian Gray

*Traduction nouvelle,*
*préface et notes*
*de Jean Gattégno*

ÉDITION REVUE

**Gallimard**

La présente traduction du *Portrait de Dorian Gray* est parue
dans la Bibliothèque de la Pléiade.
Elle a été revue par Jean Besson.

# Préface

En 1889, Oscar Wilde n'avait fait paraître qu'un recueil de poèmes, qui avait connu cinq éditions, une pièce de théâtre hors commerce, et un premier volume de contes et nouvelles ; en revanche sa signature s'était trouvée au bas de très nombreux articles, dont plusieurs essais critiques qui allaient être repris en volume en 1891. Mais il ne se sentait pas d'affinités pour le roman. Dans un texte paru en septembre 1890, il écrivait : « Quiconque voudrait nous toucher aujourd'hui par une œuvre de fiction serait contraint, soit de créer pour nous un cadre complètement nouveau, soit de nous révéler l'âme de l'homme dans ses mécanismes les plus intimes[1]. » Il s'y est pourtant aventuré, une fois seulement, et en partie pour relever un défi qui lui était lancé. Arthur Conan Doyle, qui s'y trouva mêlé, nous en a laissé la relation[2].

1. « The Critic as Artist », dans *Intentions*, Londres, 1891.
2. Arthur Conan Doyle, *Memories and Adventures*, Londres, 1924, p. 93-94.

Durant l'été 1889, un éditeur américain, J. M. Stoddart, qui parcourait l'Angleterre à la recherche d'écrivains britanniques prêts à écrire pour un périodique anglo-américain, Lippincott's Monthly Magazine, organisa un dîner, auquel il invita entre autres Wilde et Conan Doyle. L'un comme l'autre mordirent à l'hameçon : Conan Doyle promit le Signe des quatre, et Wilde le Portrait de Dorian Gray. Ce dernier parut dans le numéro de juillet 1890 du magazine. Il avait été convenu dès le départ que le récit serait publié peu après en volume, à la fois en Angleterre et aux États-Unis, et ce fut chose faite en avril 1891. Entre-temps cependant, Wilde avait remanié son texte, et lui avait ajouté six chapitres.

La publication en revue fut l'occasion d'un déchaînement d'articles hostiles et il fallut attendre la parution en volume pour qu'une critique admirative se manifestât, et culminât, à l'automne 1891, par un article fort élogieux de Walter Pater[1]. À Paris, en revanche, où Wilde était déjà connu depuis le début des années 1880, il devint sur-le-champ « l'auteur du Portrait de Dorian Gray », bien que la traduction française ne dût être publiée qu'en 1895. Mieux encore, à la fin de l'année 1891, Wilde reçut de Mallarmé, à qui il avait envoyé un exemplaire de son roman (en anglais), un message qui ne pouvait que le combler : « J'achève le livre, un des seuls qui puissent émouvoir, vu que d'une rêverie essentielle et des parfums d'âmes les plus étranges s'est fait son orage. Redevenir poignant à travers l'inouï raffinement d'intellect, et humain, en une pareille perverse atmos-

---

1. Walter Pater (1839-1894), essayiste, critique et romancier en même temps que professeur d'histoire de l'art à Oxford. Il exerça une grande influence sur la conception victorienne de la culture.

*phère de beauté, est un miracle que vous accomplissez et selon quel emploi de tous les arts de l'écrivain !*

" *It was the portrait that had done everything.* " *Ce portrait en pied, inquiétant, d'un Dorian Gray, hantera, mais écrit, étant devenu livre lui-même*[1]. »

*Autres lieux, autres mœurs. Dans l'Angleterre victorienne, et il faut y inclure l'Écosse, la critique littéraire avait tendance à ne juger de la valeur artistique d'une œuvre qu'au travers de la morale qui pouvait en être, de préférence explicitement, dégagée ; et, à moins que l'auteur n'écrivît sous un pseudonyme, sa personnalité et sa vie privée ne comptaient pas pour rien dans l'appréciation portée sur son œuvre ; Dickens lui-même en avait fait l'expérience. Trois journaux se distinguèrent particulièrement dans la campagne anti-Dorian Gray qui s'ouvrit dès la fin de juin 1890, quand parut le numéro de juillet de* Lippincott's Magazine *: deux londoniens,* The Daily Chronicle *et* The St James's Gazette[2], *et un écossais,* The Scots Observer.

*Ce dernier choisit un angle d'attaque qui, aujourd'hui, paraît étrange, puisqu'il opposait au talent littéraire manifeste de l'auteur une sordide « affaire de mœurs » qui, l'année précédente, avait impliqué plusieurs membres de l'aristocratie et quelques jeunes télégraphistes, sans que Wilde y fût en rien mêlé : « Si le* Portrait de Dorian Gray *[...] est habile, intéressant,*

---

1. *Correspondance* de Mallarmé établie par Lloyd James Austin, t. IV, Gallimard, 1973, p. 327.
2. Il faut noter que si Wilde n'eut jamais de bonnes relations avec le second de ces journaux, le premier fut un des rares à ne pas s'acharner sur lui au moment de son procès et moins encore après sa condamnation, et que c'est lui qui publia les deux lettres sur les conditions de la vie en prison que Wilde écrivit après sa libération en 1897.

*brillant, et incontestablement l'œuvre d'un homme de lettres, il s'agit d'un art travesti, car son intérêt est d'ordre médico-légal ; il travestit la nature humaine, car son héros est un monstre ; il travestit la morale, car l'auteur ne dit pas assez explicitement qu'il ne préfère pas un itinéraire de monstrueuse iniquité à une vie droite, saine et sensée. L'intrigue, qui met en jeu des thèmes acceptables seulement dans un commissariat de police ou devant un tribunal siégeant à huis clos, déshonore l'auteur et l'éditeur. M. Wilde a de l'intelligence, de l'art et du style ; mais s'il n'est capable d'écrire que pour des aristocrates hors-la-loi et de jeunes télégraphistes pervertis, plus tôt il se tournera vers la confection (ou quelque autre profession décente), mieux cela vaudra pour sa réputation et pour la morale publique*[1]. »

Les deux autres journaux — et le thème fut abondamment repris — choisirent une cible plus littéraire, franchissant la Manche pour incriminer le bouc émissaire favori d'une certaine presse anglaise : les Français. En 1890, les « French Décadents » (en français dans le texte) faisaient l'affaire. Aussi bien la sérieuse Saint James's Gazette que le plus populaire Daily Chronicle invoquèrent ces influences pestilentielles. « *L'auteur fait étalage de ses recherches dérisoires dans les détritus abandonnés par les Décadents français, comme le ferait un cuistre radoteur, et nous accable de tartines oiseuses sur la beauté du corps et la corruption de l'âme* », écrivait la Saint James's Gazette. Le Daily Chronicle s'étendait davantage : « *C'est un récit enfanté par la littérature lépreuse des Décadents fran-*

---

1. *The Scots Observer*, article paru le 5 juillet.

*çais, un livre vénéneux dont l'atmosphère exhale les sen-
teurs méphitiques de la pourriture morale et spirituelle,
une étude complaisante de la corruption mentale et
physique d'un jeune homme plein de fraîcheur, de
beauté et d'éclat, qui, n'était sa frivolité efféminée,
aurait pu être horrible et fascinante[1]. »*

*Que le Portrait de Dorian Gray s'inscrive dans la
lignée du mouvement décadent français n'est pas dou-
teux. Wilde, depuis longtemps admirateur de Théophile Gautier, de Baudelaire et de Verlaine, se trouvait
à Paris en 1883, quelques mois avant la parution simultanée de plusieurs romans de même inspiration :* À
Rebours *de Huysmans,* le Crépuscule des dieux, *d'Élémir Bourges,* Monsieur Vénus, *de Rachilde, et le*
Vice suprême, *de Joseph Péladan. Il avait sur place fait
la connaissance des principaux poètes qui, se réclamant
de Baudelaire, avaient fondé le mouvement décadent,
aussi bien que de Paul Bourget, de Catulle Mendès ou
d'Edmond de Goncourt. Et lorsque le narrateur, au chapitre 10, mentionne un roman français à un seul personnage, un « livre à couverture jaune » qui réorientera
l'existence de Dorian Gray après le suicide de Sibyl
Vane, tout renvoie explicitement, bien que le titre n'en
soit pas donné, et que Wilde ne l'ait reconnu que lorsque
la question lui fut directement posée lors de son procès
— telle est l'influence de la littérature ! — au roman
d'Huysmans* À Rebours. *À ceux qui l'interrogeaient sur
l'identité de ce livre mystérieux, Wilde proposait deux
types de réponse. La première se présentait ainsi : « Le
livre fatal que Lord Henry prête à Dorian est l'une de*

---

1. L'article de la *Saint James's Gazette* date du 24 juin, celui du
*Daily Chronicle* du 30 juin 1890.

*mes œuvres non écrites. Il faudra qu'un jour je la couche formellement sur papier*[1]. » *La seconde était plus rare :*
« *Le livre mentionné dans* Dorian Gray *est un des nombreux livres que je n'ai jamais écrits, mais il m'a été en partie suggéré par* À Rebours *d'Huysmans [...]. C'est une variation imaginaire sur l'étude hyper-réaliste qu'Huysmans a faite d'un tempérament artistique dans une époque, la nôtre, qui ne l'est pas*[2]. »

Mais, comme il arrive souvent, l'excès des critiques en détruit la valeur. Car si cette filiation est attestée — je préférerais pourtant parler de communauté d'inspiration —, s'il est vrai que Dorian Gray peint un milieu louche — ce que Wilde appellera « une atmosphère de corruption morale » —, on est à des années-lumière de la débauche, du stupre, de l'extravagance et de toutes les « perversions » qu'affectionnaient les romanciers français auxquels Wilde se trouvait indirectement comparé. Certes on retrouve dans Dorian Gray certains thèmes chers aux décadents : le culte de l'expérience pour l'expérience, le primat de la sensation, l'adoration vouée à la beauté cruelle, mais aussi la séduction de l'androgyne ou de l'hermaphrodite, sans compter l'admiration pour la musique de Wagner... Mais où sont l'excès, la frénésie, le goût voluptueux de la souffrance, qui sont les marques distinctives de cette « école » française dont Barbey d'Aurevilly fut sans doute le vrai précurseur et Huysmans le prophète ? Où voit-on que la religion, fût-ce sous des travestissements ridicules à la Péladan, joue le moindre rôle ? En vérité Wilde ne réa-

---

1. Lettre de juillet 1890, citée dans O. Wilde, *More Letters*, Oxford, 1985, p. 89.
2. Lettre du 15 avril 1892 (voir *Lettres*, 1994, p. 189, n. 4).

*lise jamais dans son œuvre — l'aurait-il réalisée dans sa vie ? — cette monstrueuse hypertrophie des images comme des sensations qui donne leur spécificité aux écrits français du décadentisme. Dans Dorian Gray tout reste lisse, la tristesse est retenue, la cruauté suggérée, la corruption à peine mentionnée, et uniquement par allusion. Sans doute faut-il voir là l'influence de Walter Pater qui, s'il partagea peut-être certaines des obsessions d'un Huysmans, se garda d'apporter à leur description la même passion. On pourrait reprendre à cet égard, du moins pour ce texte — car* Salomé *justifie peut-être plus de nuances —, les commentaires ironiques d'Anatole France sur Barbey d'Aurevilly que rappelle Mario Praz : « Il voulut avoir tous les vices, mais il n'a pas pu, parce que c'est très difficile et qu'il faut des dispositions particulières ; il eût aimé à se couvrir de crimes, parce que le crime est pittoresque ; mais il resta le plus galant homme du monde, et sa vie fut quasi monastique. Il a dit parfois de vilaines choses, il est vrai ; mais, comme il ne les croyait pas et qu'il ne les faisait croire à personne, ce ne fut jamais que de la littérature et la faute est pardonnable*[1]. » *On ne cherchera pas à appliquer ces remarques à la vie personnelle de Wilde qui, à cette époque, et plus encore dans les années suivantes, était fort peu monastique. Mais on peut les garder à l'esprit au moment de peser les attaques de la presse, attaques dont on a toutes raisons de penser qu'elles visaient bien plus l'auteur que son œuvre.*

*Pour y répondre, Wilde, dans les nombreuses lettres*

---

1. Anatole France, *la Vie littéraire*, t. III, cité par Mario Praz, *la Chair, la Mort et le Diable*, trad. française, Denoël, 1977, p. 268.

*de protestation qu'il adressa aux journaux hostiles,
refusa constamment de s'écarter du terrain artistique.
S'autorisant, comme il l'avait fait quelques mois plus tôt
dans ses premiers essais critiques, de la pratique et de la
théorie de Flaubert ou de Gautier, moins aisément
réductibles au « décadentisme » qu'Huysmans ou Élémir
Bourges, il reprenait le thème exposé en 1835 par
Gautier dans la préface de* Mademoiselle de Maupin :
« *Il est aussi absurde de dire qu'un homme est un ivrogne
parce qu'il décrit une orgie, un débauché parce qu'il
raconte une débauche que de prétendre qu'un homme est
vertueux parce qu'il a fait un livre de morale; tous les
jours on voit le contraire.* » *(Wilde ne va pas jusqu'à écrire
comme Gautier :* « *Les livres suivent les mœurs et les mœurs
ne suivent pas les livres.* » *Il est trop convaincu que c'est
la vie qui imite l'art, non l'art, la vie.) Et dans une lettre
au* Scots Observer *en date du 13 août 1890, il pré-
cise ainsi sa position :* « *Le mérite essentiel de* Madame
Bovary *n'est pas la leçon morale qui s'y trouve contenue,
pas plus que le mérite essentiel de* Salammbô *ne réside
dans son archéologie*[1]. »

*Il devait être assez convaincu de la force de son argu-
ment pour réagir en ces termes à une lettre de félicitations de Conan Doyle — qui avait eu, dès la première
publication du roman, la conviction que celui-ci se
situait* « *assurément sur un plan moral élevé* » : « *Je
visais en effet à faire une œuvre d'art, et je suis vraiment
ravi que vous trouviez le résultat subtil et artistiquement
bon. J'ai l'impression que les journaux sont écrits par des*

---

1. Voir *Lettres*, 1994, p. 146.

amateurs de sensations fortes à l'intention de philistins[1].
Je ne puis comprendre comment ils peuvent
accuser Dorian Gray d'immoralité. La difficulté pour
moi a consisté à subordonner la morale à l'effet artistique et dramatique, et je continue à penser que la
morale est bien trop évidente[2]. » Wilde tentait, dans
une lettre au Daily Chronicle, d'élargir son analyse et
de renforcer sa démonstration : « Il était indispensable à
la construction dramatique de ce récit que Dorian Gray
se trouvât plongé dans une atmosphère de corruption
morale. Sinon, le récit n'aurait eu aucun sens, ni
l'intrigue aucun dénouement possible. Conserver à cette
atmosphère son caractère vague, indéterminé et
extraordinaire, tel était l'objectif de l'artiste qui écrivit
ce récit[3]. »

Les critiques anglais auraient pu se dispenser de chercher de l'autre côté de la Manche une ascendance à
Dorian Gray. Car en Angleterre aussi les choses avaient
commencé à changer, et le terrain était préparé pour les
« provocations » d'un Oscar Wilde, et pour sa radicale
dénonciation de la morale victorienne qui était encore
toute-puissante dans la presse de ce que l'on n'appelait
pas encore « l'Establishment. » Le terme de « philistin », forgé par Thomas Carlyle et précisé par Matthew
Arnold en 1869 — « Ce que les étudiants allemands
nomment un philistin, les artistes français le nomment
bourgeois » —, a fortement marqué l'évolution d'une
société dont les intellectuels les plus prestigieux ont
commencé de secouer la sclérose : après Carlyle et

1. Voir ci-après.
2. A. Conan Doyle, *op. cit.*, p. 94.
3. Lettre au *Scots Observer* en date du 9 juillet 1890.

*Arnold, John Ruskin, ou encore des romanciers comme George Eliot étaient montés à l'assaut, vitupérant la décadence qui avait accompagné les progrès de l'industrialisation et l'inculture d'« élites » devenues incapables d'assumer les risques qu'implique toute création artistique, et mettant par ailleurs en évidence l'hypocrisie d'une société ayant perdu tout sens des valeurs.*

*Après Ruskin, des historiens s'étaient mis à l'œuvre. Et de même qu'à la fin des années 1830 l'histoire de la Révolution française selon Carlyle, quoique écrite d'un point de vue anti-révolutionnaire, avait enfin fait entrevoir aux Anglais que la démocratie qu'ils se vantaient d'avoir inventée n'en était à certains égards qu'une parodie, de même le retour opéré vers la Renaissance, en partie sous l'influence des artistes qui se baptisaient eux-mêmes « préraphaélites », faisait découvrir le lien très fort qui, à cette époque, unissait les vacillements de la morale et l'épanouissement de la création artistique. Deux hommes, deux études, firent beaucoup en ce sens : John Addington Symonds avec les trois volumes de* The Renaissance in Italy, *et Walter Pater avec ses* Studies in the History of the Renaissance[1].*

*Si l'ouvrage de Symonds fut directement pillé par Wilde, essentiellement au chapitre 11, lorsque Dorian Gray songe aux personnages historiques dont il pourrait être le descendant, voire la réincarnation, Walter Pater eut pour Wilde une tout autre importance, et, en un*

---

1. John Addington Symonds (1840-1893) fut poète et critique littéraire, essayiste, et collabora aussi, discrètement, à l'étude de Havelock Ellis sur l'homosexualité. Son histoire de la Renaissance en Italie date de 1875-1886. Les « Études sur l'Histoire de la Renaissance » de Pater furent publiées en 1873. La première traduction française les intitula *la Renaissance*.

*sens, orienta toute sa vie, comme il le dit au reste dans*
*De Profundis[1]. Il découvrit Pater dès le début de ses*
*études universitaires à Dublin et, une fois inscrit à*
*Oxford, fit sa connaissance et suivit ses cours. Or Pater*
*avait dès 1873 ouvert de nouvelles pistes pour des esprits*
*qui souffraient du moralisme étriqué de l'Église et de la*
*société victoriennes. S'écartant de Ruskin, pour qui le*
*Haut Moyen Âge constituait un idéal artistique et moral*
*à la fois, Pater croyait avoir trouvé dans la Renaissance*
*italienne la trace, la survivance, de son idéal à lui : l'hel-*
*lénisme et son paganisme. La Grèce, en raison de son*
*culte de la beauté, dont la statuaire offre sans cesse*
*l'évidence ; le paganisme, parce qu'il repose sur la*
*conviction que l'homme peut atteindre à l'unité avec*
*lui-même — unité de l'âme et du corps — sans réfé-*
*rence à quelque religion que ce soit, si ce n'est la religion*
*de la beauté, et en faisant une confiance absolue à ses*
*sens.*

*De façon moins orthodoxe pour l'historien, mais en*
*renouant, sans doute par l'intermédiaire de Swinburne,*
*avec une tradition poétique anglaise qui remontait à la*
*deuxième génération romantique (Byron, Keats et*
*Shelley), Pater attirait l'attention, notamment à l'occa-*
*sion d'une analyse de la Joconde, sur des relations qui*
*avaient déjà en France fourni matière à bien des œuvres*
*d'art, au premier rang desquelles le lien étroit qui unit*
*beauté et tristesse, et plus encore beauté et douleur.*

*Dans le grand ouvrage de Pater, deux textes furent*
*pour Wilde et pour une partie de sa génération décisifs :*

---

1. « Ce livre qui a exercé sur toute ma vie une si étrange
influence », y écrit-il de *la Renaissance*.

un long essai sur l'historien allemand Winckelmann[1],
et surtout la brève *Conclusion*, sorte d'envoi où l'auteur
résume toute sa philosophie.

À propos de Winckelmann, Pater souligne, ou peut-
être invente, la révélation que put être, pour un Allemand du XVIIIᵉ siècle, la découverte de la Grèce, d'abord
par l'intermédiaire de Platon et des poètes, puis par les
collections d'antiquités qui étaient réunies à Dresde.
Comme il l'écrit, pour Winckelmann « le feu caché de
l'art antique jaillit des profondeurs du sol ». Or que
découvre notamment Winckelmann ? quelque chose qui
devait aller droit au cœur de Wilde, et sans doute de
Pater : que « ceux qui ne sont frappés que par la beauté
des femmes, et qui ne sont pas émus, ou ne le sont que
peu, par la beauté des hommes, ont rarement un instinct
impartial, vital, inné de la beauté des œuvres d'art. La
beauté de l'art grec leur semble toujours imparfaite,
parce que cette beauté est toujours plus mâle que
femelle ». Une porte alors s'ouvre, et peu importe au fond
que Pater, après Winckelmann, voie juste ou se trompe.

La conclusion que Pater donne à son ouvrage est plus
importante, et se relie étroitement au discours que
Nietzsche, dont l'*Origine de la tragédie* est paru tout
juste un an avant la Renaissance, *commence à tenir.
Contentons-nous d'accumuler les citations. « Ce qui
nous importe, ce n'est pas le résultat de l'expérience,
c'est l'expérience même. » « Il faut que, sans cesse, avec

1. Johann Joachim Winckelmann (1717-1768) fut archéologue
au Vatican à partir de 1763 jusqu'à ce qu'un jeune Italien l'assas-
sine au cours d'une expédition. Ses théories historiques et esthé-
tiques le firent saluer par Goethe comme l'un des pères du
classicisme allemand. Il présentait pour Wilde un intérêt supplémentaire, son homosexualité notoire.

*une inlassable curiosité, nous essayions de nouvelles opi-
nions, nous recherchions de nouvelles impressions, et
que nous ne nous contentions jamais de telle ou telle
facile orthodoxie [...]. Nous ne devons pas nous laisser
dominer par une théorie, ou une idée, ou un système qui
exigent de nous le sacrifice d'une partie quelconque de
cette expérience, en considération de quelque intérêt
qui nous reste étranger, ou de quelque abstraction qui
n'a rien de commun avec nous, ou de quelque pure
convention*[1]. »

Wilde va dans Dorian Gray moduler par trois fois ce
thème, au centre de la philosophie qu'il développe dans
le roman. C'est d'abord, au chapitre 2, le discours programme présenté par Lord Henry à Dorian Gray, sur le
retour attendu de l'hellénisme et de son culte de la
beauté et de la jeunesse, sur la spiritualisation de la sensualité, sur le triomphe de l'hédonisme ; discours que
Wilde, quelques mois plus tard, reprendra à son compte
dans l'Âme de l'homme sous le socialisme[2]. C'est
ensuite le chapitre 11 qui, lancé par une sorte de monologue intérieur de Dorian Gray, va plus loin dans la
reprise, presque littérale, du texte de Pater, comme en
témoigne la formule « Son objectif, en vérité, serait
d'être lui-même expérience, et non pas fruit de l'expérience, que celui-ci fût doux ou amer ». C'est enfin, sur
le mode presque désespéré, l'effort de Dorian Gray, au

1. Walter Pater, *la Renaissance*, traduction de F. Roger-Cornaz,
Payot, 1917. Toutes les citations de Pater renvoient à cette
édition.
2. *The Soul of Man under Socialism* parut en revue en février
1891 dans *The Fortnightly Review*, et fut publié pour la première
fois en volume hors commerce en 1895. La première traduction
française parut en 1906 à Bruges (Belgique) sous le titre *l'Âme de
l'homme*.

*chapitre 16, pour trouver dans l'opium la guérison de l'âme par les sens promise jadis par Lord Henry et dont il sait désormais qu'il ne la trouvera pas.*

On pouvait, dans la presse anglaise de 1890, attaquer violemment les décadents français ; il était apparemment plus difficile de s'en prendre à un homme respecté comme Walter Pater, même si, en 1873, quelques sourcils s'étaient levés : les Études sur la Renaissance avaient connu en 1888 leur troisième édition, l'auteur était « fellow » à Oxford et, au demeurant, sa vie n'offrait aucune prise à la critique. Wilde put donc, sans être vraiment contredit — mais sans jamais réussir à faire taire ses ennemis — se maintenir sur la ligne de défense qu'illustrent les citations reproduites ci-dessus. On peut en ajouter quelques-unes, qui complètent sa position théorique.

« C'est le personnage qui parle, et non l'auteur », ajoutait Théophile Gautier au passage reproduit un peu plus haut. Wilde s'en serait voulu de ne pas utiliser également cet argument. Car les personnages, selon les canons de l'esthétique romantique, ne fascinent, voire n'intéressent, que s'ils sortent du commun : « L'art romantique traite de l'exception et de l'individu. Les bons, qui appartiennent au type normal, donc banal, sont dépourvus d'intérêt artistique. Les méchants constituent, du point de vue de l'art, des objets d'étude passionnants. Ils ont la couleur, la variété, l'étrangeté. Les bons agacent la raison ; les méchants excitent l'imagination », écrivait-il à la Saint James's Gazette. D'où cette formule par laquelle il résume sa position dans sa lettre du 30 juin 1890 au Daily Chronicle : « Mon récit est un essai sur l'art ornemental. C'est une réaction contre la brutalité grossière du réalisme le plus *plat. Peut-être est-il vénéneux, mais l'on ne peut nier qu'il soit parfait, et c'est la perfection que nous visons, nous autres artistes. »*

Wilde ne se contenta pas de ces réponses théoriques, et décida, pour l'édition en volume qui devait paraître au début de l'année suivante, d'effectuer trois types de modifications. En premier lieu il ajouta une préface, publiée dès mars 1891 dans The Fortnightly Review, où il regroupa les principes ou les aphorismes qu'il avait présentés sous forme plus discursive dans les lettres écrites tout au long de l'année 1890 et qui, de ce fait, sont censés constituer à la fois la philosophie de l'auteur et la morale esthétique du roman.

Il pratiqua ensuite quelques coupures, généralement d'importance secondaire, mais dont plusieurs permettaient d'éliminer l'un des griefs qui lui étaient adressés, en écartant le soupçon d'homosexualité qui pouvait planer sur les relations de Dorian Gray et de Basil Hallward. Car si, tel qu'il est, le texte ne fait pas disparaître ce type d'interrogation — ce fut également un des thèmes abordés par ses adversaires lors du procès de 1895 —, la version initiale était nettement plus explicite. Disparurent, en conséquence, des phrases comme celles-ci, qui figuraient dans le long échange qu'ont Basil et Dorian au lendemain de la mort de Sibyl Vane, au moment où Basil est sur le point de révéler à Dorian son « secret[1] » :

*« Il est tout à fait vrai que je t'ai adoré avec un sentiment infiniment plus fort que celui qu'un homme éprouve pour un ami. Je ne sais pourquoi, mais je n'ai jamais aimé aucune femme. Je suppose que je n'en avais*

———

1. Voir ci-dessous, p. 217.

*pas le temps [...]. Toujours est-il que, dès l'instant où je fis ta connaissance, ta personnalité exerça sur moi une influence extraordinaire. J'avoue bien volontiers que je t'ai adoré comme un fou, sans limites, de façon absurde. J'étais jaloux de toute personne à qui tu parlais, je te voulais pour moi seul. Je n'étais heureux qu'en ta compagnie. »*

Surtout, en sus de la préface et des coupures ou modifications, l'édition de 1891 se caractérise par l'addition de six chapitres (chapitres 3, 5, 15, 16, 17 et 18), qui n'accroissent que de moins d'un tiers le volume du roman, mais en déplacent quelque peu le centre. Deux de ces chapitres en effet (chap. 3 et chap. 15) permettent à Wilde de redevenir un instant le maître de la conversation mondaine que son comportement en société avait révélé avant que l'Éventail de Lady Windermere n'en apporte la confirmation publique, au point même qu'il introduit dans le Portrait des phrases — j'allais dire : des répliques — qu'il reprendra l'année suivante dans la pièce de théâtre. Ces moments de détente ralentissent le déroulement du récit, mais en même temps relâchent la tension, surtout au chapitre 15. Le nouveau chapitre 5, en revanche, est d'un tout autre ordre, et vient confirmer les remarques de Wilde sur l'ennui que dégagent les personnages vertueux : le « tableau de genre » chez la mère de Sibyl Vane, que Wilde, toujours lucide, ne peut s'empêcher de faire désigner comme tel par la vieille comédienne, est manifestement une forme d'hommage à Dickens, par ce qui a le moins bien survécu dans l'art de ce dernier : le mélodrame sentimental ; même si Wilde, fidèle à Dickens, en profite pour créer le personnage de Jim Vane, frère protecteur de Sibyl avant de devenir son vengeur, qui nourrira les chapitres 16, 17 et 18.

Cette intrigue secondaire ramène le récit dans un cadre réaliste — du réalisme le plus plat, aurait pu dire Wilde — qui a l'avantage pour lui de détourner un instant l'attention de l'intrigue principale et de l'atmosphère — délétère ? — dans laquelle elle se déroule. Et sans doute est-ce dans la même intention « sociale » chère aux romanciers victoriens traditionnels (Dickens, certes, mais aussi Wilkie Collins ou George Gissing) que Wilde prolonge sa description des quartiers sordides de l'East End londonien, où demeure la famille Vane, par la peinture d'une fumerie d'opium sur les bords de la Tamise. Et il n'est pas interdit de supposer qu'il reprend, avec la scène de la fumerie, un *topos* de l'époque, celui de la dégradation physique et morale de l'opiomane, par souci d'atténuer l'impact de la philosophie hédoniste prêchée par Lord Henry, et pour suggérer qu'en fin de compte le méchant ne sera peut-être pas récompensé. Mais c'est là que le piège se referme : car non seulement le chapitre 16, consacré à cette « évasion » de Dorian Gray, est d'une écriture dense, où l'obsession qui taraude le héros devient sensible dans le rythme même de la phrase ; mais, de surcroît il permet à Wilde d'élargir le champ de ses attaques contre la bonne société victorienne et sa morale à deux vitesses, esquissées en 1890 dès le chapitre 1[1] et développées au chapitre 11 dans la description de la double vie menée impunément par Dorian Gray.

---

1. Voir notamment le passage où Lord Henry stigmatise les *classes supérieures* : « Je n'éprouve que sympathie pour la haine que portent les démocrates anglais envers ce qu'ils appellent les vices des classes supérieures. Les masses ont le sentiment que l'ivrognerie, la stupidité et l'immoralité leur appartiennent en propre et que si l'un d'entre nous fait des bêtises, il braconne sur leurs terres. »

*Au total la version définitive du* Portrait *— car Wilde ne devait pas introduire d'autres modifications par la suite — ne pouvait guère désarmer les critiques qui s'obstinaient à rester sur le terrain de la morale conventionnelle. D'autant que l'effort de Wilde pour créer une opposition forte entre Jim Vane le justicier et Dorian Gray la victime du remords restait peu convaincant. En témoigne le vif contraste entre d'une part les chapitres 17 et 18, où Dorian Gray, poursuivi par Jim Vane et tremblant de peur avant d'exulter de joie, est la proie de passions fortes mais somme toute banales, et d'autre part le chapitre 19, présent dès la version initiale, où, décrivant à Lord Henry son amour « innocent » pour Hetty Merton, Dorian Gray redevient le cynique qu'il était face à Basil, acceptant par indifférence à autrui de se duper lui-même sur ses sentiments. Walter Pater, qui avait été romancier aussi bien qu'historien, ne se trompa d'ailleurs pas sur le personnage, lui qui écrivait dans un article par ailleurs fort élogieux : « L'épicurisme véritable vise à un épanouissement complet et harmonieux de l'organisme humain dans sa totalité. Par conséquent, perdre le sens moral, par exemple le sens du péché et de la vertu, comme les héros de M. Wilde s'empressent de le faire aussi rapidement et aussi intégralement qu'il leur est possible, c'est perdre ou réduire toute organisation, c'est devenir moins complexe, c'est passer d'un niveau supérieur à un niveau inférieur de développement[1]. » Ou, comme le dira plus tard Wilde dans sa lettre de prison à Alfred Douglas : « La faute suprême, c'est d'être superficiel. »*

---

1. Walter Pater, dans *The Bookman*, Londres, novembre 1891.

UN PORTRAIT SANS HÉROS

*Oscar Wilde se jugeait exceptionnel :* De Profundis *ne cesse de le rappeler, qui oppose à un être hors du commun le personnage sans envergure et superficiel d'Alfred Douglas, incapable d'assumer ou d'affronter son destin.*

*Écrit cinq ans avant la condamnation qui devait sceller le destin de Wilde, le* Portrait de Dorian Gray *représente de la part de son auteur une tentative manifeste pour créer un type de « héros romantique » adapté à cette fin du XIXᵉ siècle. Plusieurs décennies ont passé depuis que le héros qui surgit dans la poésie de Byron, ou celui qui, tel le Melmoth de Charles Maturin, illustra la prose romanesque, a disparu du paysage littéraire anglais. Les grands romanciers victoriens, Thackeray avec Pendennis ou Henry Esmond, George Eliot avec tous ses personnages, suivant une route parallèle à celle sur laquelle s'est engagé Flaubert, ont plutôt par réaction créé ce que l'on n'appelle pas encore des « anti-héros ». Mais Wilde tient à garder de l'esthétique romantique ce qui lui permet de rendre hommage à l'être exceptionnel, voire de justifier la non-observation des lois communes. Dans la lettre écrite à Douglas du fond de sa prison, il l'utilise avec insistance à propos du Christ, qu'il appelle « le vrai précurseur du mouvement romantique dans la vie », les Évangiles, quant à eux, possédant « un charme romantique tout simple ».*

*Rien d'étonnant, dès lors, à voir surgir dès l'ouverture du roman l'un des thèmes centraux du romantisme, celui de la fatalité, même si, curieusement, c'est Basil* qui en est porteur, peut-être parce qu'il représente l'Artiste ; Basil qui parle « d'une fatalité, ce type de fatalité qui semble, tout au long de l'histoire, s'attacher aux pas chancelants des rois », et qui se fait soudain prophète : « Votre rang et votre fortune, Harry, mon intelligence, à sa mesure, mon art, pour ce qu'il vaut, la beauté de Dorian Gray — de ce que les dieux nous ont donné, nous aurons tous à souffrir, à souffrir terriblement[1]. »

Mais si, sautant à pieds joints par-dessus les dix-neuf chapitres qui suivent, on cherche à mesurer la justesse de la prophétie, que constate-t-on ? Que l'intelligence exceptionnelle de Lord Henry lui aura tout au plus permis de concevoir et d'avouer sa profonde insatis-faction, qui ne le condamne qu'à une vieillesse mélancolique ; que Basil, désabusé et déçu dans une passion inconciliable au demeurant avec son aspiration à la pureté, meurt assassiné dans l'indifférence du monde ; que Dorian Gray enfin, le héros présumé, ren-contre la mort et son destin, non dans un suprême affrontement, mais dans l'incapacité à concevoir ce qui lui arrive et ce dont il est (censé être) porteur : « Il tue-rait le passé et une fois ce passé mort, lui-même serait libre. » N'ayant jamais vraiment compris que le portrait s'était approprié son être même, il le détruit, croyant s'en délivrer. Pour reprendre la formule lancée par Wilde du fond de sa prison : « La faute suprême, c'est d'être superficiel. Tout ce dont on prend conscience est juste. »

Ce bilan, trop sommaire sans doute, peut surprendre, et il est vrai que sont mis en œuvre dans Dorian Gray

---

1. Voir ci-dessous, p. 55.

divers ingrédients dont le mélange avait permis, de la fin du XVIII<sup>e</sup> au milieu du XIX<sup>e</sup> siècle, de donner chair aux héros de la littérature romantique anglaise. Ainsi de Dorian Gray, pris au piège d'un vœu irréfléchi qu'exaucent des dieux rusés, sans qu'il prenne jamais conscience que, tel Faust, il lui faudra un jour en payer le prix. Ainsi de Lord Henry, s'exaltant — à sa manière, c'est-à-dire discrète et cynique — d'avoir, tel Pygmalion, créé sa statue : « Il avait conscience — et d'y penser fit passer un éclair de plaisir dans ses yeux d'agate brune — que c'était grâce à certaines paroles prononcées par lui, des paroles mélodieuses exprimées par une voix mélodieuse, que l'âme de Dorian Gray s'était tournée vers cette blanche jeune fille et se prosternait devant elle. Pour l'essentiel, c'était lui qui avait créé ce jeune homme[1]. » Et qu'importe si, apprenti sorcier semblable au jeune Frankenstein, il est dépassé par sa créature, incapable à son tour de comprendre que l'engrenage qu'il a, sans tout à fait le vouloir, mis en place va se retourner contre Dorian Gray et contre lui ? Car la scène au cours de laquelle il déclare à Dorian Gray, qui vient de s'accuser du meurtre de Basil : « Je dirais, mon cher ami, que vous êtes en train de jouer un rôle pour lequel vous n'êtes pas fait. Tout crime est vulgaire, de même que toute vulgarité est criminelle. Vous n'avez pas en vous, Dorian, de quoi commettre un meurtre. Je suis désolé de blesser votre vanité en disant cela, mais je vous assure que c'est vrai[2] », manifeste que lui aussi est incapable de concevoir clairement ce qui se passe.

Lord Henry, qui met en mouvement le mécanisme

1. Voir ci-dessous, p. 133-134.
2. Voir ci-dessous, p. 362.

*par lequel Dorian Gray est entraîné vers le destin que les dieux lui réservent, aurait pu être plus intéressant que Dorian Gray. Mais Wilde en a fait un corrupteur souriant, plus proche d'Offenbach que de Goethe. Plutôt qu'un personnage satanique à la façon du roman gothique, il constitue la version wildienne de Méphistophélès, un Méphistophélès qui aurait troqué l'attirail des Enfers contre le scalpel et le microscope du naturaliste : « Il avait toujours été fasciné par les méthodes des sciences naturelles, mais le matériau ordinaire de ces sciences lui paraissait trivial et sans intérêt. Aussi avait-il commencé par pratiquer sur lui la vivisection, pour finir par la pratiquer sur autrui. La vie humaine, voilà la seule chose qui lui parût justifier la recherche. En termes de valeur rien ne pouvait se comparer à elle[1]. »*

*Le corrupteur véritable, tout le roman s'efforce d'en convaincre le lecteur, ce n'est pas Lord Henry — auquel, sans doute, Wilde s'identifiait trop pour pouvoir lui confier ce rôle —, c'est Dorian Gray : les accusations dont, au chapitre 12, Basil Hallward se fait l'écho ; l'attitude de Campbell au chapitre 14 ; la scène dans la fumerie d'opium ; tous ces passages donnent de Dorian Gray une image autrement plus « vénéneuse », pour reprendre le terme favori des ennemis de Wilde, que celle qui s'attache à Lord Henry. Dorian Gray est présenté comme celui par qui le mal arrive, celui qui salit, qui souille, qui détruit et conduit au suicide. Si une malédiction s'attache à lui, c'est celle dont, la première, Sibyl Vane a souffert : l'incompréhension, non la volonté de nuire, est sa marque. En témoignent le*

1. Voir ci-dessous, p. 132-133.

*monologue intérieur qui suit son rejet de Sibyl Vane au chapitre 8, et son dialogue avec Basil Hallward au chapitre suivant, où il reprend presque à l'identique les déclarations qu'il s'était faites à lui-même ; discours qui a son pendant au chapitre 20, lorsque, à nouveau seul, il examine son attitude à l'égard de Hetty Merton. Dans la narration, cette incompréhension s'exprime d'ailleurs par la distance qu'à l'instar de son maître Lord Henry il s'efforce de conserver par rapport aux événements, dès l'instant qu'ils arrivent aux autres : le chapitre 16, qui relate son escapade vers la fumerie d'opium, est d'un tout autre ton que le chapitre 9, où il présente à un Basil horrifié son analyse du suicide de Sibyl Vane.*

*Cette absence d'épaisseur du personnage n'est pas liée seulement à la psychologie immature qui lui est prêtée par l'auteur — par rapport à l'esthétique romanesque du XIX^e siècle anglais, qui présuppose que le héros n'atteint sa maturité qu'après avoir affronté une crise, une ordalie, mettant en jeu toute son existence. Elle résulte également d'un mode de narration propre à Wilde, pour qui les mots, et les phrases en tant que simple assemblage de mots, ont une absolue priorité. Or si cette conception du discours narratif convient fort bien au conte satirique, genre dans lequel Wilde s'était déjà illustré, et encore mieux à la scène, où ses quatre comédies sont des feux d'artifice incomparables, elle introduit entre les personnages et les événements d'une part, les discours censés en rendre compte d'autre part, une distance excessive. J'ai déjà dit que les deux chapitres construits autour de conversations mondaines, ajoutés par Wilde après la parution de* Dorian Gray *en revue, relâchaient la tension ; surtout, la relâchant, ils font perdre à la situation dans laquelle se trouve le héros la dimension dramatique, voire tragique (chapitre 17), qui semblait devoir lui correspondre. De même le chapitre 11, central pour la compréhension par le lecteur de la métamorphose que connaît Dorian Gray sous l'influence conjuguée des discours de Lord Henry et du « livre à couverture jaune », est narrativement déséquilibré par les interminables énumérations, de bijoux, de tissus, d'instruments de musique, voire de personnages historiques ou fictifs, qui excitèrent, à juste titre, les sarcasmes de la critique. Mais en même temps ce chapitre est au centre de la conception que Wilde avait de son art : autant qu'un hommage à Huysmans et, à travers lui, au Flaubert de Salammbô, il est la marque d'un goût profond pour le substantif un peu rare ou l'épithète décorative, dont Wilde est incapable de faire l'économie. Je citerai un seul exemple de ce goût, choisi dans le passage déjà cité où Lord Henry se compare intérieurement à Pygmalion, et où Wilde croit nécessaire de préciser que les yeux de Lord Henry sont « d'agate brune ».*

*Somme toute, à condition d'entendre « épigramme » au sens large, on peut appliquer à Wilde la formule que Dorian Gray décoche, au chapitre 18, à Lord Henry : « Vous sacrifieriez n'importe qui, Harry, pour une épigramme. » C'est bien là un des traits les plus caractéristiques du génie littéraire de Wilde, pour qui le discours est tout : non pas celui, inévitable et naturel, par lequel le romancier construit son univers, mais celui qui tient lieu d'analyse, qui remplace les aventures par leur relation amusée et les personnages par une série de répliques. Tout cela se résume en une autre formule, de Wilde celle-ci, qui écrivait à Conan Doyle à propos de Dorian Gray : « Entre la vie et moi s'étend toujours un*

*brouillard de mots. Pour l'amour d'une formule, je jette
la vraisemblance par la fenêtre, et la possibilité d'une
épigramme me fait abandonner la vérité[1]. »*

*Que Wilde ait tenté, au moins quelque temps, de
faire de Dorian Gray un des Esseintes, voire une figure
satanique, c'est probable ; une trace au moins en
subsiste : le chapitre 14, où l'on peut dire qu'il induit en
tentation son ancien ami Campbell. Mais c'est l'unique
passage où nous voyions Dorian Gray en situation de ressembler à un personnage du roman décadent. Encore
sommes-nous bien loin, pour s'en tenir à Huysmans, du
chapitre 6 d'À Rebours où des Esseintes s'efforce de per-
vertir le jeune Auguste Langlois, ou plutôt de réaliser
« la parabole laïque, l'allégorie de l'instruction universelle qui, ne tendant à rien moins qu'à transmuer tous
les gens en des Langlois, s'ingénie, au lieu de crever défi-
nitivement et par compassion les yeux des misérables, à
les leur ouvrir tout grands et de force ». En fait, et en
dépit de la formule de Lord Henry : « La seule façon de
se débarrasser d'une tentation, c'est d'y céder », Wilde
n'aura ni su, ni sans doute voulu, recourir explicitement
au satanisme du roman gothique anglais, ni à la perver-
sion du décadentisme français. Il est clair que l'état des
mœurs, artistiques et éthiques à la fois, en Angleterre
victorienne, n'a permis à aucun écrivain de rien publier
qui ressemble à la prose naturaliste de Zola, encore
moins aux romans décadents ; seules subsistent à cet
égard des « confessions » anonymes et clandestines, simples témoignages humains ou sociaux. L'ère victorienne, même à son déclin, même à la veille de son bas-
culement dans le XXᵉ siècle, reste pour reprendre une*

1. A. Conan Doyle, *op. cit.*, p. 94, et *Lettres*, 1994, p. 161.

*expression chère à Mario Praz, une époque Bieder-*
*meier*[1].

   *Mais pour Wilde, séduit sans doute plus que tout*
*autre écrivain anglais par la liberté qui régnait en*
*France, je crois que les interdits de l'époque ne sont pas*
*seuls en cause. Son univers esthétique ne lui permet pas*
*de mettre en scène des personnages de démesure, pas*
*plus au reste que d'absolus méchants. Car tout cet uni-*
*vers, toute cette œuvre (y compris* Salomé, *que l'on per-*
*çoit peut-être trop aujourd'hui à travers le prisme de la*
*musique de Richard Strauss), est d'abord* esthétique, *et*
*ignore superbement toute dimension tragique. Sans*
*même renvoyer à l'esprit du décadentisme, une lecture*
*parallèle de* Dorian Gray *et de* la Peau de chagrin,
*dont la présence est manifeste à l'arrière-plan de*
Dorian Gray, *le met bien en lumière. L'antiquaire qui*
*offre le talisman à Raphaël tient un discours proche de*
*celui de Lord Henry :* « *Ceci, dit-il d'une voix éclatante*
*en montrant la* Peau de chagrin, *est le pouvoir et le*
*vouloir* réunis. *Là sont vos idées sociales, vos désirs*
*excessifs, vos intempérances, vos joies qui tuent, vos*
*douleurs qui font trop vivre ; car le mal n'est peut-être*
*qu'un violent plaisir. Qui pourrait déterminer le point*
*où la volupté devient un mal et celui où le mal est encore*
*la volupté ?* » *La réponse de Raphaël est directe,*
*enthousiaste :* « *Eh ! bien, oui, je veux vivre avec*
*excès.* » *Et il devient plus explicite encore un peu plus*
*loin :* « *Oui, j'ai besoin d'embrasser les plaisirs du ciel et*

---

1. Voir Mario Praz, *la Crise du héros dans le roman victorien*,
1952. Dans son autre grand livre, *la Chair, la Mort et le Diable dans
la littérature du XIXᵉ siècle*, largement consacré aux décadents, Praz
n'a pas de mots assez cruels pour Wilde (« en tant que parodie, la
*Salomé* de Wilde frôle le chef-d'œuvre », p. 256).

*de la terre dans une dernière étreinte pour en mourir. »*
*Et au moment suprême, tandis que la Peau de chagrin*
*n'est plus qu'un lambeau, «fragile et petit comme la*
*feuille d'une pervenche», il retrouve en lui la même*
*aspiration simultanée à la volupté et à la mort :*
*«Pauline! Pauline! cria le moribond en courant après*
*elle, je t'aime, je t'adore, je te veux! Je te maudis, si tu*
*ne m'ouvres! Je veux mourir à toi! »*

*Wilde, écrit Mario Praz à propos du* Portrait de
Dorian Gray[1]*, « met tout en perspective : il prend tou-*
*jours la pose, et fait poser ses personnages, ses paysages,*
*ses événements ». Cette distance et ce jeu sont conformes*
*à l'image qu'est censé donner Lord Henry — aussi bien*
*qu'à la présentation qu'en fait Wilde dans la lettre au*
Daily Chronicle *déjà citée : «Lord Henry s'efforce de*
*rester un simple spectateur de la vie» — et dont les*
*interlocuteurs, dans les scènes mondaines, attestent*
*qu'elle est bien perçue; ils le sont également au primat*
*du spectacle — sur scène comme dans un atelier*
*d'artiste — défendu par le roman, ainsi qu'à ce nouveau*
*paradoxe du comédien que Wilde développe à propos*
*de Sibyl Vane, incapable de jouer la passion dès qu'elle*
*l'éprouve en vérité. Ces traits ne conviennent guère à un*
*héros romantique. Le Portrait de Dorian Gray montre*
*bien que si Wilde, dans son œuvre critique, et encore*
*dans* De Profundis*, ne cesse de célébrer le romantisme,*
*le seul personnage de roman qu'il ait créé, loin de faire*
*revivre les héros maudits, n'est qu'un jouisseur lassé.*
*Une fois de plus, c'est dans* De Profundis *que Wilde,*
*affirmant décrire Alfred Douglas tel qu'il est, décrit le*
*mieux Dorian Gray : «Tu t'es introduit de force dans*

---

1. Mario Praz, *la Chair, la Mort et le Diable*, p. 300.

_une vie trop vaste pour toi, une vie dont l'orbite trans-cendait autant ta puissance de vision que ta capacité d'évolution, une vie qui par ses réflexions, ses passions et ses actions revêtait une signification intense, exprimait un très vaste intérêt, et qui était grosse, à l'excès sans doute, de conséquences extraordinaires ou terribles. »_

J'ai mentionné plus haut le roman gothique anglais. Wilde avait toutes raisons d'y renvoyer indirectement ses lecteurs. D'abord parce qu'il était le petit-neveu de Charles Maturin, créateur en 1820, avec le personnage de Melmoth, de la version romantique, et fantastique, du Juif errant[1]. Mais surtout parce que, même en cette fin du XIXᵉ siècle, les ressorts du fantastique restent puissants et continuent à séduire : le compatriote de Wilde, Bram Stoker, en apportera la preuve en 1897 avec Dracula. Or le thème central de Dorian Gray s'inscrit dans un univers proche de celui du fantastique : échanger son âme contre la jeunesse éternelle, mythe faustien atténué, dégradé peut-être, voilà un rêve qui n'a rien perdu de son pouvoir. Wilde, auteur de contes pour enfants, était assuré de trouver pour ce conte-ci un public de grands enfants prêts à lui accorder leur foi tout le temps qu'il faudrait.

D'autant que ce public attend et obtient davantage. Car ce vœu de Dorian Gray, prononcé après le discours tentateur de Lord Henry, exprime également un penchant dont les bien-pensants de l'époque trouvaient matière à s'indigner, mais que ne reniaient pas les autres, et ce sont eux qui sont sans doute aujourd'hui les

---

1. Lorsque Wilde, après sa sortie de prison, s'installa quelque temps en Normandie, il s'inscrivit à l'hôtel sous le nom de « Monsieur Melmoth ».

*plus nombreux : le charme de la transgression, le goût
du péché, la beauté du diable. Affirmer qu'il n'y a pas
plus de livre immoral que de livre moral, ce pouvait être
en 1891 un dangereux paradoxe ; l'affirmer un siècle
plus tard, c'est ou bien se payer le luxe d'un cliché, ou
bien, comme en 1891, revendiquer le droit à l'immoralité, dans la littérature comme dans la vie. Les sortilèges
du mal restent, et c'est justice, un des ressorts acceptés
de toute œuvre de fiction. Aussi n'est-il pas conseillé de
prendre au pied de la lettre les affirmations de Wilde,
qui prétendait répondre aux accusations d'immoralité
lancées contre lui par le* Daily Chronicle : « Et voici la
morale de ce récit : Tout excès, comme tout renoncement, entraîne son propre châtiment. Le peintre, Basil
Hallward, qui adore infiniment trop la beauté physique, comme le font la plupart des peintres, meurt sous
les coups d'un être auquel il a donné une vanité monstrueuse et ridicule. Dorian Gray, qui a mené une vie
faite essentiellement de sensations et de plaisirs, essaie
de tuer sa conscience et, ce faisant, se tue lui-même.
Lord Henry s'efforce de n'être que spectateur de la vie.
Il découvre que ceux qui refusent le combat sont plus
grièvement blessés que ceux qui y prennent part*[1]. » *On
y retrouve un peu trop le ton de Barbey d'Aurevilly pré-
façant en 1884* le Vice suprême *de Péladan : « Je ne
sache personne qui ait attaqué d'un pinceau plus ferme*

---

1. Lettre au *Daily Chronicle* en date du 30 juin 1890. Au
moment de son premier procès, le défenseur de Lord Queensberry l'ayant avec insistance interrogé sur l'« immoralité » de
*Dorian Gray*, Wilde répondit : « Lorsque j'écris une pièce de
théâtre ou un livre, je ne me soucie que de littérature, c'est-à-dire
d'art. Je ne vise à faire ni le bien ni le mal, mais je m'efforce de
créer une œuvre qui ait une certaine qualité ou une certaine
forme de beauté et d'esprit. »

*et plus résolu ces corruptions qui plaisent parfois à ceux
qui les peignent ou qui épouvantent l'innocente pusilla-
nimité de ceux qui craignent les admirer [...]. Il peint le
vice bravement, comme s'il l'aimait et il ne le peint que
pour le flétrir et pour le maudire[1]. »* Certes, si l'on reste
à la surface des choses, Wilde dit vrai, et, pour s'en tenir
à elles, les deux dernières scènes — la soirée que passent
ensemble Dorian Gray et Lord Henry, puis la dernière
confrontation de Dorian Gray avec son portrait — sont
chargées d'une mélancolie où l'on est libre, comme dans
le dernier souper de Don Juan, de sentir l'imminence du
châtiment et, pourquoi pas ? du repentir. Mais comme
toutes les émotions auxquelles Wilde donne l'impression
de céder, celle-ci est d'abord d'ordre esthétique : le passage, émouvant en effet, où Lord Henry réunit l'évoca-
tion de Chopin à Majorque, la légende d'Apollon et de
Marsyas, et le parfum du lilas blanc, est moins l'aveu
d'un désespoir que sa transmutation en une œuvre d'art.

Wilde avait une raison supplémentaire d'être sensible
au souvenir du roman gothique : le genre lui-même, au
terme d'une évolution qui n'était pas limitée à l'Angleterre, avait donné naissance au conte fantastique, souvent moins noir, illustré en France par un des écrivains
que Wilde admirait le plus, Théophile Gautier, et dans
le monde anglo-saxon par Edgar Poe, avant de produire
en 1886, sous la plume de Stevenson, le double personnage de Jekyll et Hyde[2].

---

1. Cité par Mario Praz, *la Chair, la Mort et le Diable*, p. 274.
2. Encore que dans un de ses essais, Wilde n'ait pu résister au
plaisir d'une épigramme, en affirmant que « la transformation du
Docteur Jekyll ressemble dangereusement à la relation d'une
expérience » dans une revue médicale. On comprend que rien ne
nous soit dit sur la méthode employée par Campbell pour faire
disparaître le cadavre de Basil Hallward...

*Gautier est certes présent dans* Dorian Gray, *moins comme conteur que comme théoricien ou comme poète, notamment au chapitre 14, lorsque au lendemain du meurtre de Basil Hallward Dorian Gray feuillette* Émaux et Camées. *En revanche Poe et Stevenson, grâce à* « William Wilson » *et au* Docteur Jekyll et Mr Hyde, *ont peut-être joué un rôle important dans le recours au thème du double, qui apparaît au chapitre 11* (« la petite taverne mal famée proche des Docks qu'il avait coutume, sous un faux nom et un déguisement, de fréquenter »). *Ce thème permet à Wilde de rajeunir l'image, en soi peu originale en 1890, d'une bonne société victorienne à deux visages, affichant une morale différente de celle qu'elle pratique et menant une double vie (Wilde ne s'excluait sûrement pas de cette mise en cause, lui qui tenait soigneusement distincts les deux versants de sa vie sociale). Thème qui renvoie également à ces* « mystères de l'âme » *que la psychologie de l'époque, comme sa littérature, excellait à mettre en lumière. Mais là aussi Wilde innove, en développant une analogie inspirée de l'univers qu'il connaît le mieux, celui de l'art : ce qui était, chez le héros de Stevenson, fracture psychologique, devient dans* Dorian Gray *dissociation entre un être et son image telle qu'un artiste a su la créer.*

*Il ne faut voir là nul démenti à la théorie bien connue de Wilde selon laquelle c'est la nature qui imite l'art, et non l'inverse : dans* Dorian Gray, *c'est le portrait, non l'être humain, qui est le personnage vivant : Mallarmé l'avait bien senti quand il reprenait, dans sa lettre à Wilde, la formule de* Dorian Gray *au dernier chapitre du roman :* « C'était le portrait qui était la cause de tout. » Dorian Gray, *du jour où son vœu a été exaucé, a*

*cessé à proprement parler de vivre : le tableau de Basil
est désormais le lieu où s'inscrit la trace de sa vie. Lui-
même est devenu un* artefact, *créé par Lord Henry et
recréé par le « livre à couverture jaune », à telle enseigne
qu'au chapitre 11, il se conçoit comme la réincarnation,
ou plutôt la copie, de personnages tirés de l'histoire ou
de la littérature : « Parfois Dorian Gray avait l'impression que l'histoire entière n'était que la relation de sa vie,
non pas telle qu'il l'avait vécue en action et dans le
détail, mais telle que son imagination l'avait créée pour
lui, telle qu'elle avait été dans son cerveau et dans ses
passions. Il avait le sentiment de les avoir tous connus,
ces personnages singuliers et terrifiants qui avaient traversé la scène du monde en rendant le péché si merveilleux et le mal si subtil. Il lui semblait que leur vie, mystérieusement, avait été la sienne. »*

*C'est dans cette assomption du portrait que trouve sa
justification la transposition réussie par le cinéaste
Albert Lewin, qui conclut sa version, en noir et blanc,
du roman de Wilde par l'apparition terrifiante, en couleurs, du portrait de Dorian Gray dans sa forme dernière, juste avant le coup de couteau qui le métamor-
phosera. Le héros du* Portrait de Dorian Gray, *en
vérité, est un tableau.*

« MA VIE EST COMME UNE ŒUVRE D'ART »

*André Gide écrivait en 1901, dans le premier texte
qu'il consacrait à Oscar Wilde : «* Dorian Grey *(sic),
tout d'abord, était une admirable histoire, combien*

*supérieure à la* Peau de chagrin *! combien plus
significative ! Hélas, écrit, quel chef-d'œuvre
manqué[1] ! »* C'est que Gide avait entendu Wilde
conter, *et, comme tous ceux qui avaient eu cette
chance, ne supportait pas le travail d'écriture auquel
Wilde se livrait après coup, travail où selon lui on sentait
trop l'apprêt. Pour un lecteur d'aujourd'hui, le jugement paraît excessif, et si j'avais à résumer la faiblesse
que, pour ma part, je décèle dans le* Portrait de Dorian
Gray, *j'emploierais une formule démodée, et parlerais
du « manque de sérieux » de l'auteur. Mais la critique
de Gide est formulée quelques lignes à peine, et comme
pour en confirmer la justesse, après sa citation de la
phrase célèbre qu'il a entendu tomber de la bouche de
Wilde : « J'ai mis mon génie dans ma vie ; je n'ai mis
que mon talent dans mes œuvres. » Il nous oriente vers
l'une des raisons qui expliquent la puissance de séduction de ce roman. Cette raison peut paraître incongrue,
puisqu'elle heurte de front un des dogmes que la modernité était censée avoir fait triompher, celui de la radicale
dissociation entre un texte et son auteur. Mais il est
impossible, cent ans après, comme il l'était en 1891, de
lire* Dorian Gray *sans faire référence, pour sa lecture
même, à la vie de son auteur et au reflet que le roman en
donne. Impossible de ne pas s'arrêter sur l'étrange com-
binaison de fiction et de réalité qui, plus que tout autre
trait, fait l'originalité du* Portrait de Dorian Gray. *Et
cela indépendamment de ce que Wilde lui-même, dans
une lettre de 1894, écrivait : « Je suis ravi que vous
aimiez ce livre aux couleurs étranges ; j'y ai mis beau-*

---

1. André Gide, « In Memoriam », dans *Oscar Wilde*, Mercure
de France, 1910, rééd. 1989, p. 32.

*coup de moi-même. Basil Hallward est ce que je crois être ; Lord Henry ce que le monde me croit être ; Dorian ce que j'aimerais être*[1]. »

Car plus encore que l'enrichissement des personnages par des traits inspirés de sa propre personnalité, est intéressante la force prémonitoire du roman : le Portrait de Dorian Gray, à bien des égards, annonce les dernières années de la vie de Wilde, préfigure en partie son destin. La composition du roman s'étend sur une courte période : le dîner chez Stoddart eut lieu le 30 août 1889 et Wilde annonça dès décembre que son roman serait prêt en mars 1890[2]. (On dira même à Gide : « Je l'ai écrit en quelques jours, parce qu'un de mes amis prétendait que je ne pourrais jamais écrire un roman[3]. ») De cette rapidité naît sans doute, même dans la version initiale en quatorze chapitres, une écriture facile, voire verbeuse, dont le chapitre 11 fournit une bonne illustration. Mais la médaille a son avers : Wilde nourrit son texte de toutes les intuitions que créent en lui l'existence qu'il mène, le mode de vie qu'il s'est choisi, et il donne ainsi chair à des pressentiments, des aspirations. Ainsi la fiction, construite en partie sur le souvenir de textes aimés — la Peau de chagrin, À Rebours, Mademoiselle de Maupin — parvient à suggérer que la fatalité, si elle n'est pas réellement à l'œuvre dans la destinée romanesque de Dorian Gray, l'est peut-être dans la vie d'Oscar Wilde.

Ainsi, et pour aller tout de suite à l'essentiel, « Dorian Gray n'existe pas en 1890 dans la vie de Wilde et le

1. Oscar Wilde, *Lettres*, 1994, p. 190.
2. *More Letters of Oscar Wilde*, Oxford, 1985, p. 87.
3. André Gide, *op. cit.*, p. 32.

*couple du corrupteur et du corrompu n'a pas encore d'équivalent. Sa liaison avec Robert Ross, devenue selon toute vraisemblance une amitié platonique, mais qui ne s'éteindra qu'à la mort de Wilde, se déroule alors sans drame. Et Alfred Douglas, qui marquera cruellement les neuf dernières années de la vie de Wilde, ne lui sera présenté qu'en juin 1891, c'est-à-dire une fois le* Portrait *publié dans sa version définitive. (Mais Douglas l'avait déjà lu et relu, et l'un des premiers gestes de Wilde fut de lui en offrir un exemplaire hors commerce.) Et pourtant il serait aisé de relever toutes les indications, mieux : les indices, qui dans le* Portrait *annoncent moins le désastre à venir — si ce n'est la formule de Lord Henry, au chapitre 1 : « On ne saurait être trop prudent dans le choix de ses ennemis », qu'il est évidemment tentant d'appliquer à la décision catastrophique prise par Wilde en 1895 de s'attaquer au père d'Alfred Douglas — que la relation exceptionnelle qui unira, durant neuf ans, Wilde et Douglas.*

*La rumeur a voulu que Wilde ait choisi le patronyme de son héros en hommage à un jeune poète, John Gray, dont il semblait s'être épris, au point de financer totalement l'édition du premier volume de ses poèmes. Les biographes actuels de Wilde rejettent cette hypothèse, mais sont bien obligés de rejeter également toute référence à un Douglas qui n'était pas encore connu de Wilde. On ne trouvera donc dans le roman nul passage qui renvoie à des événements concrets ayant pu se produire antérieurement à son écriture. En revanche, il est aisé de constater à quel point les deux protagonistes de ce qui devait devenir le drame personnel de Wilde se sont modelés ou, pis encore, se sont laissé modeler, sur les deux principaux personnages du roman.*

*Douglas, après la mort de Wilde, et surtout à partir
de 1912, quand le contenu de* De Profundis, *quoique
censuré pour la publication, fut divulgué devant la justice, adopta délibérément comme ligne de défense
qu'ayant connu Wilde quand il était un jeune étudiant
plein d'impétuosité et d'enthousiasme, donc d'innocence, il avait été purement et simplement séduit, c'est-
à-dire débauché, par Wilde. Dans son premier volume
de souvenirs,* Oscar Wilde and Myself[1], *il écrit : « Il
faut se rappeler que lorsque je fis la connaissance de
Wilde, j'étais très jeune, et plus jeune encore de caractère et d'expérience. En fait, je n'étais qu'un enfant. »
C'est ce que Wilde, dans cette lettre de prison dont Douglas devait connaître en 1912 le texte intégral, si même il
ne l'avait pas lue avec attention en 1897, devait appeler
à trois reprises « la théorie de l'enfant Samuel ». Et en
effet Wilde est présenté par l'accusation lors de ses
procès, ainsi qu'il l'avait été par le père de Douglas,
comme le corrupteur en chef, résumant ainsi en lui les
deux personnages de son roman : celui qui donne la chi-
quenaude initiale et change un jeune enfant au cœur
pur en débauché, et celui qui, tel Dorian Gray, mène au
désastre tous ceux qui se laissent enjôler par lui.*

*Mais Wilde, dans ce livre que Mario Praz appelle un
échec artistique, trouve une vérité psychologique qu'il
importe de souligner. Car « Dorian Gray », c'est bien,
en effet, Alfred Douglas tel que Wilde le connaîtra
bientôt, c'est Douglas, surtout, tel qu'il le peindra, au
vitriol, dans* De Profundis. *Vers la fin de sa lettre,
Wilde donne le coup de grâce à Douglas lorsqu'il lui*

1. Alfred Douglas, *Oscar Wilde and Myself*, Londres, 1914,
p. 42.

*écrit la phrase citée plus haut, mais qui mérite de l'être à nouveau :* « Tu t'es introduit de force dans une vie trop vaste pour toi, une vie dont l'orbite transcendait autant ta puissance de vision que ta capacité d'évolution, une vie qui par ses réflexions, ses passions et ses actions revêtait une signification intense, exprimait un très vaste intérêt, et qui était grosse, à l'excès sans doute, de conséquences extraordinaires ou terribles. Ta petite vie de petits caprices et de petites humeurs était admirable à l'intérieur de sa petite sphère[1]. » *Il n'est rien arrivé d'autre à Dorian Gray que d'être trop petit pour la destinée à laquelle l'avait promis son rêve fou, son hubris (mais le mot, qui aurait convenu au Raphaël de Balzac, est trop fort pour le personnage) : transférer sur le tableau le vieillissement qui lui serait épargné.*

*J'entends bien l'objection, elle n'est pas neuve, qui rappellerait que tous les lecteurs du* Portrait de Dorian Gray *n'ont pas nécessairement entendu parler d'Oscar Wilde, encore moins d'Alfred Douglas. Mais l'exprimer, c'est l'annuler :* « Oscar Wilde » *n'existe, pour quiconque ouvre le* Portrait de Dorian Gray, *que chargé, mystérieusement sans doute, d'une* aura *dont sa vie, plus que son œuvre, est porteuse. C'est d'ailleurs le triomphe de Wilde que d'avoir permis que fût une fois de plus vérifiée sa formule, déjà citée, sur son génie et son talent : il crée une œuvre d'art et ne peut s'empêcher ensuite que sa vie s'y conforme.*

*Ainsi restons-nous dans l'univers du portrait et de la copie. Le* Portrait de Dorian Gray *n'est ni le portrait d'Oscar Wilde, ni celui d'Alfred Douglas. Il est le por-*

---

1. Voir O. Wilde, *De Profundis*, Folio essais, Gallimard, 1992, p. 192-193.

*trait de la vie qu'Oscar Wilde et Alfred Douglas s'apprê-*
*taient à mener, ou plutôt qu'Oscar Wilde attendait de*
*pouvoir mener avec un Dorian Gray encore non*
*incarné. C'est là qu'est la vraie fatalité, celle qui a*
*marqué la conscience que Wilde avait de sa propre vie et*
*dont* le Portrait de Dorian Gray *offre une image*
*répétée* ad infinitum, *comme le montrent le sort réservé*
*à Campbell, celui que l'on devine d'Adrian Singleton,*
*ou de la sœur de Lord Henry, ou encore de cette femme*
*anonyme que Dorian Gray retrouve dans la fumerie*
*d'opium. Le temps des héros est révolu, il faut se conten-*
*ter de la copie.*

Jean Gattégno

# LE PORTRAIT
# DE DORIAN GRAY

*Préface*

L'artiste est le créateur de belles choses.

Révéler l'art et dissimuler l'artiste, tel est le but de l'art.

Le critique est celui qui peut traduire en une autre manière ou une autre matière les impressions que créent sur lui les belles choses.

Le mode autobiographique est la forme de critique la plus haute, mais aussi la plus basse.

Ceux qui trouvent à de belles choses des significations laides sont corrompus sans être séduisants. C'est là une faute.

Ceux qui trouvent à de belles choses des significations belles sont les gens cultivés. D'eux on ne doit pas désespérer.

Ceux pour qui les belles choses ne signifient que Beauté sont les élus.

Il n'existe pas de livre moral ou de livre immoral. Un livre est bien écrit ou mal écrit, un point, c'est tout.

La haine du XIXᵉ siècle pour le réalisme, c'est la rage de Caliban découvrant son visage dans un miroir.

La haine du XIXᵉ siècle pour le romantisme, c'est la rage de Caliban ne découvrant pas son visage dans un miroir.

La vie morale de l'homme constitue une partie de la matière sur laquelle travaille l'artiste, mais la moralité, pour l'art, réside dans l'usage parfait d'un médium imparfait. Aucun artiste ne désire prouver quoi que ce soit. Même des choses vraies peuvent être prouvées.

Nul artiste n'a de sympathies éthiques. Chez un artiste, toute sympathie éthique est un maniérisme impardonnable.

Nul artiste n'est jamais morbide. L'artiste peut tout exprimer.

Pensée et langage constituent pour l'artiste des instruments de son art.

Vice et vertu constituent pour l'artiste des matériaux de son art.

Du point de vue de la forme, le paradigme de tous les arts est l'art du musicien. Du point de vue du sentiment, c'est le métier du comédien.

Tout art est à la fois surface et symbole.

Ceux qui plongent sous la surface le font à leurs risques et périls.

Ceux qui déchiffrent les symboles le font à leurs risques et périls.

C'est le spectateur, et non la vie, que reflète en réalité l'art.

La diversité des opinions suscitées par une œuvre d'art prouve que l'œuvre est neuve, complexe et d'importance vitale.

Quand les critiques ne sont pas d'accord entre eux, l'artiste est en accord avec lui-même.

On peut pardonner à un homme d'avoir réalisé une chose utile dès l'instant qu'il ne l'admire pas. La seule excuse à la réalisation d'une chose inutile, c'est qu'on l'admire intensément.

Tout art est parfaitement inutile.

Beauté
L'art
apparence
éthique

## 1

La riche senteur des roses emplissait l'atelier, et lorsque la brise d'été agitait les arbres du jardin, les lourds effluves du lilas, ou la fragrance plus subtile de l'épine rose, pénétraient par la porte ouverte.

Depuis le coin du divan aux motifs persans sur lequel il était étendu, fumant, comme à son habitude, cigarette sur cigarette, Lord Henry Wotton apercevait tout juste l'éclat d'un cytise aux fleurs couleur de miel, suaves comme le miel, dont les rameaux frémissants paraissaient à peine capables de porter le poids d'une beauté aussi flamboyante que la leur, cependant que de temps à autre les ombres fantastiques projetées par les oiseaux en vol s'inscrivaient un instant sur les longs rideaux de tussor tendus sur la fenêtre immense, et créaient passagèrement une sorte d'effet japonais qui lui rappelait le visage blafard comme le jade de ces peintres de Tokyo qui, par l'intermédiaire d'un art nécessairement immobile, tentent de traduire le mouvement et la vitesse. Le murmure obstiné des abeilles cheminant lourdement parmi les hautes herbes qu'on n'avait pas encore tondues, ou faisant des cercles

monotones au-dessus des aigrettes dorées et pou-
dreuses du chèvrefeuille qui poussait en tous sens,
semblait rendre le silence encore plus oppressant.
Le grondement indistinct de Londres était comme
le bourdon d'un orgue dans le lointain.

Au centre de la pièce, fixé sur un chevalet droit, se
dressait le portrait en pied d'un jeune homme d'une
beauté extraordinaire et, face à lui, à quelque distance, était assis l'artiste lui-même, Basil Hallward,
dont la disparition subite, il y a quelques années,
suscita dans l'opinion un tel émoi et fit naître de si
étranges conjectures.

Le peintre regardait la forme gracieuse et ave-
nante que son art avait si habilement reflétée, et un
sourire de plaisir passa sur son visage et parut vouloir s'y attarder. Mais soudain il sursauta et, fermant
les yeux, posa les doigts sur ses paupières, comme s'il
cherchait à emprisonner dans son cerveau un rêve
curieux dont il redoutait de s'éveiller.

« C'est votre plus belle œuvre, Basil, la meilleure
chose que vous ayez jamais faite, dit Lord Henry
nonchalamment. Il faut absolument que vous l'en-
voyiez à la Grosvenor[1] l'an prochain. L'Académie[2]
est trop grande et trop vulgaire. Chaque fois que j'y
suis allé, ou bien il y avait tant de gens que je n'ai pu
voir les tableaux, ce qui était déplorable, ou bien
tant de tableaux que je n'ai pu voir les gens, ce qui
était pire. Vraiment, il n'y a que la Grosvenor.

— Je ne crois pas que je l'enverrai où que ce
soit », répondit-il, rejetant la tête en arrière de cette
façon bizarre qui provoquait à Oxford l'amusement
de ses amis. « Non, je ne l'enverrai nulle part. »

Lord Henry haussa le sourcil et le fixa d'un air

étonné, au travers des volutes de fumée bleues que formait, en tournoiements pleins de fantaisie, une cigarette qui dégageait un lourd parfum d'opium. « Nulle part ? Mais pourquoi donc, mon cher ami ? Avez-vous quelque raison valable ? Que vous êtes bizarres, vous autres artistes ! Vous feriez n'importe quoi pour vous faire une réputation. Et dès que vous en avez une, on dirait que vous voulez vous en débarrasser. C'est absurde, car il n'y a qu'une chose au monde qui soit pire que d'être l'objet de toutes les conversations, c'est de n'être l'objet d'aucune. Un portrait comme celui-ci vous installerait très au-dessus de tous les jeunes artistes d'Angleterre et rendrait les vieux terriblement jaloux, pour autant que de vieilles gens soient capables de quelque émotion.

— Je sais bien que vous allez rire de moi, répondit-il, mais en vérité je ne peux l'exposer. J'y ai mis trop de moi-même. »

Lord Henry s'étira sur le divan et se mit à rire.

« Oui, je savais bien que vous ririez, mais il n'empêche que c'est pure vérité.

— Trop de vous-même ! Par ma foi, Basil, je ne vous savais pas si vain, et je vous assure que je ne vois pas la moindre ressemblance entre vous, avec votre visage ferme aux traits rudes et vos cheveux noirs comme le charbon, et ce jeune Adonis, que l'on croirait fait d'ivoire et de feuilles de roses. Voyons, Basil, lui est un Narcisse et vous — eh bien, vous avez sans doute une expression intellectuelle, et cetera. Mais la beauté, la beauté véritable, se termine là où commence l'expression intellectuelle. L'intelligence est par elle-même une forme d'exagération, et détruit l'harmonie de n'importe quel visage. Dès l'instant où l'on s'assied pour penser, on n'est plus que nez, que front, bref, quelque chose d'horrible. Regardez tous ces hommes arrivés, au sein des professions savantes. Ils sont tous absolument hideux ! À une exception près, bien entendu : l'Église. Mais c'est aussi que, dans l'Église, on ne pense pas. À l'âge de quatre-vingts ans, un évêque continue à dire ce qu'on lui a dit de dire quand il en avait dix-huit et, en conséquence, il paraît toujours absolument adorable. Votre jeune et mystérieux ami, dont vous ne m'avez jamais dit le nom, mais dont le portrait réellement me fascine, ne pense jamais. De cela je suis tout à fait certain. C'est un être sans cervelle, très beau, qui devrait toujours être là en hiver quand nous n'avons pas de fleurs à contempler, et toujours là en été, quand nous avons besoin de quelque chose pour rafraîchir notre intelligence. Ne vous flattez pas, Basil ; vous ne lui ressemblez en rien.

— Vous ne me comprenez pas, Harry, répondit l'artiste. Il va de soi que je ne lui ressemble pas. Je le sais très bien. À vrai dire, je serais désolé de lui ressembler. Vous haussez les épaules ? Je vous dis la vérité. Toute distinction physique ou intellectuelle est frappée d'une fatalité, ce type de fatalité qui semble, tout au long de l'histoire, s'attacher aux pas chancelants des rois. Mieux vaut ne pas être différent de ses congénères. Ce sont les laids et les sots qui l'emportent en ce monde. Ils peuvent prendre leurs aises et regarder autour d'eux d'un air béat. S'ils ne connaissent jamais la victoire, du moins la connaissance de la défaite leur est-elle épargnée. Ils vivent comme nous devrions tous vivre, insouciants, indifférents, ignorant l'inquiétude. Ils n'apportent pas la ruine à autrui, et ne la reçoivent pas davantage de mains étrangères. Votre rang et votre fortune, Harry, mon intelligence, à sa mesure, mon art, pour ce qu'il vaut, la beauté de Dorian Gray — de ce que les dieux nous ont donné, nous aurons tous à souffrir, à souffrir terriblement.

— Dorian Gray ? C'est donc son nom ? » demanda Lord Henry, traversant l'atelier pour s'approcher de Basil Hallward.

« Oui, c'est son nom. Je n'avais pas l'intention de vous le donner.

— Et pourquoi donc ?

— Oh, je ne saurais pas l'expliquer. Lorsque j'aime quelqu'un intensément, je ne dis jamais son nom à personne. Ce serait comme en céder une partie. De plus en plus, j'aime le secret. C'est, je crois, la seule chose qui puisse nous rendre la vie mystérieuse ou merveilleuse. La chose la plus banale devient délicieuse dès l'instant qu'on la dissimule. Désormais, quand je quitte la capitale, je ne dis jamais à mes gens où je vais. Si je le leur disais, cela me gâcherait tout mon plaisir. C'est sans doute une habitude absurde, mais j'ai l'impression que d'une certaine façon elle introduit dans la vie beaucoup de romanesque. J'imagine que vous me trouvez terriblement stupide ?

— Pas le moins du monde, répondit Lord Henry, pas le moins du monde, mon cher Basil. Vous oubliez, je crois, que je suis marié ; or l'un des charmes du mariage réside en ce qu'il fait du mensonge une nécessité vitale pour les deux parties. Je ne sais jamais où se trouve ma femme, et ma femme ne sait jamais ce que je suis en train de faire.

Lorsque nous nous rencontrons — car nous nous rencontrons à l'occasion, lorsque nous sortons dîner ensemble ou que nous allons à la campagne chez le duc — nous nous racontons le plus sérieusement du monde des histoires plus invraisemblables les unes que les autres. Ma femme excelle en ce domaine — bien plus que moi, à vrai dire. Elle ne confond jamais les dates, tandis que je le fais constamment. Mais si elle réussit à me prendre en défaut, elle ne me fait pas la moindre scène. Je le regrette parfois ; mais elle se contente de se moquer de moi.

— Je déteste la façon dont vous parlez de votre vie conjugale, Harry », dit Basil Hallward, en se dirigeant sans hâte vers la porte qui donnait accès au jardin. « Je crois que vous êtes en réalité un excellent mari, mais que vous avez terriblement honte de vos propres qualités. Vous êtes quelqu'un d'extraordinaire. Vous ne dites jamais rien de moral, et vous ne faites jamais rien d'immoral. Votre cynisme n'est qu'une pose.

— Le naturel n'est qu'une pose, et la pose la plus irritante que je connaisse », s'écria Lord Henry en riant ; et les deux jeunes hommes sortirent ensemble dans le jardin pour s'installer sur un long siège de bambou qu'ombrageait un haut buisson de laurier. La lumière du soleil se glissait par-dessus les feuilles luisantes. Dans l'herbe, des pâquerettes blanches s'agitaient.

Après un silence, Lord Henry sortit sa montre. « Malheureusement, il me faut partir, Basil, murmura-t-il, et avant de partir, j'insiste pour que vous répondiez à une question que je vous ai posée il y a quelque temps.

— Quelle est-elle ? demanda le peintre, dont les yeux fixaient obstinément le sol.

— Vous le savez fort bien.

— Pas du tout, Harry.

— Eh bien, je vais vous la dire. Je veux que vous m'expliquiez pourquoi vous refusez d'exposer le portrait de Dorian Gray. J'en veux la raison véritable.

— Je vous ai donné la raison véritable.

— Ce n'est pas vrai. Vous m'avez dit que c'est parce que vous y avez mis trop de vous-même. Allons, cela est puéril.

— Harry, dit Basil Hallward en le regardant droit dans les yeux, tout portrait peint avec sentiment est un portrait de l'artiste, non du modèle. Le modèle n'est que l'accident, l'occasion. Ce n'est pas lui que le peintre révèle ; c'est bien plutôt le peintre qui, sur la toile colorée, se révèle lui-même. La raison qui me fait refuser d'exposer ce tableau est que j'ai peur d'y avoir montré le secret de mon âme. »

Lord Henry se mit à rire. « Et quel est-il ? demanda-t-il.

— Je vais vous le dire », dit Hallward, mais une expression de perplexité marqua soudain son visage.

« Je suis tout ouïe, Basil, reprit son compagnon en lui jetant un coup d'œil.

— Oh, il n'y a vraiment pas grand-chose à dire, Harry, répliqua le peintre, et je crains que vous n'ayez du mal à me comprendre. Peut-être aurez-vous du mal à me croire. »

Lord Henry sourit et, se penchant en avant, il cueillit dans l'herbe une pâquerette aux pétales roses et se mit à l'examiner. « Je suis tout à fait certain de comprendre », répliqua-t-il en regardant avec attention le petit disque doré entouré de plumes blanches ; « et quant à croire, je peux croire n'importe quoi, pourvu que ce soit absolument incroyable. »

Le vent fit tomber des arbres quelques fleurs tandis que les lourdes grappes de lilas, avec leurs amas d'étoiles, se balançaient dans l'air alangui. Près du mur une sauterelle se mit à striduler et, tel un fil bleu, une libellule longue et fine passa, flottant sur ses brunes ailes de gaze. Lord Henry avait l'impression d'entendre battre le cœur de Basil, et il se demanda ce qui se préparait.

« L'histoire se résume simplement à ceci, dit le peintre au bout d'un instant. Il y a deux mois, je me rendis à une soirée chez Lady Brandon. Vous savez que nous autres, pauvres artistes, devons nous montrer de temps à autre en société, simplement pour rappeler au public que nous ne sommes pas des sauvages. Quiconque, fût-il agent de change, porte un habit de soirée et une cravate blanche, m'avez-vous dit jadis, peut passer pour un être civilisé. Quoi qu'il en soit, après avoir passé dix minutes dans la pièce, et parlé à d'énormes douairières parées de trop d'atours et à des académiciens raseurs, je me rendis soudain compte que quelqu'un me regardait. Je me retournai à demi, et vis pour la première fois Dorian Gray. Quand nos regards se croisèrent, je me sentis pâlir. Une étrange sensation de terreur s'empara de moi. Je sus que je me trouvais face à quelqu'un dont la personnalité était en elle-même si fascinante que, si je laissais les choses aller leur cours, elle absorbe-

rait tout mon être, toute mon âme, et jusqu'à mon
art. Je ne voulais subir dans ma vie aucune influence
extérieure. Vous savez vous-même, Harry, combien
je suis par nature indépendant. J'ai toujours été mon
propre maître, ou plutôt je l'avais été jusqu'au
moment où je rencontrai Dorian Gray. En cet instant
— mais je ne sais comment vous l'expliquer.
Quelque chose, j'en eus l'impression, me disait que
ma vie était au bord d'une crise terrible. J'éprouvai
le sentiment étrange que le Destin me réservait des
joies exquises et d'exquises souffrances. J'eus peur,
et tournai les talons pour quitter la pièce. Ce n'était
pas la conscience qui me faisait agir ainsi ; c'était une
sorte de lâcheté. Je ne tire aucune gloire d'avoir
essayé de fuir.

— La conscience et la lâcheté sont une seule et
même chose, Basil. La conscience est la raison
sociale de la firme. C'est tout.

— Je n'en crois rien, Harry, et je ne crois pas que
vous le croyiez vous-même. Cela dit, quelle qu'ait été
ma motivation — et peut-être était-ce de la fierté, car
il fut un temps où j'étais très fier — il est indéniable
que je m'efforçai de gagner la porte. Là, comme de
bien entendu, je me heurtai à Lady Brandon. "Vous
n'allez pas vous enfuir si tôt, M. Hallward ", s'écria-
t-elle. Vous connaissez cette voix curieusement stri-
dente qu'elle a ?

— Oui, elle rappelle en tout point un paon, sauf
en beauté », dit Lord Henry, déchiquetant la pâquerette de ses longs doigts nerveux.

« Impossible de me débarrasser d'elle. Elle me
conduisit vers des membres de la famille royale, vers
des gens décorés de la Jarretière et vers des dames

âgées ornées de diadèmes gigantesques et de nez en
forme de bec de perroquet. Elle me présenta comme
son ami le plus cher. Je ne l'avais jusque-là rencontrée qu'une seule fois, mais elle se mit dans la tête
de faire de moi le héros du jour. Je crois qu'un de
mes tableaux avait à l'époque connu un grand
succès, ou du moins avait provoqué quelques
commentaires dans les journaux à un sou, ce qui, en
ce xixe siècle, constitue la mesure de l'immortalité.
Je me retrouvai soudain en face du jeune homme
dont la personnalité m'avait si étrangement remué.
Nous étions très proches l'un de l'autre, presque à
nous toucher. Nos regards se croisèrent à nouveau.
Je commis la folle imprudence de demander à Lady
Brandon de me présenter à lui. Peut-être après tout
n'était-ce pas si fou. C'était tout simplement iné vi-
table. Nous nous serions adressé la parole s'il n'y
avait pas eu présentation. J'en suis convaincu.
Dorian me le dit plus tard. Il sentait, lui aussi, que
nous étions destinés à faire connaissance.

— Et quelle description Lady Brandon fit-elle de
ce merveilleux jeune homme ? demanda son compagnon. Je sais qu'elle adore donner un *précis*[1] rapide de
chacun de ses invités. Je la revois me conduisant un
jour vers un vieux monsieur rubicond et truculent
tout couvert de rubans et de décorations, et me donnant à l'oreille, dans un chuchotement tragique que
tous les gens qui se trouvaient dans la pièce devaient
entendre très distinctement, les détails les plus stupé-
fiants qui fussent. Je pris purement et simplement la
fuite. J'aime découvrir les gens par moi-même. Mais
Lady Brandon traite ses invités exactement comme
un commissaire-priseur traite ses marchandises. Soit

elle les décrit dans les moindres détails, soit elle en dit tout, sauf ce qu'on aimerait en savoir.

— Pauvre Lady Brandon ! Vous êtes bien sévère pour elle, Harry ! dit Hallward d'une voix nonchalante.

— Mon cher ami, elle a essayé de fonder un *salon*, et n'a réussi qu'à ouvrir un restaurant. Comment pourrais-je l'admirer ? Mais dites-moi donc, que vous a-t-elle dit de M. Dorian Gray ?

— Bah, quelque chose comme " Un garçon charmant — sa pauvre mère et moi étions absolument inséparables. Impossible de me rappeler ce qu'il fait — crains fort qu'il ne fasse rien — ah si, joue du piano — ou bien est-ce du violon, cher M. Gray ? " Nous ne pûmes ni l'un ni l'autre nous empêcher de rire, et devînmes amis sur-le-champ.

— Le rire n'est pas une mauvaise entrée en matière pour une amitié, et en fait de conclusion, c'est de loin la meilleure qu'elle puisse connaître », dit le jeune lord en cueillant une autre pâquerette.

Hallward secoua la tête. « Vous ne comprenez pas ce qu'est l'amitié, Harry, murmura-t-il, ni du reste ce qu'est l'inimitié. Vous aimez tout le monde ; ce qui veut dire que vous êtes indifférent à tout le monde.

— Vous êtes terriblement injuste ! » s'écria Lord Henry, en repoussant son chapeau sur l'arrière de sa tête, et en levant les yeux vers les petits nuages qui, tel un écheveau tout blanc de soie lustrée, glissaient dans l'abîme turquoise du ciel d'été. « Oui, terriblement injuste. Je marque une très grande différence entre les gens. Je choisis mes amis pour leur beauté, mes relations pour leur bonne réputation et mes ennemis pour leur intelligence. On ne saurait être trop prudent dans le choix de ses ennemis. Je n'en ai pas un seul qui soit un sot. Ce sont tous des gens dotés de certaines capacités intellectuelles, et en conséquence ils m'apprécient tous. Suis-je trop vain ? Je crois qu'il y a là quelque vanité.

— C'est aussi mon avis, Harry. Mais, d'après votre classification, je ne suis pour vous qu'une relation.

— Mon cher vieux Basil, vous êtes beaucoup plus qu'une relation.

— Et beaucoup moins qu'un ami. Sans doute une sorte de frère ?

— Bah, les frères ! Je ne tiens guère aux frères. Mon frère aîné refuse de mourir et mes frères cadets semblent ne faire que cela.

— Harry ! s'écria Hallward en fronçant le sourcil.

— Mon cher ami, je ne suis pas tout à fait sérieux. Mais je ne peux m'empêcher de détester l'ensemble de ma famille. Sans doute cela vient-il de ce qu'aucun d'entre nous ne supporte que d'autres aient les mêmes défauts que lui. Je n'éprouve que sympathie pour la haine que portent les démocrates anglais envers ce qu'ils appellent les vices des classes supérieures. Les masses ont le sentiment que l'ivrognerie, la stupidité et l'immoralité leur appartiennent en propre et que si l'un d'entre nous fait des bêtises, il braconne sur leurs terres. Lorsque ce pauvre Southwark s'est retrouvé en justice pour un divorce, leur indignation a été réellement superbe. Et pourtant je ne crois pas que dix pour cent des prolétaires vivent décemment.

— Je n'approuve pas un seul mot de ce que vous venez de dire et, qui plus est, Harry, je suis certain qu'il en va de même pour vous. »

Lord Henry caressa sa barbe brune taillée en pointe et tapota le bout de ses bottines vernies à l'aide d'une canne d'ébène à glands. « Que vous êtes anglais, Basil ! Voilà la deuxième fois que vous faites cette remarque. Chaque fois que l'on expose une idée à un Anglais — action toujours téméraire — il ne lui viendrait pas à l'esprit de se demander si cette idée est juste ou fausse. La seule chose qui lui paraisse importante est de savoir si l'on y croit soi-même. Or la valeur d'une idée n'a strictement rien à voir avec la sincérité de l'homme qui l'exprime. À vrai dire, tout laisse prévoir que plus l'homme en question est insincère, et plus l'idée sera purement intellectuelle, car elle ne sera alors colorée ni par ses besoins, ni par ses désirs, ni par ses préjugés. Cela dit, je n'ai nulle intention de discuter avec vous de politique, de sociologie ou de métaphysique. Je préfère les personnes aux principes, et je préfère les personnes sans principes à toute autre chose. Parlez-moi encore de M. Dorian Gray. Le voyez-vous souvent ?

— Tous les jours. Il me serait impossible d'être heureux si je ne le voyais pas tous les jours. Il m'est absolument indispensable.

— Comme c'est extraordinaire ! Et moi qui croyais que rien ne compterait jamais pour vous que votre art.

— Désormais, il représente pour moi tout mon art, fit gravement le peintre. Il m'arrive parfois de penser, Harry, que l'histoire du monde n'a connu que deux ères importantes. La première est celle qui voit l'apparition d'une nouvelle technique artistique. La seconde est celle qui, pour l'art également, voit l'apparition d'une nouvelle personnalité. À ce que l'invention de la peinture à l'huile a représenté pour les Vénitiens répond l'importance du visage d'Antinoüs pour la sculpture grecque tardive et ce qu'un jour le visage de Dorian Gray sera pour moi. Ce n'est pas seulement que je me sers de lui pour des peintures, des dessins, des esquisses. Bien sûr, tout cela, je l'ai fait. Mais il est bien plus pour moi qu'un modèle ou qu'un sujet. Je ne vais pas vous dire que je suis mécontent de ce que j'ai fait à partir de lui, ni que sa beauté est telle que l'Art ne saurait l'exprimer. Il n'est rien que l'Art ne puisse exprimer, et je sais que l'œuvre que j'ai réalisée depuis que j'ai rencontré Dorian Gray est une belle œuvre, la plus belle que j'aie réalisée de ma vie. Mais d'une façon étrange — je ne sais si vous me comprendrez — sa personnalité m'a suggéré un style artistique totalement neuf, une manière entièrement nouvelle. Je vois les choses différemment, je pense à elles différemment. Je sais à présent recréer la vie d'une façon qui m'était jusque-là cachée. " Un rêve de forme en des jours de méditation " — de qui est cette formule ? j'ai oublié, mais c'est cela que Dorian Gray a représenté pour moi. La simple présence visible de cet enfant — car je le vois comme un simple enfant, bien qu'il ait en réalité plus de vingt ans —, sa simple présence visible, ah ! je me demande si vous avez conscience de tout ce que cela signifie ? Inconsciemment, il définit pour moi les grandes lignes d'une école nouvelle, d'une école qui réunira en elle toute la passion de l'esprit romantique et toute la perfection de l'esprit grec. L'harmonie de l'âme et du corps — comme cela est immense ! Dans notre folie,

nous les avons séparés l'un de l'autre, et avons
inventé un réalisme vulgaire, une idéalité vide.
Harry ! Si seulement vous saviez tout ce que Dorian
Gray représente pour moi ! Vous vous rappelez ce
paysage que j'ai fait, pour lequel Agnew[1] m'offrait
un prix si extravagant mais dont je refusais de me
séparer ? C'est l'une des plus belles choses que j'aie
jamais faites. Et pourquoi ? Parce que, tandis que je
peignais, Dorian Gray était assis à mes côtés. Une
influence subtile, émanant de lui, s'est exercée sur
moi, et pour la première fois de ma vie j'ai vu dans
cette forêt banale la merveille que j'avais toujours
recherchée, et toujours échoué à voir.

— Basil, tout cela est extraordinaire ! Il faut que je
voie Dorian Gray. »

Hallward quitta son siège, et se mit à arpenter le
jardin. Au bout d'un instant, il revint. « Harry, dit-il,
Dorian Gray représente tout simplement pour moi
une motivation artistique. Peut-être ne verriez-vous
rien en lui. Moi, je vois tout en lui. Il n'est jamais plus
présent dans mon œuvre que lorsque ne s'y trouve
aucune image de lui. Il est comme je l'ai dit la sugges-
tion d'un style nouveau. Je le retrouve dans les
courbes de certaines lignes, dans la beauté et la délicatesse de certaines couleurs. Voilà tout.

— En ce cas, pourquoi refusez-vous d'exposer son
portrait ? demanda Lord Henry.

— Parce que, sans le vouloir, j'y ai mis une expression de cette curieuse idolâtrie artistique dont il va
de soi que je n'ai jamais eu envie de lui parler. Il en
ignore tout. Il en ignorera tout à jamais. Mais le
monde pourrait la deviner, et je refuse de mettre
mon âme à nu devant ces yeux indiscrets et superfi-

ciels. Jamais je ne placerai mon cœur sous leur microscope. Il y a bien trop de moi même dans ce tableau, Harry, infiniment trop !

— Les poètes ne sont pas aussi scrupuleux que vous. Ils savent combien la passion sert la publication. De nos jours un cœur brisé garantit plusieurs éditions.

— Je les en exècre d'autant, s'écria Hallward. Un artiste doit créer des choses belles, mais ne doit rien y mettre de sa vie. Nous vivons à une époque où les gens traitent l'Art comme si ce devait être une forme d'autobiographie. Nous avons perdu le sens abstrait de la beauté. Un jour, je montrerai au monde en quoi elle consiste ; et c'est pour cette raison que le monde ne verra jamais mon portrait de Dorian Gray ;

— Je crois, Basil, que vous avez tort, mais je n'en discuterai pas avec vous. Seuls discutent ceux qui sont intellectuellement perdus. Mais dites-moi, Dorian Gray vous aime-t-il beaucoup ? »

Le peintre réfléchit quelques instants. « Il a de l'affection pour moi, fit-il après un court silence ; je sais qu'il a de l'affection pour moi. Bien entendu, je le flatte horriblement. Je trouve un étrange plaisir à lui dire des choses que je sais que je regretterai de lui avoir dites. En règle générale, il est charmant avec moi, et nous restons assis dans mon atelier à parler de mille choses. Néanmoins, il lui arrive d'être terriblement irréfléchi, et on dirait qu'il prend un vrai plaisir à me faire de la peine. J'ai alors l'impression, Harry, d'avoir donné mon âme tout entière à quelqu'un pour qui elle n'est qu'une fleur à fixer à sa boutonnière, une décoration faite pour flatter sa vanité, un ornement pour une journée d'été.

— En été, Basil, les journées ont tendance à être longues, murmura Lord Henry. Peut-être vous lasserez-vous avant lui. À la réflexion cela est triste mais il est hors de doute que le Génie est plus durable que la Beauté. C'est ce qui explique que nous fassions tous de si grands efforts pour acquérir tant de culture. Dans cette lutte sauvage pour la vie, nous voulons posséder quelque chose qui dure, et en conséquence nous nous remplissons l'esprit de faits et de sottises, dans l'espoir absurde de garder notre rang. L'idéal moderne, c'est un homme parfaitement informé. Et l'esprit d'un homme parfaitement informé est une chose abominable. C'est comme une boutique de bric-à-brac, pleine d'horreurs et de poussière, où tout est plus cher qu'il ne le faudrait. Il n'empêche, je pense que c'est vous qui vous lasserez le premier. Un jour, vous regarderez votre ami, et vous le trouverez un peu mal dessiné, ou bien vous n'aimerez pas la nuance de sa couleur, ou quelque chose d'autre encore. Au fond de vous, vous l'en blâmerez amèrement, et vous penserez sérieusement qu'il s'est très mal comporté envers vous. Lorsqu'il reviendra vous voir, vous serez parfaitement froid et indifférent. Ce sera fort regrettable, car cela vous altérera. Ce que vous m'avez exposé est une parfaite histoire d'amour, une histoire d'amour esthétique, si j'ose dire, et le pire, dans toute histoire d'amour, c'est qu'elle vous laisse en fin de compte si peu amoureux.

— Ne parlez pas ainsi, Harry. Aussi longtemps que je vivrai, la personnalité de Dorian Gray exercera sur moi son empire. Vous ne pouvez pas éprouver ce que j'éprouve. Vous changez trop souvent.

— Ah, mon cher Basil, c'est précisément pour cela que je peux l'éprouver. Les gens fidèles ne connaissent de l'amour que son côté banal : seuls les infidèles en connaissent les tragédies. » Et Lord Henry frotta une allumette sur un joli boîtier d'argent et se mit à fumer une cigarette avec une expression aussi assurée et satisfaite que s'il avait résumé le monde en une phrase. On entendait un bruissement de moineaux pépiant dans la laque verte des feuilles de lierre, et les ombres bleutées des nuages se donnaient la chasse dans l'herbe comme des hirondelles. Que l'on était bien dans ce jardin ! Et qu'elles étaient délicieuses, les émotions d'autrui ! — bien plus délicieuses que leurs réflexions, se dit-il. Notre âme, et les passions de nos amis : voilà ce que la vie contient de plus passionnant. Il se représenta avec un plaisir muet le déjeuner ennuyeux auquel, à rester si longtemps en compagnie de Basil Hallward, il avait échappé. S'il était allé chez sa tante, il aurait à coup sûr rencontré Lord Goodbody, et toute la conversation aurait tourné autour des moyens de nourrir les pauvres et de la nécessité de construire des logements modèles. Chaque classe sociale aurait prêché l'importance des vertus qu'aucun de ses membres n'avait besoin de pratiquer. Les riches auraient souligné les mérites de l'épargne, et les oisifs fait assaut d'éloquence sur la dignité du travail. Quelle joie d'avoir échappé à tout cela ! En songeant à sa tante, une idée parut le frapper. Il se tourna vers Hallward et lui dit : « Cher ami, je viens de me rappeler...

— De vous rappeler quoi, Harry ?

— Où j'ai entendu prononcer le nom de Dorian Gray.

— Et où donc était-ce ? demanda Hallward, fronçant légèrement le sourcil.

— Ne prenez pas cet air courroucé, Basil. C'était chez ma tante, Lady Agatha. Elle m'a dit avoir découvert un jeune homme fantastique qui allait l'aider pour l'East End[1], et qu'il s'appelait Dorian Gray. Je dois à la vérité de préciser qu'elle ne m'a jamais dit qu'il était beau. Les femmes ne savent pas apprécier la beauté ; du moins les femmes vertueuses. Elle me dit que c'était un jeune homme très sincère et qu'il avait une merveilleuse personnalité. Je me suis aussitôt représenté un être à lunettes et à cheveux plats, plein de taches de rousseur et marchant lourdement sur des pieds démesurés. Je regrette de n'avoir pas compris qu'il s'agissait de votre ami.

— J'en suis très heureux, Harry.

— Pourquoi ?

— Je ne souhaite pas que vous le rencontriez.

— Vous ne souhaitez pas que je le rencontre ?

— Non.

— M. Dorian Gray est dans l'atelier, Monsieur », dit le maître d'hôtel en arrivant dans le jardin.

« Vous êtes bien obligé, désormais, de nous présenter l'un à l'autre », s'exclama Lord Henry en riant.

Le peintre se tourna vers son domestique, qui restait immobile, clignant des yeux sous l'éclat du soleil. « Demandez à M. Gray d'attendre, Parker. Je vais rentrer dans quelques instants. » Le domestique s'inclina, et s'éloigna dans l'allée.

Il regarda alors Lord Henry. « Dorian Gray est mon ami le plus cher, dit-il. Il est d'une nature simple et belle. Votre tante, quand elle le décrivait, avait parfaitement raison. Ne l'abîmez pas. N'essayez pas de l'influencer. Votre influence serait nocive. Le monde est vaste, et il contient bien des gens merveilleux. Ne m'enlevez pas la seule personne qui donne à mon art le charme — quel qu'il soit — qui est le sien ; ma vie en tant qu'artiste dépend de lui. Rappelez-vous, Harry, que je vous fais confiance. » Il fit cette déclaration très lentement, et on aurait dit que les mots lui étaient arrachés contre sa volonté.

« Vous dites des bêtises ! » répondit Lord Henry dans un sourire, et, prenant Hallward par le bras, il le mena, pour ainsi dire, jusque dans la maison.

## 2

En entrant, ils virent Dorian Gray. Il était assis au piano, leur tournant le dos, et il feuilletait les pages d'un volume des *Scènes de la forêt* de Schumann. « Il faut que tu me les prêtes, Basil, s'écria-t-il. Je veux les apprendre. Elles sont absolument ravissantes.

— Cela dépendra entièrement de la façon dont tu poseras aujourd'hui, Dorian.

— Ah, j'en ai assez de poser, et je n'ai aucune envie d'un portrait de moi en pied », répliqua le jeune homme, qui fit pivoter le tabouret de piano d'une manière vive et volontaire. En apercevant Lord Henry, ses joues se couvrirent momentané-ment d'une légère rougeur, et il se leva brusque-ment. « Excuse-moi, Basil, j'ignorais que tu n'étais pas seul.

— Je te présente Lord Henry Wotton, Dorian, un vieil ami d'Oxford. Je venais justement de lui dire quel modèle extraordinaire tu fais, et voilà que tu gâches tout.

— Vous n'avez pas gâché le plaisir que j'éprouve à faire votre connaissance, M. Gray », dit Lord Henry qui s'avança en lui tendant la main. « Ma tante m'a souvent parlé de vous. Vous êtes un de ses favoris et également, j'en ai peur, l'une de ses victimes.

— Je suis à l'heure actuelle mal noté par Lady Agatha, répondit Dorian en prenant drôlement un air contrit. Je lui avais promis de l'accompagner dans un club à Whitechapel mardi dernier, et cela m'est vraiment sorti de la tête. Nous devions jouer ensemble un duo, ou plutôt, je crois, trois duos. Je ne sais pas ce qu'elle va me dire. J'ai bien trop peur de lui rendre visite.

— Bah, comptez sur moi pour vous réconcilier avec ma tante. Elle vous adore. Et je ne crois pas que votre absence ait posé le moindre problème. L'auditoire a vraisemblablement cru qu'il s'agissait d'un duo. Lorsque Tante Agatha est assise au piano, elle fait bien assez de bruit pour deux.

— Voilà qui très méchant pour elle, et pas très gentil pour moi », répondit Dorian en riant.

Lord Henry le regarda. Oui, il était sans nul doute merveilleusement beau, avec ses lèvres vermeilles finement ciselées, ses yeux bleus pleins de franchise, les boucles d'or de ses cheveux. On lisait sur son visage un quelque chose qui inspirait une confiance immédiate. Il respirait toute la candeur de la jeunesse, mais aussi toute la pureté passionnée de la jeunesse. On sentait qu'il avait réussi à se préserver de la souillure du monde. Que Basil Hallward l'adorât n'avait rien d'étonnant.

« Vous avez bien trop de charme pour donner dans la philanthropie, M. Gray, infiniment trop de charme. » Et Lord Henry se laissa choir sur le divan, et ouvrit son étui à cigarettes.

Le peintre, pendant cet échange, avait préparé sa

palette et ses pinceaux. Il avait l'air soucieux et, en entendant la dernière remarque de Lord Henry, il lui jeta un coup d'œil, hésita un instant, puis déclara : « Harry, je voudrais finir ce tableau aujourd'hui. Me jugeriez-vous très grossier si je vous demandais de partir ? »

Lord Henry eut un sourire, et regarda Dorian Gray. « Dois-je partir, M. Gray ? demanda-t-il.

— Oh non, je vous en prie, Lord Henry. Je vois que Basil est dans une de ses périodes de bouderie, et quand il boude, je ne le supporte pas. En outre, je veux que vous me disiez pourquoi je ne devrais pas donner dans la philanthropie.

— Je ne sais pas vraiment si je vais vous répondre sur ce point, M. Gray. Le sujet est si aride qu'il faudrait en parler sérieusement. Mais maintenant que vous m'avez demandé de rester, il n'est pas question que je m'enfuie. Cela ne vous fâche pas vraiment, Basil, j'espère ? Vous m'avez souvent dit que vous aimiez que vos modèles aient quelqu'un avec qui bavarder. »

Hallward se mordit les lèvres. « Puisque Dorian le souhaite, il faut que vous restiez, bien entendu. Les caprices de Dorian sont une loi pour tout le monde, sauf pour lui-même. »

Lord Henry prit son chapeau et ses gants. « Vous êtes très insistant, Basil, mais il faut vraiment que je parte, j'en suis désolé. J'ai promis de retrouver quelqu'un à l'Orléans. Au revoir, M. Gray. Venez me voir un de ces jours dans Curzon Street. Je suis presque toujours chez moi à cinq heures. Écrivez-moi quand vous aurez décidé de passer. Je serais désolé de vous manquer.

— Basil, s'écria Dorian Gray, si Lord Henry Wotton part, je pars aussi. Quand tu peins, tu ne desserres pas les lèvres, et rien n'est plus ennuyeux que de rester debout sur une estrade en essayant d'avoir l'air aimable. Demande-lui de rester. J'insiste vraiment.

— Restez, Harry, pour faire plaisir à Dorian, et pour me faire plaisir à moi, dit Hallward sans quitter des yeux son tableau. Il est tout à fait exact que je ne parle jamais en travaillant, et que je n'écoute pas davantage, et tout cela doit ennuyer profondément mes malheureux modèles. Je vous prie instamment de rester.

— Et mon rendez-vous à l'Orléans ? »

Le peintre se mit à rire. « Je doute que cela présente la moindre difficulté. Rasseyez-vous, Harry. Et maintenant, Dorian, remonte sur cette estrade, et ne bouge pas trop ; ne prête pas non plus trop d'attention à ce que dira Lord Henry. Il exerce sur tous ses amis une très mauvaise influence, à une seule exception près : moi-même. »

Dorian Gray monta sur l'estrade, arborant l'expression d'un jeune martyr grec, et fit une légère *moue* de mécontentement à l'intention de Lord Henry, pour lequel il éprouvait une grande attirance. Il était si différent de Basil. Entre eux deux, quel contraste délicieux. Et puis il avait une si belle voix. Au bout de quelques instants, il lui dit : « Exercez-vous vraiment une mauvaise influence, Lord Henry ? Aussi mauvaise que le dit Basil ?

— Il n'y a pas de bonne influence, M. Gray. Toute influence est immorale — immorale d'un point de vue scientifique.

— Pourquoi donc ?

— Parce que influencer une personne, c'est lui donner son âme. Elle ne pense plus ses propres pensées, elle ne brûle plus de ses propres passions. Ses vertus n'ont plus d'existence propre. Ses péchés, pour autant que le péché existe, sont empruntés. Elle devient l'écho de la musique d'un autre, elle joue un rôle qui n'a pas été écrit pour elle. Le but de la vie, c'est l'épanouissement de soi. Réaliser notre propre nature à la perfection, voilà notre raison de vivre en ce bas monde. Les gens, aujourd'hui, ont peur d'eux-mêmes. Ils ont oublié le plus important des devoirs, celui qu'on a envers soi-même. Certes ils sont charitables. Ils nourrissent les affamés, et vêtent les mendiants. Mais leur âme meurt de faim, elle est nue. Notre race a perdu tout courage. Peut-être n'en avons-nous jamais eu. Cette terreur devant la société qui forme la base de la morale, cette terreur devant Dieu qui est le secret de la religion, voilà les deux principes qui nous gouvernent. Et pourtant...

— Sois gentil, Dorian, tourne juste la tête légèrement vers la droite », dit le peintre, absorbé dans son travail, et simplement conscient qu'était apparue sur le visage du jeune homme une expression qu'il n'y avait encore jamais vue.

« Et pourtant », poursuivit Lord Henry, de sa voix grave et mélodieuse, faisant de la main ces mouvements gracieux si caractéristiques, qu'il avait déjà quand il était à Eton[1], « je crois que si un homme vivait pleinement et complètement sa vie, donnait une forme à tous ses sentiments, une expression à toutes ses pensées, une réalité à tous ses rêves — je crois vraiment que le monde retrouverait une telle capacité d'allégresse que nous oublierions toutes les insanités du médiévalisme, et reviendrions à l'idéal hellénique, peut-être même à quelque chose de plus beau, de plus riche, que l'idéal hellénique. Mais les plus courageux d'entre nous ont peur d'eux-mêmes. La mutilation que s'imposent les sauvages survit tragiquement dans l'esprit de renoncement qui défigure notre vie. Nous sommes punis de nos refus. Tout élan que nous nous efforçons d'étouffer pèse sur notre esprit, et nous empoisonne. Que le corps pèche une fois, et c'en est fini de son péché, car l'action est une forme de purification. Il n'en reste rien ensuite, si ce n'est le souvenir d'un plaisir, ou le luxe d'un regret. La seule façon de se débarrasser d'une tentation, c'est d'y céder. Résistez-y, et vous verrez votre âme infectée par le désir des choses qu'elle s'est interdites, par le désir de ce que ses lois monstrueuses ont rendu monstrueux et illicite. Quelqu'un a dit que c'est dans notre tête que se produisent les événements importants. C'est également dans notre tête, et seulement dans notre tête, que se produisent les grands péchés du monde. Vous-même, M. Gray, oui, vous, qui portez les roses vermeilles de la jeunesse et les roses blanches de l'enfance, vous avez connu des passions qui vous ont effrayé, des pensées qui vous ont rempli d'épouvante, des rêves, la nuit ou le jour, dont le simple souvenir pourrait vous faire rougir de honte —

— Arrêtez ! balbutia Dorian Gray, arrêtez ! vous me faites perdre la tête. Je ne sais quoi dire. Il y a sûrement une réponse à vous faire, mais je suis incapable de la trouver. Ne dites plus rien. Laissez-moi réfléchir. Ou plutôt, laissez-moi essayer de ne pas réfléchir. »

Durant près de dix minutes il resta immobile, les lèvres entrouvertes, un étrange éclat dans le regard. Il sentait confusément des influences entièrement nouvelles s'exercer sur lui. Et pourtant il avait l'impression qu'elles émanaient en réalité de lui-même. Les quelques mots que l'ami de Basil avait prononcés — des mots lancés par hasard, sans nul doute, et nés d'un goût délibéré du paradoxe — avaient touché en lui une corde secrète que rien n'avait jusque-là touchée, qu'il sentait vibrer à présent, et provoquer d'étranges palpitations.

La musique l'avait remué de semblable manière. La musique l'avait troublé fréquemment. Mais la musique ne parle pas. Ce n'est pas un monde nouveau, mais bien plutôt un nouveau chaos, qu'elle crée en nous. Les mots ! De simples mots ! Comme ils étaient terribles ! Quelle clarté en eux, quel éclat, quelle cruauté ! Impossible de leur échapper. Et cependant, quelle magie subtile ! On aurait dit qu'ils étaient capables de donner une forme plastique à des choses informes, qu'ils avaient leur musique propre, aussi douce que celle de la viole ou du luth. De simples mots ! Y a-t-il au monde choses plus réelles que les mots ?

Oui, il y avait eu, quand il était enfant, des choses qu'il n'avait pas comprises. Il les comprenait à présent. La vie prenait soudain pour lui des couleurs de feu. Il eut l'impression qu'il avait marché au milieu des flammes. Pourquoi ne s'en était-il pas rendu compte ?

Conservant son fin sourire, Lord Henry l'obser-

vait. Il connaissait le moment précis où, psychologi-
quement, il importe de ne rien dire. Il éprouvait un
intérêt intense. Il était stupéfait de l'impression que
ses paroles avaient soudain produite et, se rappelant
un livre qu'il avait lu quand il avait seize ans, un livre
qui lui avait révélé bien des choses qu'il ignorait
jusque-là, il se demanda si Dorian Gray vivait en cet
instant une expérience semblable. Il avait simplement décoché une flèche. Avait-elle touché au but ?
Que ce jeune homme était fascinant !

Hallward continuait à peindre, avec cette admirable sûreté de touche qui était la sienne, et qui avait
le raffinement véritable et la délicatesse parfaite qui,
en art tout au moins, ne peuvent naître que de la
force. Il n'avait nulle conscience du silence qui
régnait.

« Basil, je suis fatigué de rester debout, s'écria
subitement Dorian Gray. Il faut que j'aille m'asseoir
dans le jardin. On étouffe ici.

— Mon cher ami, je suis vraiment désolé. Quand
je peins, je suis incapable de penser à rien d'autre.
Mais jamais tu n'as posé aussi bien. Tu es resté parfaitement immobile. Et j'ai réussi à saisir l'effet que
je recherchais : les lèvres entrouvertes, et cet éclat
dans tes yeux. Je ne sais ce que Harry t'a dit, mais il
t'a indéniablement fait trouver l'expression la plus
merveilleuse qui soit. Je suppose qu'il t'a fait des
compliments. Surtout ne crois pas un mot de ce qu'il
dit.

— Je t'assure qu'il ne m'a fait aucun compliment.
Peut-être est-ce pour cela que je ne crois rien de ce
qu'il m'a dit.

— Vous savez fort bien que vous y croyez totalement », dit Lord Henry, le regardant de ses yeux envahis de rêve et de langueur. « Je vous accompagne au jardin. Il fait horriblement chaud dans cet atelier. Basil, faites-nous porter une boisson glacée, quelque chose qui contienne des fraises.

— Certainement, Harry. Soyez gentil de sonner, et quand Parker arrivera je lui dirai ce que vous voulez. Il faut que je travaille cet arrière-plan, je vous rejoindrai donc plus tard. Ne retenez pas Dorian trop longtemps. Je n'ai jamais été en meilleure forme pour peindre. Ceci va être mon chef-d'œuvre. Dès à présent, c'est mon chef-d'œuvre. »

Lord Henry gagna le jardin, et découvrit Dorian Gray le visage enfoui dans les grandes grappes fraîches de lilas, absorbant fiévreusement leur parfum comme si c'eût été du vin. Il s'approcha de lui et lui mit la main sur l'épaule. « Vous avez tout à fait raison de faire cela, murmura-t-il. Seuls les sens peuvent guérir l'âme, et de même, seule l'âme peut guérir les sens. »

Le jeune homme sursauta et se recula. Il était nu-tête, et les feuilles avaient ébouriffé ses boucles rebelles et emmêlé tous leurs fils d'or. Il y avait dans ses yeux un regard d'effroi, comme celui qu'on a lors d'un réveil subit. Ses narines finement ciselées frémissaient et quelque nerf caché agitait l'incarnat de ses lèvres, qu'il faisait trembler.

« Oui, poursuivit Lord Henry, voilà l'un des grands secrets de la vie : guérir l'âme par les sens, et les sens par l'âme. Vous êtes une création admirable. Vous savez bien plus de choses que vous ne le croyez, et de même vous en savez moins que vous ne le souhaitez. »

Dorian Gray se rembrunit et détourna la tête. Il ne

pouvait s'empêcher d'éprouver de l'attirance pour
cet homme jeune, grand, gracieux, qui se tenait à ses
côtés. Son visage romantique, au teint hâlé, son
expression blasée l'intéressaient. Il y avait dans sa
voix grave et lente quelque chose d'absolument
fascinant. Jusqu'à ses mains, fraîches, blanches, semblables à des fleurs, qui avaient un charme étrange.
Quand il parlait, elles bougeaient comme une
musique, et semblaient avoir un langage à elles. Mais
il avait peur de lui, et honte de cette peur. Pourquoi
était-ce à un étranger qu'il devait de l'avoir révélé à
lui-même ? Voilà des mois qu'il connaissait Basil
Hallward, sans que leur amitié l'eût en rien changé.
Et voilà que soudain quelqu'un avait croisé sa vie et
lui avait apparemment dévoilé le mystère de la vie.
Et cependant, pourquoi avoir peur ? Il n'était plus
un écolier, il n'était pas une fillette. Cette peur était
absurde.

« Allons nous asseoir à l'ombre, dit Lord Henry.
Parker a apporté les boissons, et si vous restez plus
longtemps dans cette lumière éblouissante, vous
allez être tout abîmé, et Basil ne fera plus jamais
votre portrait. Il ne faut surtout pas laisser votre
teint se hâler. Ce serait peu seyant.

— Quelle importance ? » s'exclama Dorian Gray
en riant, cependant qu'il s'asseyait sur le siège installé à l'extrémité du jardin.

« Ce devrait être pour vous de la plus haute
importance, M. Gray.

— Pourquoi donc ?

— Parce que vous possédez la jeunesse la plus
merveilleuse qui soit, et que la jeunesse est la seule
chose qui mérite qu'on la possède.

— Ce n'est pas ce que j'éprouve, Lord Henry.

— Non, vous ne l'éprouvez pas pour l'instant. Un jour, quand vous serez vieux, flétri et laid, quand les pensées auront marqué votre front de leurs rides et que la passion aura marqué vos lèvres de ses feux hideux, vous l'éprouverez, vous l'éprouverez atrocement. Pour le moment, où que vous alliez, vous charmez le monde entier. En sera-t-il toujours ainsi ?... Vous avez un visage d'une admirable beauté, M. Gray. Ne froncez pas le sourcil. C'est la vérité. Et la Beauté est une forme de génie — supérieure en fait au génie, car elle ne requiert aucune explication. Elle est l'une des grandes réalités de notre monde, comme l'éclat du soleil, le printemps ou la réflexion dans des eaux sombres de cette conque d'argent que nous appelons la lune. Impossible de la mettre en doute. Elle est, de droit divin, souveraine. Elle change en princes ceux qui la possèdent. Vous souriez ? Ah ? quand vous l'aurez perdue, vous ne sourirez plus... On dit parfois que la Beauté n'est que superficielle. Cela se peut. Mais du moins n'est elle pas aussi superficielle que la Pensée. Pour moi, la Beauté est la merveille des merveilles. Seuls les esprits superficiels refusent de juger sur les apparences. Le véritable mystère du monde, c'est le visible, et non pas l'invisible... Oui, M. Gray, les dieux vous ont été propices. Mais ce que donnent les dieux, ils ont tôt fait de le reprendre. Vous ne disposez que de quelques années pour vivre réellement, parfaitement et pleinement. Quand votre jeunesse s'en ira, votre beauté s'en ira avec elle, et vous découvrirez alors qu'il n'y a plus de triomphes en réserve pour vous, ou vous devrez vous contenter de ces triomphes médiocres que le sou-

venir de votre passé rendra plus amers à votre cœur
que des défaites. Chaque mois qui touche à sa fin
vous rapproche de quelque chose d'effrayant. Le
temps est jaloux de vous, et guerroie contre vos lis et
vos roses. Votre teint se plombera, vos joues se creu-
seront, vos yeux s'éteindront. Vous souffrirez atrocement... Ah ! réalisez votre jeunesse pendant que vous
la détenez. Ne dilapidez pas l'or de vos jours à
écouter les raseurs, à essayer d'améliorer les ratés
indécrottables, ou à abandonner votre vie aux gens
ignorants, communs ou vulgaires. Ce sont là les
objectifs malsains, les faux idéaux de notre époque.
Vivez ! Vivez la vie merveilleuse qui est en vous ! Ne
laissez rien perdre. Recherchez inlassablement de
nouvelles sensations. N'ayez peur de rien... Un
nouvel hédonisme, voilà ce qu'il faut à notre siècle.
Vous pourriez en être le symbole visible. Avec la personnalité qui est la vôtre, il n'est rien que vous ne
puissiez faire. Le monde vous appartient, le temps
d'une saison... Dès l'instant où j'ai fait votre connaissance, j'ai vu que vous étiez totalement inconscient
de ce que vous êtes réellement, de ce que vous pourriez réellement être. Il y avait en vous tant de choses
qui me charmaient que j'ai senti qu'il me fallait vous
parler un peu de vous. Je me suis dit qu'il serait tragique que vous fussiez gâché. Car il est si bref, le
temps que durera votre jeunesse, si bref en vérité.
Les simples fleurs des collines se fanent, mais elles
refleurissent. Le cytise sera aussi jaune en juin prochain qu'il l'est à présent. Dans un mois l'on verra
des étoiles pourpres sur la clématite, et, année après
année, la verte nuit de ses feuilles abritera ses étoiles
pourpres. Mais nous ne récupérons jamais notre jeu-

nesse. La pulsation de joie qui bat en nous quand nous avons vingt ans s'engourdit. Nos membres nous font défaut, nos sens se décomposent. Nous dégénérons, et devenons des pantins hideux, hantés par le souvenir des passions qui nous ont trop effrayés, et des tentations exquises auxquelles nous n'avons pas eu le courage de céder. Jeunesse ! jeunesse ! Il n'y a absolument rien en ce monde que la jeunesse ! »

Dorian Gray écoutait, les yeux dilatés, plein d'étonnement. Ses mains lâchèrent le rameau de lilas, qui tomba sur le gravier. Une abeille duvetée vint bourdonner autour de lui quelques instants. Puis elle se mit à aller en tous sens parmi les fleurs minuscules formées de globes ovales étoilés. Il l'observa avec cet étrange intérêt que nous tentons parfois de porter à des événements infimes quand des choses de la plus haute importance nous effraient, ou quand nous agite une émotion nouvelle que nous ne savons pas exprimer, ou encore quand une pensée terrifiante met soudain le siège devant notre cerveau et nous somme de capituler. Au bout d'un moment, l'abeille s'éloigna. Il la vit s'enfouir lentement dans la trompe tachée d'un volubilis pourpre. La fleur parut frémir, puis se balança doucement sur sa tige.

Le peintre apparut soudain à la porte de l'atelier, et fit des gestes saccadés pour leur demander de rentrer. Ils se tournèrent l'un vers l'autre, et sourirent.

« Je vous attends, s'écria-t-il. Venez, je vous en prie. La lumière est idéale, et vous pouvez apporter vos boissons. »

Ils se levèrent, et reprirent l'allée sans hâte. Deux papillons vert et blanc passèrent à côté d'eux et dans le poirier, à l'angle du jardin, une grive se mit à chanter.

« Vous êtes heureux d'avoir fait ma connaissance, M. Gray, dit Lord Henry en le regardant.

— Oui, j'en suis heureux à présent. Je me demande si je le serai toujours.

— Toujours ! Quel mot affreux. Je frémis chaque fois que je l'entends. Les femmes adorent tellement l'employer. Elles gâchent toutes les histoires d'amour en tentant de les faire durer éternellement. C'est d'ailleurs un mot dépourvu de sens. La seule différence entre un caprice et une passion de toute une vie, c'est que le caprice dure un peu plus longtemps. »

À leur entrée dans l'atelier, Dorian Gray posa la main sur le bras de Lord Henry. « En ce cas, faisons de notre amitié un caprice », murmura-t-il, rougissant de sa propre hardiesse, puis il remonta sur l'estrade, et reprit la pose.

Lord Henry s'installa dans un grand fauteuil de rotin, et l'observa. Les coups et les traits du pinceau sur la toile constituaient le seul bruit qui rompît le silence, sauf lorsque Hallward, de temps à autre, reculait pour regarder d'un peu plus loin son travail. Dans les rayons qui entraient en flots obliques par la porte grande ouverte, dansait une poussière dorée. Tout semblait pénétré du lourd parfum des roses.

Au bout d'un quart d'heure environ, Hallward cessa de peindre, regarda longuement Dorian Gray, puis regarda longuement son tableau, mordillant, le sourcil froncé, l'extrémité de l'un de ses énormes pinceaux. « C'est complètement terminé », s'écria-t-il enfin, et, se baissant, il écrivit son nom en longues lettres vermillon dans le coin gauche de la toile.

Lord Henry s'avança et examina le portrait. C'était incontestablement une œuvre d'art admirable, aussi bien qu'un portrait admirablement ressemblant.

« Mon cher ami, je vous félicite très chaleureusement, déclara-t-il. C'est le plus beau portrait de notre temps. M.Gray, venez donc vous contempler. »

Le jeune homme sursauta, comme s'il sortait d'un rêve. « Est-il vraiment terminé ? murmura-t-il en descendant de l'estrade.

— Complètement, dit le peintre. Et tu as posé superbement aujourd'hui. Je te suis vraiment très reconnaissant. »

Lord Henry s'interposa. « Voilà qui m'est entièrement dû. N'est-ce pas, M. Gray ? »

Dorian ne répondit rien, mais passa avec nonchalance devant son portrait puis se tourna vers lui. Quand il le vit, il eut un recul, et ses joues s'empourprèrent momentanément de plaisir. Un regard joyeux illumina ses yeux, comme s'il se reconnaissait pour la première fois. Il resta immobile, rempli d'étonnement et d'admiration, vaguement conscient que Hallward lui parlait, mais incapable de saisir le sens de ses propos. Le sentiment de sa propre beauté l'envahit comme une révélation. Il ne l'avait jamais encore éprouvé. Il n'avait pris les compliments de Basil Hallward que pour d'agréables exagérations dues à l'amitié. Il les avait écoutés, en avait ri, et les avait oubliés. Ils n'avaient eu aucune influence sur sa personnalité. Puis avait surgi Lord Henry Wotton, avec son étrange hymne à la jeunesse, sa terrifiante mise en garde contre la brièveté de cette jeunesse. Il en avait été, sur le moment, touché, et maintenant qu'il contemplait le reflet de sa propre beauté, il sentit en un éclair toute la réalité de cette description. Oui, un jour viendrait où son visage serait ridé et parcheminé, où ses yeux auraient perdu leur éclat et leur couleur, où toute grâce et toute forme l'auraient abandonné. L'incarnat de ses lèvres, l'éclat doré de ses cheveux disparaîtraient. La vie, en façonnant son âme, abîmerait son corps. Il deviendrait horrible, hideux, grossier.

À cette pensée, un éclair de douleur le transperça comme un coup de poignard, et fit frémir chacune des fibres délicates de son être. Ses yeux devinrent améthyste, et se voilèrent de larmes. Il eut l'impression qu'une main glacée s'était posée sur son cœur.

« Tu ne l'aimes pas ? » finit par s'écrier Hallward, quelque peu piqué par le silence du jeune homme, incapable qu'il était de comprendre sa signification.

« Bien sûr qu'il l'aime, dit Lord Henry. Qui ne l'aimerait ? C'est l'une des plus grandes choses qu'ait produites l'art contemporain. Je vous en donnerai tout ce que vous demanderez. Il faut qu'il soit à moi.

— Il ne m'appartient pas, Harry.

— À qui appartient-il ?

— À Dorian, bien entendu, répliqua le peintre.

— Il a bien de la chance.

— Comme c'est triste ! » murmura Dorian Gray, gardant les yeux fixés sur son portrait. « Comme c'est triste ! Je vais devenir vieux, horrible, effrayant. Mais ce tableau restera éternellement jeune. Il n'aura jamais un jour de plus qu'en cette journée de juin... Si seulement ce pouvait être le contraire ! Si c'était moi qui restais toujours jeune, et que le portrait, lui, vieillît ! Pour obtenir cela, pour l'obtenir, je donnerais tout ce que j'ai ! Oui, il n'y a rien au monde que je refuserais de donner ! Je donnerais mon âme pour l'obtenir !

— Je doute fort que vous approuviez un tel marché, Basil, s'exclama Lord Henry en riant. Ce serait vraiment sévère à l'égard de votre travail.

— Je m'y opposerais formellement, Harry », dit Hallward.

Dorian Gray se tourna et le regarda. « Je le crois en effet, Basil. Tu préfères ton art à tes amis. Je ne suis rien d'autre pour toi qu'une figure de bronze verdie. Peut-être moins, je suppose. »

Le peintre le regarda, stupéfait. Ce langage ressemblait bien peu à Dorian. Que s'était-il passé ? Il avait l'air très irrité. Son visage était rouge et ses joues empourprées.

« Oui, continua Dorian. Tu fais moins de cas de moi que de ton Hermès d'ivoire ou de ton Faune d'argent. Eux, tu les aimeras toujours. Et moi, combien de temps m'aimeras-tu ? Sans doute jusqu'à ma première ride. Je sais à présent qu'en perdant sa beauté, quelle qu'elle soit, on perd tout. Ton tableau me l'a prouvé. Lord Henry Wotton a parfaitement raison. La jeunesse est le seul bien qui vaille. Quand je m'apercevrai que je suis en train de vieillir, je me tuerai. »

Hallward blêmit, et lui saisit la main. « Dorian ! Dorian ! s'écria-t-il, ne parle pas ainsi. Je n'ai jamais eu d'ami tel que toi, et je n'en aurai jamais. Tu n'es quand même pas jaloux de simples objets, toi qui es plus beau que n'importe lequel d'entre eux ?

— Je suis jaloux de tout ce dont la beauté ne périt pas. Je suis jaloux de ce portrait de moi que tu as peint. De quel droit garderait-il ce que je dois perdre ? Chaque minute qui passe m'enlève quelque chose pour le lui donner. Ah ! si ce pouvait être l'inverse ! Si le portrait pouvait changer, et moi rester éternellement tel que je suis à présent ! Pourquoi l'as-tu peint ? Un jour viendra où il fera rire de moi, rire de façon effroyable ! » Des larmes brûlantes se pressaient sous ses paupières ; il libéra brutalement sa main et, s'affaissant sur le divan, il plongea son visage dans les coussins, comme pour prier.

« Voilà le résultat de votre travail, Harry », dit le peintre d'une voix amère.

Lord Henry haussa les épaules. « C'est là le véritable Dorian Gray, voilà tout.

— Ce n'est pas vrai.

— Si ce n'est pas vrai, qu'ai-je à y voir ?

— Vous auriez dû partir quand je vous l'ai demandé, marmonna-t-il.

— Je suis resté quand vous me l'avez demandé, fut toute la réponse de Lord Henry.

— Harry, je ne peux pas me disputer à la fois avec mes deux meilleurs amis, mais à vous deux, vous avez réussi à me faire haïr le plus beau travail que j'aie jamais réalisé, et je vais le détruire. Qu'est-ce donc sinon de la toile et de la couleur ? Je ne souffrirai pas qu'il nuise à nos trois vies et les ruine. »

Dorian Gray releva sa tête dorée enfouie dans les coussins et, le visage hagard et les yeux mouillés de larmes, le regarda se diriger vers la table à dessin de bois blanc placée sous la haute fenêtre voilée. Que faisait-il là ? Ses doigts parcouraient l'amas désordonné de tubes d'étain et de pinceaux secs, à la recherche de quelque chose. Oui, c'était le long couteau à palette à la lame d'acier souple. Il l'avait enfin trouvé. Il s'apprêtait à fendre la toile.

Étouffant un sanglot, le jeune homme quitta le divan d'un bond et, se précipitant vers Hallward, il lui arracha le couteau des mains et le jeta à l'autre bout de l'atelier. « Ne fais pas cela, Basil, ne fais pas cela ! cria-t-il. Ce serait un meurtre !

— Je suis heureux que tu apprécies enfin mon travail, Dorian », dit le peintre avec froideur quand il fut remis de sa surprise. « Je ne croyais pas que cela fût possible.

— L'apprécier ? J'en suis amoureux, Basil. C'est une part de moi-même. Voilà ce que j'éprouve.

— Eh bien, dès que tu seras sec, je te vernirai, je t'encadrerai et je t'enverrai chez toi. Tu pourras alors faire de toi ce qu'il te plaira. » Et il traversa la pièce et sonna pour qu'on apporte le thé. « Tu prends du thé, bien entendu, Dorian ? Et vous aussi, Harry ? À moins que vous ne soyez réfractaire aux plaisirs tout simples.

— J'adore les plaisirs tout simples, dit Lord Henry. Ils constituent le dernier refuge des êtres complexes. Mais je n'aime pas les scènes, sauf au théâtre. Comme vous êtes absurdes, tous les deux ! Je me demande qui a bien pu définir l'homme comme un animal raisonnable. C'est la définition la plus imprudente qu'on ait jamais donnée. L'homme est bien des choses, mais il n'est pas raisonnable. Je me félicite, tout compte fait, qu'il ne le soit pas ; et pourtant j'aimerais bien que vous ne vous chamailliez pas à propos de ce portrait. Vous feriez bien mieux de me le laisser, Basil. Ce jeune sot n'en veut pas vraiment, moi, oui.

— Si tu laisses un autre que moi l'emporter, Basil, je ne te le pardonnerai jamais ! s'écria Dorian Gray, et je refuse que l'on me traite de jeune sot.

— Tu sais bien que le portrait t'appartient, Dorian. Je te l'ai donné avant même qu'il n'existe.

— Et vous savez bien que vous avez été quelque peu sot, M. Gray, sans compter que vous n'êtes pas vraiment fâché qu'on vous rappelle que vous êtes extrêmement jeune.

— J'en aurais été très fâché ce matin, Lord Henry.

— Ah, ce matin ! vous avez vécu, depuis, M. Gray. »

On frappa à la porte, et le maître d'hôtel entra, portant un plateau à thé garni qu'il posa sur une petite table japonaise. Il y eut un bruit de tasses et de soucoupes, et l'on entendit siffler une urne georgienne[1] cannelée. Un jeune serviteur apporta deux plats de porcelaine en forme de globes. Dorian Gray alla verser le thé dans les tasses. Les deux hommes s'avancèrent sans hâte vers la table et examinèrent ce qui se trouvait sous les couvercles.

« Allons au théâtre ce soir, dit Lord Henry. Il se joue sûrement quelque chose quelque part. J'ai promis de dîner au White[2], mais ce n'est qu'en compagnie d'un vieil ami, en sorte que je peux lui envoyer un télégramme disant que je suis malade, ou que je ne puis venir en raison d'un engagement ultérieur. Je trouve que ce serait une excuse assez jolie : elle créerait la surprise par sa franchise même.

— Quelle corvée de devoir s'habiller, marmonna

Hallward. Et lorsqu'on le porte, un habit de soirée est si horrible.

— C'est vrai, répondit Lord Henry d'une voix rêveuse, le costume du XIXe siècle est détestable. Il est si sombre, si déprimant. Le péché est la seule note de couleur qui subsiste dans la vie moderne.

— Vous ne devriez vraiment pas dire des choses pareilles devant Dorian, Harry.

— Devant quel Dorian ? Celui qui nous sert le thé, ou celui du portrait ?

— Ni devant l'un, ni devant l'autre.

— J'aimerais aller au théâtre avec vous, Lord Henry, dit le jeune homme.

— Venez donc ; et vous aussi, Basil, n'est-ce pas ?

— Vraiment, je ne peux pas. Je préférerais ne pas venir. J'ai beaucoup de travail à faire.

— Eh bien, dans ces conditions, nous irons tout seuls, M. Gray.

— Cela me ferait énormément plaisir. »

Le peintre se mordit la lèvre et se dirigea, sa tasse à la main, vers le portrait. « Je resterai en compagnie du Dorian réel, fit-il tristement.

— Est-ce bien le Dorian réel ? s'écria l'original du portrait en s'avançant vers lui. Suis-je vraiment ainsi ?

— Oui, tu es exactement ainsi.

— C'est merveilleux, Basil !

— Du moins es-tu ainsi en apparence. Mais elle ne changera jamais, soupira Hallward. C'est déjà quelque chose.

— Ah, l'importance que les gens accordent à la fidélité ! s'exclama Lord Henry. Voyons, même en amour, c'est un problème purement physiologique.

Elle n'a rien à voir avec notre volonté personnelle. Les jeunes veulent être fidèles et ne le sont pas ; les vieux veulent être infidèles et ne le peuvent pas ; voilà tout ce que l'on peut dire.

— Ne va pas au théâtre ce soir, Dorian, dit Hallward. Reste dîner avec moi.

— Impossible, Basil.

— Pourquoi ?

— Parce que j'ai promis à Lord Henry de l'accompagner.

— Il ne te saura pas gré de tenir tes promesses. Il viole toujours les siennes. Je t'en prie, ne l'accompagne pas. »

Dorian Gray se mit à rire et secoua la tête.

« Je t'en supplie. »

Le jeune homme hésita et tourna son regard vers Lord Henry qui, depuis la table à thé, les observait avec un sourire amusé.

« Il faut que je m'en aille, Basil, répondit-il.

— Très bien », fit Hallward, et il alla jusqu'à la table, et déposa la tasse sur le plateau. « Il est déjà tard, et comme il vous faut vous habiller, vous n'avez pas de temps à perdre. Au revoir, Harry. Au revoir, Dorian. Viens me voir bientôt. Viens demain.

— Certainement.

— Tu n'oublieras pas ?

— Mais non, voyons, s'écria Dorian.

— Et... Harry !

— Oui, Basil ?

— Rappelez-vous ce que je vous ai demandé, ce matin, quand nous étions au jardin.

— J'ai oublié.

— Je vous fais confiance.

— Je voudrais bien pouvoir me faire confiance à moi-même, dit Lord Henry en riant. Venez, M. Gray, mon fiacre attend dehors, et je peux vous déposer chez vous. Au revoir, Basil. Ce fut un après-midi fort intéressant. »

Lorsque la porte se referma sur eux, le peintre s'affaissa sur un sofa, et une expression de douleur apparut sur son visage.

## 3

Le lendemain, à midi et demi, Lord Henry
Wotton quitta Curzon Street pour gagner sans se
presser l'Albany[1] et rendre visite à son oncle, Lord
Fermor, vieux célibataire jovial quoiqu'un peu
bourru, que le monde extérieur, ne tirant de lui
aucun profit particulier, déclarait égoïste, mais que
la bonne société estimait généreux puisqu'il nour-
rissait les gens qui l'amusaient. Son père avait été
notre ambassadeur à Madrid quand Isabelle[2] était
jeune et que rien n'annonçait Prim[3], mais il avait
démissionné de la Carrière par un soudain caprice,
furieux de ne pas s'être vu offrir l'ambassade de
Paris, poste auquel il s'estimait tout désigné par sa
naissance, son indolence, la qualité de l'anglais de
ses dépêches, et sa passion démesurée pour les plaisirs. Le fils, qui était le secrétaire de son père, avait
démissionné en même temps que son supérieur,
geste jugé fort déraisonnable à l'époque, et lorsque,
quelques mois plus tard, il hérita du titre, il se lança
dans l'étude systématique de cet art suprême de
l'aristocratie qui consiste à ne rigoureusement rien
faire. Il possédait deux grandes maisons dans la capi-

tale mais, pour s'éviter des soucis, préférait vivre en appartement, et prenait la plupart de ses repas à son club. Il surveillait quelque peu la bonne marche de ses houillères des Midlands, alléguant, pour excuser cette souillure industrielle, qu'un *gentleman* ne retirait qu'un seul avantage de la possession de charbon : pouvoir se payer l'élégance de ne se chauffer lui-même qu'au bois. En politique, c'était un Tory[1], sauf quand les Tories étaient au pouvoir, période au cours de laquelle il les accusait avec violence de n'être qu'une bande de radicaux. Il était un héros pour son valet, qui le malmenait, et une terreur pour toute sa famille, qu'il malmenait à son tour. Il n'aurait pu naître en nul autre pays que l'Angleterre, et il affirmait sans cesse que l'Angleterre était sur la pente fatale. Ses principes étaient obsolètes, mais ses préjugés ne manquaient pas de valeur.

À son entrée dans le salon, Lord Henry trouva son oncle assis, vêtu d'un veston de chasse en grosse toile, en train de fumer un cigare à bouts coupés et de grommeler contre le *Times*. « Eh bien, Harry, dit le vieil homme, qu'est-ce qui t'amène si bon matin ? Je croyais que les *dandys* comme toi ne se levaient jamais avant deux heures et n'étaient pas visibles avant cinq.

— Rien que l'affection familiale, je vous assure, Oncle George. Je voudrais obtenir quelque chose de vous.

— De l'argent, je suppose, dit Lord Fermor en faisant la moue. Eh bien, assieds-toi, et raconte-moi tout. Les jeunes gens, de nos jours, s'imaginent que l'argent est tout.

— Certes », murmura Lord Henry en replaçant son œillet dans sa boutonnière, « et en vieillissant, ils en sont sûrs. Mais je ne veux pas d'argent. Seuls les gens qui règlent leurs fournisseurs en ont besoin, Oncle George, et je ne règle jamais les miens. Le crédit constitue le capital des fils cadets, et on peut en vivre fort agréablement. Au reste, je n'ai recours qu'aux fournisseurs de Dartmoor, si bien qu'ils ne me dérangent jamais. Ce que je veux, ce sont des renseignements ; non pas des renseignements utiles, bien sûr, des renseignements inutiles.

— Eh bien, je peux te donner tous les renseignements contenus dans n'importe quel rapport officiel, Harry ; bien que ceux qui les rédigent aujourd'hui y écrivent beaucoup de sottises. Quand j'étais dans la Carrière, les choses allaient bien mieux. Mais je crois comprendre qu'on les recrute à présent par concours. Faut-il s'étonner du résultat ? Les concours, Monsieur, ne sont de bout en bout qu'une mascarade. Si un homme est un *gentleman*, il en sait bien assez, et s'il ne l'est pas, tout ce qu'il sait est mauvais pour lui.

— M. Dorian Gray n'appartient pas à l'univers des rapports officiels, Oncle George, dit Lord Henry nonchalamment.

— M. Dorian Gray ? Qui est-ce ? » demanda Lord Fermor en fronçant ses sourcils broussailleux et blanchis.

« C'est précisément ce que je suis venu apprendre de vous, Oncle George. Ou plutôt, je sais qui il est. Il est le petit-fils du dernier Lord Kelso. Sa mère était une Devereux, Lady Margaret Devereux. Je voudrais que vous me parliez de sa mère. À quoi ressemblait-elle ? Qui a-t-elle épousé ? De votre temps, vous connaissiez à peu près tout le monde, et vous auriez pu la connaître. M. Gray m'intéresse fort, présentement. Je viens tout juste de faire sa connaissance.

— Le petit-fils de Kelso ! fit en écho le vieil homme. Le petit-fils de Kelso !... Bien sûr... J'ai connu sa mère intimement. Je crois que j'étais présent à son baptême. C'était une fille d'une extraordinaire beauté que Margaret Devereux ; et elle a fait enrager tous les hommes en s'enfuyant avec un jeune type sans le sou ; un rien du tout, Monsieur, un officier subalterne dans un régiment d'infanterie, ou quelque chose de ce genre. Assurément. Je me rappelle toute l'affaire comme si c'était hier. Le pauvre fut tué en duel à Spa[1] quelques mois après leur mariage. Il a couru à ce propos une histoire pas très jolie. On a dit que Kelso avait déniché un aventurier sans foi ni loi, un Belge du genre bête brute, pour qu'il insulte son gendre en public ; qu'il l'avait payé, oui, Monsieur, payé pour agir ainsi ; et que cette canaille avait tiré son adversaire comme un vulgaire pigeon. On a étouffé l'affaire mais, morbleu, pendant un certain temps, Kelso a dû manger au club à une table isolée. Il reprit sa fille avec lui, m'a-t-on dit, et elle ne lui a plus jamais adressé la parole. Ah oui, ce fut une sale affaire. La fille est morte, elle aussi, elle est morte dans l'année qui a suivi. Alors elle a laissé un fils ? J'avais oublié cela. Quelle sorte de garçon est-ce ? S'il tient de sa mère, il doit être beau garçon. »

Lord Henry acquiesça : « Il est très beau garçon.

— J'espère qu'il tombera en de bonnes mains, poursuivit le vieil homme. En principe, si Kelso s'est bien conduit envers lui, c'est un vrai magot qui doit

l'attendre. Sa mère avait elle aussi de l'argent. Tout
l'héritage Selby lui est revenu par son grand-père.
Son grand-père détestait Kelso, il le considérait
comme un homme méprisable. Et il l'était en effet. Il
est venu une fois à Madrid pendant que j'y étais.
Morbleu, j'avais honte de lui. La Reine m'interrogeait souvent sur cet aristocrate anglais qui ne cessait
de se quereller avec les cochers de fiacre sur le prix
de la course. On en avait fait toute une histoire. Pendant un mois je n'osai pas me montrer à la Cour.
J'espère qu'il a mieux traité son petit-fils que les
pauvres cochers.

— Je ne sais pas, répondit Lord Henry. J'imagine
que le jeune homme sera à l'aise. Il n'est pas encore
majeur. Je sais qu'il a Selby. Il me l'a dit. Et donc, sa
mère était très belle ?

— Margaret Devereux était une des plus belles
créatures que j'aie jamais vues, Harry. Qu'est-ce qui a
bien pu la pousser à se comporter comme elle l'a
fait ? je ne l'ai jamais compris. Elle aurait pu épouser
n'importe quel homme de son choix. Carlington
était fou d'elle. Elle était romanesque, c'est vrai.
Toutes les femmes l'ont été, dans cette famille. Les
hommes ne valaient pas grand-chose, mais morbleu !
les femmes étaient admirables. Carlington l'a sup-
pliée à genoux. C'est lui-même qui me l'a dit. Elle
s'est moquée de lui, alors qu'il n'y avait pas à
Londres, à cette époque, une fille qui ne lui courût
après. Et à propos de mariages stupides, Harry,
qu'est-ce que c'est que cette histoire farfelue que me
raconte ton père, que Dartmoor veut épouser une
Américaine ? Est-ce que les Anglaises ne sont pas
assez bien pour lui ?

— Il est fort bien porté ces temps-ci d'épouser une Américaine, Oncle George.

— Je défendrai les Anglaises contre l'univers entier, Harry », dit Lord Fermor, en assenant son poing sur la table.

« Les Américaines ont la cote.

— Elles ne tiennent pas le coup, me dit-on, grommela son oncle.

— Une course de fond les épuise, mais elles sont formidables pour les courses d'obstacles. Elles franchissent tout d'un saut. Je ne crois pas que Dartmoor ait la moindre chance.

— Qui sont ses parents ? bougonna le vieil homme. En a-t-elle, au moins ? »

Lord Henry secoua la tête. « Les jeunes Américaines sont aussi habiles à dissimuler leurs parents que les Anglaises leur passé, dit-il en se levant pour prendre congé.

— Ce sont des fabricants de charcuterie, je suppose ?

— Je l'espère, Oncle George, dans l'intérêt de Dartmoor. Il paraît que la charcuterie est le métier le plus lucratif en Amérique, après la politique.

— Est-ce qu'elle est jolie ?

— Elle se comporte comme si elle était belle. Ainsi font la plupart des Américaines. C'est le secret de leur charme.

— Pourquoi ces Américaines ne restent-elles pas chez elles ? Elles ne cessent de nous dire que leur pays est un paradis pour les femmes.

— Elles ont raison. C'est pourquoi, comme Ève, elles sont si impatientes de le quitter, dit Lord Henry. Au revoir, Oncle George. Si je reste davantage, je serai en retard pour le déjeuner. Merci de m'avoir fourni les renseignements dont j'avais besoin. J'aime toujours tout savoir de mes nouveaux amis, et rien des anciens.

— Où déjeunes-tu, Harry ?

— Chez Tante Agatha. Je me suis fait inviter avec M. Gray. Il est le dernier en date de ses *protégés*.

— Hum, dis à ta Tante Agatha, Harry, de ne plus m'embêter avec ses demandes de secours. J'en ai par-dessus la tête. En vérité, la bonne dame pense que je n'ai rien d'autre à faire que de signer des chèques pour ses lubies stupides.

— Entendu, Oncle George, je le lui dirai, mais cela ne fera aucun effet. Les philanthropes perdent tout sens de l'humanité. C'est à cela qu'on les reconnaît. »

Le vieil homme marmonna une approbation, et sonna pour appeler son domestique. Lord Henry franchit les arcades basses conduisant à Burlington Street, puis se dirigea vers Berkeley Square.

Voilà donc quelle était l'histoire des ascendants de Dorian Gray. Bien que le récit en eût été fait sans ornement, il l'avait touché, suggérant comme il le faisait une histoire d'amour étrange, presque moderne. Une femme belle risquant tout pour une folle passion. Quelques semaines d'un bonheur éperdu coupées net par un crime horrible, par une trahison. Des mois de souffrance muette, puis un enfant né dans la douleur. La mère emportée par la mort, le garçon abandonné à la solitude tyrannique d'un vieil homme incapable d'amour. Oui, c'était un arrière-plan intéressant. Le jeune homme s'en trou-vait mieux campé, et devenait pour ainsi dire plus parfait. Derrière toute chose exquise se cache une tragédie. Il faut que des mondes souffrent pour que s'épanouisse la plus humble des fleurs... Et au cours du dîner de la veille, au club, assis en face de lui, qu'il avait été charmant avec ses yeux écarquillés et ses lèvres entrouvertes dans un mélange de plaisir et d'effroi, tandis que les rouges abat-jour des candélabres donnaient une couleur plus riche au rose de son visage où s'éveillait l'étonnement. On avait l'impression, en lui parlant, de jouer sur le plus délicat des violons. Il réagissait à chaque touche, à chaque effleurement de l'archet... Il y a quelque chose de terriblement captivant à exercer une influence. Aucune autre activité ne peut s'y comparer. Projeter son âme dans une forme gracieuse, l'y laisser s'attarder un moment, entendre ses propres pensées revenir en écho, enrichies de toute la musique d'une passion juvénile ; faire passer son propre tempérament chez autrui comme s'il s'agissait d'un liquide subtil ou d'un parfum étrange ; voilà qui est source d'une joie authentique — de la joie peut-être la plus satisfaisante qu'il nous soit donné d'éprouver dans une époque aussi bornée et aussi vulgaire que la nôtre, une époque de plaisirs grossièrement charnels et d'ambitions grossièrement communes... Il incarnait de surcroît un modèle merveilleux, ce jeune homme rencontré, par un hasard aussi curieux, dans l'atelier de Basil ; ou du moins on pouvait en faire un type merveilleux. À lui appartenaient la Grâce, et la pure blancheur de l'enfance, et la beauté que les anciens marbres grecs conservent pour nous. Il n'y avait rien qu'on ne pût faire de lui. On pouvait en faire un Titan, ou bien un

jouet. Quel dommage qu'une telle beauté fût destinée au déclin !... Et Basil ? D'un point de vue psychologique, qu'il était intéressant ! Un nouveau
style artistique, un regard neuf sur la vie, suggérés si
bizarrement par la simple présence visible de quelqu'un qui en était totalement inconscient ; l'esprit
silencieux qui hante les sous-bois obscurs et par-
court, invisible, les prairies découvertes, se révélant
soudain, comme une Dryade que rien n'effarouche,
parce que dans l'âme de cet homme lancé à sa pour-
suite s'était éveillée cette vision merveilleuse à
laquelle est réservée la révélation des choses merveilleuses ; les simples formes, les simples contours
de choses en train, pour ainsi dire, de s'affiner, d'acquérir une sorte de valeur symbolique, comme si
elles étaient elles-mêmes l'esquisse d'une autre
forme, plus parfaite encore, dont elles rendaient
l'ombre réelle ; comme tout cela était étrange ! Il se
rappelait quelque chose d'analogue en histoire.
N'était-ce point Platon, cet artiste de la pensée, qui
l'avait analysé le premier ? N'était-ce pas Buonarroti
qui l'avait gravé dans le marbre multicolore d'une
suite de sonnets[1] ? Mais à notre époque, c'était
étrange... Oui, il allait tenter d'être pour Dorian
Gray ce que, sans le savoir, le jeune homme était
pour le peintre qui avait réalisé ce merveilleux portrait. Il tenterait de le dominer — en vérité, il avait
déjà à demi réussi. Il ferait sien cet esprit merveilleux. Il y avait quelque chose de fascinant chez
ce fils de l'Amour et de la Mort.

Il s'arrêta brusquement, et regarda les maisons. Il
s'aperçut qu'il avait légèrement dépassé la maison
de sa tante et, souriant intérieurement, rebroussa

chemin. Quand il pénétra dans le vestibule assez
sombre, le maître d'hôtel lui dit qu'on était passé à
table. Il donna à l'un des valets de pied son chapeau
et sa canne, et entra dans la salle à manger.

« En retard comme à l'accoutumée, Harry »,
s'écria sa tante en secouant la tête dans sa direction.

Il inventa une excuse à peu de frais et, ayant pris à
son côté le siège vide, il parcourut la table des yeux
pour voir qui était là. Dorian, à l'autre bout de la
table, lui adressa un salut timide, sa joue rougissant
furtivement de plaisir. En face se trouvait la
duchesse de Harley, une femme pourvue d'une
nature et d'un caractère admirables, très aimée de
tous ceux qui la connaissaient, et dotée de cette
ampleur architecturale de proportions à laquelle les
historiens contemporains donnent, quand il ne
s'agit pas de duchesses, le nom de corpulence. À sa
droite se trouvait Sir Thomas Burdon, député
radical, qui dans la vie publique suivait son chef de
file, et dans la vie privée suivait les meilleurs cuisi-
niers, dînant avec les Tories et réfléchissant avec les
Libéraux, conformément à une règle bien connue et
fort sage. Le poste situé à la gauche de l'hôtesse était
tenu par M. Erskine de Treadley, vieux monsieur
d'un charme et d'une culture remarquables mais qui
avait contracté la mauvaise habitude de rester silencieux, car, selon l'explication donnée un jour par lui
à Lady Agatha, il avait dit tout ce qu'il avait à dire
avant d'atteindre la trentaine. Lui-même avait à ses
côtés Mme Vandeleur, l'une des plus vieilles amies
de sa tante, sainte parfaite entre toutes les femmes,
mais si atrocement fagotée qu'elle faisait penser à un
livre de prières mal relié. Heureusement pour lui,

elle avait, comme autre voisin, Lord Faudel, un médiocre entre deux âges, fort intelligent, au crâne aussi dénudé qu'une déclaration ministérielle à la Chambre des Communes, avec lequel elle entretenait une conversation marquée de ce sérieux intense qui est, ainsi qu'il en avait une fois fait la remarque, la seule erreur impardonnable que commettent tous les gens réellement bons, et dont aucun n'est vraiment jamais exempt.

« Nous sommes en train de parler de ce pauvre Dartmoor, Lord Henry », s'écria la duchesse, lui faisant, depuis l'autre côté de la table, un signe de tête amical. « Croyez-vous qu'il va réellement épouser cette jeune personne si fascinante ?

— Je crois, duchesse, qu'elle a tout à fait décidé de demander sa main.

— Quelle horreur ! s'écria Lady Agatha. Il faut vraiment que quelqu'un s'interpose.

— Je crois savoir, par une source digne de confiance, que son père tient un commerce de fruits secs américains, dit Sir Thomas Burdon d'un air dédaigneux.

— Mon oncle a déjà suggéré une charcuterie, Sir Thomas.

— Des fruits secs[1] ! Qu'est-ce donc que des fruits secs américains ? » demanda la duchesse, écartant ses mains robustes en signe d'étonnement, et en accentuant le verbe.

« Des romans américains », répondit Lord Henry, en se servant du plat de cailles.

La duchesse parut déconcertée.

« Ne faites pas attention à lui, chuchota Lady Agatha. Il ne parle jamais sérieusement.

— Lorsqu'on découvrit l'Amérique », commença le député radical, et il se mit à exposer quelques points fort ennuyeux. Comme tous les gens qui cherchent à épuiser un sujet, il épuisa ses auditeurs. La duchesse poussa un soupir, et eut recours pour l'interrompre à son privilège. « Plût au Ciel qu'on ne l'eût jamais découverte ! s'exclama-t-elle. En vérité, nos filles aujourd'hui n'ont pas la moindre chance. C'est très injuste.

— Peut-être, après tout, l'Amérique n'a-t-elle jamais été découverte, dit M. Erskine. Pour ma part, je dirais volontiers qu'elle a tout juste été détectée.

— Ah, mais j'ai vu quelques spécimens de ses habitantes, répliqua la duchesse d'un air vague. Je dois avouer que la plupart d'entre elles sont extrêmement jolies. Et de surcroît elles s'habillent bien. Elles achètent toutes leurs robes à Paris. Je voudrais bien pouvoir en faire autant.

— On dit que les bons Américains, quand ils meurent, vont à Paris », dit avec un petit rire Sir Thomas, qui possédait une vaste garde-robe remplie des défroques de l'humour.

« En vérité ? Et où vont donc les mauvais Américains quand ils meurent ? demanda la duchesse.

— Ils vont en Amérique », murmura Lord Henry. Sir Thomas fronça le sourcil. « J'ai bien peur que votre neveu n'ait des préjugés à l'encontre de ce grand pays, dit-il à Lady Agatha. Je l'ai parcouru en tous sens, dans des voitures mises à ma disposition par les directeurs qui sont, à cet égard, extrêmement courtois. Je vous assure qu'on s'instruit beaucoup à le visiter.

— Mais est-il vraiment nécessaire de visiter

Chicago pour être instruit ? demanda M. Erskine d'une voix plaintive. Je ne me sens pas capable d'entreprendre le voyage. »

Sir Thomas fit un geste de la main. « M. Erskine de Treadley a le monde entier sur les rayons de sa bibliothèque. Nous autres, hommes pratiques, aimons voir les choses, et non pas lire leur description. Les Américains forment un peuple extrêmement intéressant. Ils sont totalement raisonnables. C'est là je crois leur trait distinctif. Oui, M. Erskine, un peuple totalement raisonnable. Je vous assure que chez les Américains, on ne plaisante pas.

— Quelle horreur ! s'écria Lord Henry. Je peux supporter la force brutale, mais la raison brutale est absolument insupportable. Son usage est d'une certaine façon déloyal. C'est comme porter un coup en dessous de l'intellect.

— Je ne vous comprends pas », dit Sir Thomas, dont le visage s'empourpra quelque peu.

« Moi, si, Lord Henry, murmura M. Erskine en souriant.

— Les paradoxes sont certes intéressants, à leur manière... ajouta le baronnet.

— C'était donc un paradoxe ? demanda M. Erskine. Je ne m'en doutais pas. Mais peut-être en était-ce un. Eh bien, le chemin des paradoxes est le chemin de la vérité. Pour éprouver la Réalité, il faut l'observer sur la corde raide. C'est lorsque les Vérités deviennent des funambules que nous pouvons les juger.

— Grands dieux ! dit Lady Agatha, comme vous adorez discuter, vous autres hommes ! Je vous jure que je suis incapable de comprendre de quoi vous parlez. Oh, Harry, je t'en veux beaucoup. Pourquoi essaies-tu de convaincre M. Dorian Gray, qui est si gentil, d'abandonner l'East End ? Je t'assure qu'il serait pour nous absolument inappréciable. Les gens adoreraient sa façon de jouer.

— C'est pour moi que je veux qu'il joue », s'écria Lord Henry en riant, et, dirigeant son regard vers le bout de la table, il surprit en réponse deux yeux brillants.

« Mais à Whitechapel[1] les gens sont si malheureux, poursuivit Lady Agatha.

— Je peux compatir à tout, sauf à la souffrance, dit Lord Henry en haussant les épaules. À cela je suis incapable de compatir. C'est trop laid, trop horrible, trop attristant. Il y a quelque chose de terriblement malsain dans la sympathie que notre époque porte à la souffrance. C'est pour la couleur, la beauté, les joies de la vie, qu'il faut avoir de la sympathie. Moins on parle des plaies de la vie, mieux cela vaut.

— Il n'empêche, l'East End présente un réel problème », fit observer Sir Thomas, hochant gravement la tête.

« Tout à fait, répliqua le jeune lord. C'est le problème de l'esclavage, et nous essayons de le résoudre en distrayant les esclaves. »

L'homme politique lui jeta un regard perçant. « En ce cas, quels changements proposez-vous ? » demanda-t-il.

Lord Henry se mit à rire. « Il n'y a rien que je désire changer en Angleterre, si ce n'est le climat, répondit-il. Je me contente de méditer et de philosopher. Mais puisque le XIX$^e$ siècle s'est ruiné à

*vraiment égoïste, ne pense qu'à son bien personnel un vrai bourgeois. Psage.*

dépenser sa compassion, je suggère que nous fassions appel à la Science pour qu'elle redresse la *perse* situation. L'avantage des émotions réside en ce qu'elles nous font faire fausse route, et l'avantage de la Science en ce qu'elle exclut l'émotion.

— Mais nous avons de si lourdes responsabilités, hasarda timidement Mme Vandeleur.

— Terriblement lourdes », fit en écho Lady Agatha.

Lord Henry tourna son regard vers M. Erskine. « L'humanité se prend trop au sérieux. C'est là le péché originel du monde. Si les hommes des cavernes avaient su rire, l'Histoire aurait été bien différente.

— Vous êtes vraiment très rassurant, gazouilla la duchesse. Chaque fois que je rends visite à votre chère tante, je me sens très coupable, car je n'éprouve pas le moindre intérêt pour l'East End. À l'avenir, j'oserai la regarder sans rougir.

— Rien n'est plus seyant que la rougeur, duchesse, remarqua Lord Henry.

— Seulement quand on est jeune, répondit-elle. Quand une vieille femme comme moi rougit, c'est très mauvais signe. Ah ! Lord Henry, j'aimerais tant que vous m'indiquiez comment rajeunir. »

Il réfléchit quelques instants. « Vous rappelez-vous une grave erreur que vous auriez commise dans votre jeunesse, duchesse ? demanda-t-il , la fixant des yeux.

— Oh, beaucoup, j'en ai peur, s'écria-t-elle.

— En ce cas, commettez-les de nouveau, dit-il gravement. Pour retrouver sa jeunesse, il suffit d'en répéter les folies.

— Quelle théorie merveilleuse ! s'exclama-t-elle. Il faut que je la mette en pratique.

— Quelle théorie dangereuse ! » laissèrent passer les lèvres pincées de Sir Thomas. Lady Agatha secoua la tête, mais ne put cacher son amusement. M. Erskine écoutait.

« Oui, continua-t-il, c'est l'un des grands secrets de la vie. Aujourd'hui la plupart des gens meurent d'une sorte de bon sens terre à terre, et découvrent lorsqu'il est trop tard que les seules choses qu'on ne regrette jamais sont les erreurs qu'on a commises. »

Toute la table se mit à rire.

Il joua avec cette idée, et s'y plongea tête baissée ; il la jeta en l'air et la transforma ; il la laissa s'échapper et la recaptura, il lui donna le chatoiement de la fantaisie et les ailes du paradoxe. L'éloge de la folie, à mesure qu'il discourait, prit son essor et devint une philosophie, et la Philosophie elle-même devint jeune et, se laissant gagner par la musique déchaînée du Plaisir, portant, eût-on pu dire, robe tachée de vin et couronne de lierre, elle dansa telle une Bacchante par les collines de la vie, et railla le lourd Silène qui voulait rester sobre. Hôtes apeurés des bois, les faits s'enfuyaient à son approche. Ses pieds blancs foulaient le vaste pressoir auprès duquel le sage Omar est assis[1], jusqu'à ce que le jus de raisin s'élevât en bouillonnant, entourant de vagues de bulles empourprées ses jambes nues, ou débordât en écume rouge le long des flancs évasés et ruisselants de la cuve. Ce fut une improvisation extraordinaire. Il sentait les yeux de Dorian Gray fixés sur lui, et de savoir qu'il y avait dans son auditoire une personnalité qu'il voulait fasciner semblait donner du mordant à son esprit, de la couleur à son imagination. Il fut brillant, fantasque, irresponsable. Il charma ses auditeurs jusqu'à les faire sortir d'eux-mêmes, et ils suivirent sa flûte en riant. Dorian Gray ne le quitta pas du regard un seul instant, il était comme ensorcelé, les sourires se succédaient sur ses lèvres, et l'étonnement se faisait gravité dans ses yeux qui s'assombrissaient.

Finalement, revêtue de la livrée de l'époque, la Réalité entra dans la pièce sous la forme d'un domestique qui annonça à la duchesse que sa voiture l'attendait. Elle se tordit les mains, feignant le désespoir. « Comme c'est contrariant ! s'écria-t-elle. Je suis obligée de partir. Il faut que je passe prendre mon époux au club, pour le conduire chez Willis[1], à une réunion absurde qu'il doit présider. Si j'arrive en retard, je suis sûre qu'il sera furieux, et je ne peux pas me permettre, avec le chapeau que je porte, de subir une scène. Il est beaucoup trop fragile. Un mot brutal le détruirait. Vraiment, il faut que je parte, chère Agatha. Au revoir, Lord Henry, vous êtes absolument délicieux, et terriblement démoralisant. Je ne sais vraiment pas ce que je dois penser de vos idées. Il faut que vous veniez dîner chez nous un de ces jours. Mardi ? Êtes-vous libre mardi ?

— Pour vous, duchesse, je renoncerais à n'importe qui, fit Lord Henry en s'inclinant.

— Ah, c'est très gentil, et très mal de votre part, s'écria-t-elle ; donc n'oubliez pas de venir » ; et elle quitta la pièce majestueusement, suivie par Lady Agatha et par les autres dames.

Quand Lord Henry se fut rassis, M. Erskine fit le tour de la table et, prenant un siège non loin de lui, posa la main sur son bras.

« Vous parlez mieux qu'un livre, dit-il ; pourquoi n'en écrivez-vous pas un ?

— J'aime trop lire les livres pour avoir envie d'en écrire, M. Erskine. J'aimerais, il est vrai, écrire un roman ; un roman qui serait aussi beau qu'un tapis persan et aussi irréel. Mais il n'y a pas en Angleterre de public lettré, sauf à réduire la littérature aux journaux, aux manuels et aux encyclopédies. De tous les peuples de la terre, nul n'est plus dénué de tout sens de la beauté littéraire que le peuple anglais.

— J'ai bien peur que vous n'ayez raison, répondit M. Erskine. J'ai eu moi-même des ambitions littéraires, mais il y a longtemps que j'y ai renoncé. Et maintenant, mon jeune ami, si vous me permettez de vous appeler ainsi, puis-je vous demander si vous croyiez sérieusement à tout ce que vous nous avez dit pendant le repas ?

— J'ai complètement oublié ce que j'ai dit, dit Lord Henry en souriant. Était-ce immoral de bout en bout ?

— Très immoral en vérité. En fait, je vous crois extrêmement dangereux, et si quelque chose devait arriver à notre bonne duchesse, nous vous tiendrions tous comme le principal responsable. Mais j'aimerais vous parler de la vie. La génération que j'ai rejointe à ma naissance était ennuyeuse. Un jour ou l'autre, quand vous serez lassé de Londres, venez à Treadley, et exposez-moi votre philosophie du plaisir en buvant un des excellents bourgognes que j'ai la chance de posséder.

— J'en serai enchanté. Une visite à Treadley serait un grand privilège. On y trouve un hôte parfait et une bibliothèque parfaite.

— Vous en compléterez le charme », répondit le vieil homme en faisant un salut courtois. « Et maintenant je dois faire mes adieux à votre excellente tante. Je suis attendu à l'Atheneum[1]. C'est l'heure où nous y dormons.

— Tous, M. Erskine ?

— Quarante d'entre nous, dans quarante fauteuils. Nous nous entraînons pour former une Académie des lettres anglaises. »

Lord Henry éclata de rire et se leva. « Je vais au Parc », s'écria-t-il.

Comme il allait franchir la porte, Dorian Gray lui toucha le bras. « Permettez-moi de vous accompagner, murmura-t-il.

— Mais je croyais que vous aviez promis à Basil Hallward d'aller le voir, répondit Lord Henry.

— Je préférerais aller avec vous ; oui, je sens qu'il faut que je vous accompagne. S'il vous plaît, permettez-le-moi. Et promettez-moi de me parler tout le temps. Personne ne parle aussi merveilleusement que vous.

— Ah, j'ai bien assez parlé pour la journée, dit Lord Henry en souriant. Tout ce que je veux à présent, c'est observer la vie. Vous pouvez venir l'observer avec moi si le cœur vous en dit. »

4

Un mois plus tard, dans l'après-midi, Dorian Gray était installé dans un luxueux fauteuil, dans la petite bibliothèque de la maison de Lord Henry, à Mayfair. En son genre, c'était une pièce tout à fait charmante, avec ses hautes boiseries de chêne de teinte olive, sa frise de couleur crème, son plafond rehaussé de moulures, et sa moquette de feutre brique jonchée de tapis persans en soie à longues franges. Sur une minuscule table de bois satiné se dressait une statuette de Clodion[1], à côté de laquelle était posé un exemplaire des *Cent Nouvelles*[2], relié pour Marguerite de Valois[3] par Clovis Ève[4] et semé des marguerites d'or que cette reine avait choisies pour emblème. De grands vases chinois en porcelaine bleue et des tulipes perroquets étaient disposés sur la tablette de la cheminée, tandis que par les petits carreaux plombés de la croisée se déversait la lumière couleur d'abricot d'un jour d'été londonien.

Lord Henry n'était pas encore rentré. Par principe il était toujours en retard, son principe étant que la ponctualité est une voleuse de temps. Aussi le jeune homme avait-il l'air un peu boudeur, cependant que ses doigts tournaient distraitement les pages d'une édition richement illustrée de *Manon Lescaut* qu'il avait trouvée dans l'une des bibliothèques. Le tic-tac solennel et monotone de la pendule Louis XIV l'agaçait. Il lui vint une fois ou deux l'idée de s'en aller.

Enfin un bruit de pas se fit entendre, et la porte s'ouvrit. « Comme vous êtes en retard, Harry ! murmura-t-il.

— Je suis désolé, mais ce n'est pas Harry, M. Gray », répondit une voix haut perchée.

Il se retourna, eut un coup d'œil rapide et se releva. « Je vous demande pardon, je pensais...

— Vous pensiez que c'était mon mari. Je ne suis que sa femme. Permettez-moi de me présenter. Je vous connais très bien d'après vos photographies. Je crois que mon mari en a dix-sept.

— Dix-sept, vraiment, Lady Henry ?

— Eh bien, disons dix-huit. Et je vous ai vu l'autre soir à l'Opéra avec lui. » Un rire nerveux accompagnait ses paroles, et elle l'observait de ses yeux myosotis pleins de vague. C'était une femme curieuse, dont les robes donnaient toujours l'impression d'avoir été dessinées dans la fureur et passées en tempête. Elle était généralement amoureuse de quelqu'un et comme ses passions n'étaient jamais partagées, elle n'avait rien perdu de ses illusions. Elle cherchait à avoir l'air pittoresque et ne réussissait qu'à paraître négligée. Elle s'appelait Victoria et était une véritable maniaque des offices religieux.

« C'était à la représentation de *Lohengrin*, je crois, Lady Henry ?

— Oui, c'était bien ce cher *Lohengrin*. Je préfère la musique de Wagner à toute autre. Elle fait tellement de bruit que l'on peut parler tout le temps sans que les gens entendent ce que vous dites. C'est un grand avantage, ne croyez-vous pas, M. Gray ? »

Ses lèvres minces laissèrent échapper, saccadé, le même rire nerveux, et ses doigts commencèrent à tapoter un long coupe-papier en écaille de tortue.

Dorian sourit et secoua la tête. « Malheureusement, je ne suis pas de votre avis, Lady Henry. Je ne parle jamais en écoutant de la musique, en tout cas de la bonne musique. Si l'on écoute de la mauvaise musique, c'est un devoir de la noyer sous un flot de paroles.

— Ah ! Voilà une des théories de Harry, n'est-ce pas, M. Gray ? Je découvre toujours les théories de Harry par ses amis. C'est le seul moyen que j'aie de les connaître. Mais il ne faut pas croire que je n'aime pas la bonne musique. Je l'adore, mais elle me fait peur. Elle me rend trop romantique. J'ai rendu un véritable culte à certains pianistes — parfois deux en même temps, me dit Harry. Je ne sais pas ce qu'ils ont. Peut-être est-ce parce qu'ils sont étrangers. Ils le sont tous, non ? Même ceux qui sont nés en Angleterre deviennent étrangers au bout d'un certain temps, n'est-il pas vrai ? C'est très habile de leur part, et c'est un grand hommage rendu à l'art. Cela le rend tout à fait cosmopolite, n'est-ce pas ? Vous n'êtes jamais venu à une de mes soirées, n'est-il pas vrai, M. Gray ? Il faut que vous veniez. Je ne peux m'offrir d'orchidées, mais je ne lésine pas sur les étrangers. Ils mettent tant de pittoresque dans un salon. Mais voici Harry ! Harry, je venais vous voir, pour vous demander quelque chose — je ne sais plus quoi — et j'ai trouvé M. Gray. Nous avons eu sur la musique une conversation délicieuse. Nous avons tout à fait les mêmes idées. Non, je crois que nos idées sont tout à fait différentes. Mais il a été très aimable. Je suis si contente de l'avoir vu.

— Je suis enchanté, mon amour, absolument enchanté », dit Lord Henry, qui haussa ses noirs sourcils en forme de croissant et les observa tous deux avec un sourire amusé. « Je suis navré d'être en retard, Dorian. Je suis allé à la recherche d'un morceau de brocart ancien dans Wardour Street, et j'ai dû passer des heures à marchander. Aujourd'hui les gens savent le prix de tout, et ne connaissent la valeur de rien.

— Je suis désolée, mais il faut que je m'en aille », s'exclama Lady Henry, rompant soudain, par son rire niais, un silence embarrassant. « J'ai promis à la duchesse de l'accompagner dans sa voiture. Au revoir, M. Gray. Au revoir, Harry. Vous dînez en ville, je suppose ? Moi aussi. Peut-être vous retrouverai-je chez Lady Thornbury.

— Je le suppose, chère amie », dit Lord Henry, et il referma la porte derrière elle quand, tel un oiseau de paradis qui aurait passé toute la nuit dehors sous la pluie, elle prit son envol, laissant dans la pièce une légère odeur de frangipane. Puis il alluma une cigarette, et se laissa tomber sur le sofa.

« N'épousez jamais une femme aux cheveux paille, Dorian, dit-il, après avoir tiré quelques bouffées.

— Pourquoi donc, Harry ?

— Parce qu'elles sont trop sentimentales.

— Mais j'aime les personnes sentimentales.

— Ne vous mariez jamais, Dorian. Les hommes se marient parce qu'ils sont las, les femmes parce qu'elles sont curieuses ; la déception les attend tous.

— Je crois qu'il est peu probable que je me marie, Harry. Je suis trop amoureux. C'est un de vos aphorismes. Je suis en train de le mettre en pratique, comme je fais pour tout ce que vous dites.

— De qui êtes-vous amoureux ? demanda Lord Henry après un silence.

— D'une actrice », dit Dorian Gray en rougissant.

Lord Henry haussa les épaules. « Voilà un *début* fort banal.

— Vous ne diriez pas cela si vous la connaissiez, Harry.

— Qui est-ce ?

— Elle s'appelle Sibyl Vane.

— Totalement inconnue de moi.

— De tout le monde. Un jour viendra pourtant où elle sera connue. Elle est géniale.

— Mon cher enfant, aucune femme n'est géniale. Les femmes appartiennent à un sexe ornemental. Elles n'ont jamais rien à dire, mais le disent avec le plus grand charme. La femme représente le triomphe de la matière sur l'esprit, et l'homme le triomphe de l'esprit sur la morale.

— Harry, comment osez-vous ?

— Mon cher Dorian, c'est absolument vrai. Je suis justement en train d'analyser les femmes, et je sais ce que je dis. Le sujet n'est pas aussi complexe que je le croyais. Je m'aperçois qu'il n'y a, en fin de compte, que deux types de femmes, la simple et la fardée. Les femmes simples sont très utiles. Si l'on veut avoir une réputation de respectabilité, il suffit de les inviter à souper. Les autres sont tout à fait charmantes. Elles commettent pourtant une erreur. Elles se fardent pour essayer de paraître jeunes. Nos grand-mères se fardaient pour essayer de causer brillamment. Le *rouge* et l'*esprit* allaient de pair. Tout cela appartient au passé. Dès l'instant qu'une femme peut paraître de dix ans plus jeune que sa fille, elle est parfaitement heureuse. Quant à la conversation, il n'y a guère à Londres que cinq femmes qui méritent qu'on cause avec elles, et deux d'entre elles ne sauraient être admises dans la bonne société. Quoi qu'il en soit, parlez-moi de votre génie. Depuis combien de temps la connaissez-vous ?

— Ah ! Harry, vos théories m'épouvantent.

— N'importe. Depuis quand la connaissez-vous ?

— À peu près trois semaines.

— Et où l'avez-vous rencontrée ?

— Je vais vous le dire, Harry, mais il ne faut pas vous moquer. Après tout, rien ne serait arrivé si je n'avais pas fait votre connaissance. Vous m'avez rempli d'un désir violent de tout connaître de la vie. Après notre rencontre, pendant des jours entiers, j'ai cru sentir quelque chose palpiter dans mes veines. En flânant dans le Parc ou en parcourant Piccadilly, je regardais tous les êtres que je croisais et je me demandais, plein d'une folle curiosité, quel type de vie ils menaient. Certains me fascinaient. D'autres m'emplissaient de terreur. Il y avait dans l'air un poison délicieux. J'étais avide de sensations... Bref, un soir, vers sept heures, je décidai d'aller chercher l'aventure. Je me dis que notre Londres, gris et monstrueux, avec ses millions d'habitants, ses pécheurs

sordides et ses péchés éclatants, pour reprendre une
de vos formules, avait sûrement quelque chose en
réserve pour moi. Je m'imaginais mille choses. Le
seul danger me faisait éprouver un sentiment délicieux. Je me rappelai que vous m'aviez dit, au cours
de cette soirée extraordinaire où nous prîmes notre
premier dîner ensemble, que la quête de la beauté
est le vrai secret de la vie. Je ne sais ce que j'espérais,
mais je sortis et me dirigeai vers l'est, sans but précis,
et ne tardai pas à me perdre dans un dédale de rues
sales et de noires places sans gazon. Vers huit heures
et demie, je passai devant un petit théâtre ridicule,
avec de gros jets de gaz vacillants et des affiches ruti-
lantes. Un affreux juif, arborant le gilet le plus stupé-
fiant que j'aie jamais vu, se tenait à l'entrée, fumant
un cigare exécrable. Ses cheveux retombaient en
boucles graisseuses et un diamant énorme étincelait
au centre d'une chemise pleine de taches. "Vous
voulez une loge, Milord ?" fit-il en m'apercevant, et
il se découvrit en affectant la plus somptueuse servilité. Il y avait en lui, Harry, quelque chose qui
m'amusa. Il était tellement monstrueux. Vous allez
vous moquer, j'en suis sûr, mais je suis bel et bien
entré, et j'ai payé une guinée, rien de moins, pour
une loge. Aujourd'hui encore, je ne saurais dire
pourquoi j'ai agi ainsi ; et pourtant, si je ne l'avais
pas fait, mon cher Harry, si je ne l'avais pas fait, je
n'aurais pas connu la plus grande aventure sentimentale de ma vie. Je vois que vous riez. C'est très
méchant de votre part.

— Je ne ris pas, Dorian ; ou du moins je ne ris pas
de vous. Mais vous ne devriez pas dire " la plus
grande aventure sentimentale de ma vie ". Vous

devriez dire « la première aventure sentimentale de ma vie ». Vous serez toujours aimé, et vous serez toujours amoureux de l'amour. Une *grande passion* est le privilège des gens qui n'ont rien à faire. C'est dans tous les pays la seule utilité des classes oisives. N'ayez crainte. Des événements délicieux vous attendent. Il ne s'agit là que d'un début.

— Me croyez-vous donc si superficiel ? s'écria Dorian Gray avec colère.

— Non, je vous crois très profond.

— Que voulez-vous dire ?

— Mon cher enfant, les gens superficiels sont en vérité ceux qui n'aiment qu'une fois dans leur vie. Ce qu'ils appellent leur loyauté et leur fidélité, je l'appelle, moi, léthargie de la routine ou manque d'imagination. La fidélité est à la vie sentimentale ce que la logique est à la vie intellectuelle, tout simplement un aveu d'échec. La fidélité ! Il faudra que je l'analyse un jour. La passion de la propriété s'y trouve incluse. Nombreuses sont les choses que nous jetterions si nous ne redoutions pas que d'autres ne les ramassent. Mais je ne voulais pas vous interrompre. Poursuivez votre récit.

— Eh bien, je me suis retrouvé assis dans une affreuse petite loge, juste en face d'un rideau de scène plein de vulgarité. Dissimulé derrière le rideau de la loge, j'examinai la salle. Tout sentait le clinquant, avec des cupidons et des cornes d'abondance à foison, comme un gâteau de mariage de troisième catégorie. Le paradis et le parterre étaient bien garnis, mais les deux rangées de fauteuils défraîchis étaient complètement vides, et il n'y avait pratiquement personne dans ce qu'ils appellent sans doute la corbeille. Des femmes circulaient, proposant des oranges et des boissons gazeuses, et l'on consommait force quantités de noix.

— Cela devait évoquer les jours bénis du Théâtre anglais.

— C'était sans doute tout à fait cela, et c'était fort déprimant. Je commençais à me demander vraiment ce que j'allais faire, lorsque le programme attira mon regard. Que croyez-vous qu'on jouait, Harry ?

— Sans doute *L'Idiot ou Sot, mais innocent*[1]. Nos pères, je crois, aimaient ce genre de pièce. Plus j'avance en âge, Dorian, plus je ressens avec acuité que tout ce qui était bon pour nos pères est mauvais pour nous. En art comme en politique, *les grands-pères ont toujours tort.*

— Cette pièce-là était assez bonne pour nous, Harry. C'était *Roméo et Juliette.* Je dois reconnaître que j'étais fort irrité à l'idée de voir Shakespeare présenté dans un trou pareil. Cela dit, d'une certaine façon, je me sentais intéressé. Je décidai de rester en tout cas pour le premier acte. Il y avait un orchestre lamentable, dirigé par un jeune Israélite assis à un piano désaccordé, qui faillit me faire fuir, mais finalement le rideau de scène se leva et la pièce commença. Roméo était un monsieur entre deux âges, corpulent, les sourcils charbonnés, avec une voix de tragédien éraillée et une silhouette en forme de barrique de bière. Mercutio était presque aussi décourageant. Il était interprété par le bouffon de la troupe, qui avait introduit des gags de son cru et qui avait les meilleurs rapports avec le parterre. Ils étaient tous les deux aussi ridicules que le décor, et ce dernier avait l'air de sortir d'une baraque foraine. Mais

Juliette ! Harry, représentez-vous une fille d'à peine dix-sept ans, avec un petit visage de fleur, une petite tête grecque avec une chevelure brun sombre disposée en nattes torsadées, des yeux qui étaient des puits de passion couleur d'améthyste, des lèvres pareilles à des pétales de rose. C'était la plus belle créature que j'eusse vue de ma vie. Vous m'avez dit un jour que l'émotion vous laissait de marbre, mais que la beauté, la beauté toute nue, pouvait vous tirer des larmes. Je vous le dis, Harry, c'est à peine si je voyais cette fille, derrière le brouillard de larmes qui m'envahit. Et sa voix... jamais je n'ai entendu une voix pareille. Elle était très grave au début, avec des notes profondes et caressantes qu'on croyait entendre tomber l'une après l'autre. Puis elle s'éleva un peu, et sonna comme une flûte ou un hautbois lointain. Dans la scène du jardin, elle avait cette extase frémissante que l'on entend, juste avant l'aurore, quand chantent les rossignols. Il y eut des moments, un peu plus tard, où elle était pleine de la passion impétueuse des violons. Vous savez à quel point on peut être affecté par une voix. Votre voix et la voix de Sibyl Vane sont deux choses que je n'oublierai jamais. Quand je ferme les yeux, je les entends, et chacune me dit des choses différentes. Je ne sais laquelle suivre. Pourquoi ne l'aimerais-je pas ? Harry, je vous assure que je l'aime. Elle est tout pour moi. Soir après soir je vais la regarder jouer. Un soir elle est Rosalinde, et le lendemain elle est Imogène[1]. Je l'ai vue mourir dans les ténèbres d'une tombe italienne, cueillant le poison sur les lèvres de son amant[2]. Je l'ai regardée parcourir la forêt d'Ardenne, déguisée en joli garçon portant pour-

point, haut-de-chausses et bonnet coquet[1]. La folie
s'est emparée d'elle et elle s'est présentée à un roi
coupable, et lui a donné à porter de la rue, et des
herbes amères à goûter[2]. Elle a été innocente, et les
mains noires de la jalousie ont écrasé son cou frêle
comme un roseau[3]. Je l'ai vue à tout âge et dans toute
sorte de costume. Les femmes ordinaires n'excitent
jamais l'imagination. Elles sont limitées à leur siècle.
Nul éclat ne les transfigure jamais. On peut lire leur
esprit aussi facilement qu'on reconnaît leurs chapeaux. On sait toujours les déchiffrer. Nulle d'entre
elles ne possède aucun mystère. Le matin elles
montent à cheval au Parc et l'après-midi jacassent à
des thés. Elles ont un sourire stéréotypé et des
manières distinguées. Elles sont parfaitement évi-
dentes. Mais une actrice ! Quelle différence, dans
une actrice ! Harry, pourquoi ne m'avoir jamais dit
que les seules créatures dignes d'être aimées, ce sont
les actrices ?

— Parce que j'en ai trop aimé, Dorian.

— Oui, bien sûr, des femmes hideuses aux cheveux teints et au visage peint.

— Ne dites pas de mal des cheveux teints et des
visages peints. Ils ont parfois un charme extraordinaire, dit Lord Henry.

— Voilà que je regrette de vous avoir parlé de
Sibyl Vane.

— Vous n'auriez pu faire autrement que de m'en
parler, Dorian. Tout au long de votre vie, vous me
direz tout ce que vous faites.

— Oui, Harry, je crois que vous avez raison. Je
vous dis tout, malgré moi. Vous avez sur moi une
influence curieuse. Si jamais je commettais un

crime, je viendrais vous l'avouer. Vous me comprendriez.

— Les êtres tels que vous — ces rayons de soleil obstinés de la vie — ne commettent pas de crime, Dorian. Mais malgré tout, je vous sais gré du compliment. Mais dites-moi à présent — passez-moi les allumettes, ce sera gentil , merci — quelles sont concrètement vos relations avec Sibyl Vane ? »

Dorian Gray se leva d'un bond, les joues empourprées et les yeux enflammés. « Harry, Sibyl Vane est sacrée !

— Seules les choses sacrées méritent qu'on porte la main sur elles, Dorian, dit Lord Henry avec dans la voix une curieuse pointe d'émotion. Mais pourquoi vous énerver ? Je suppose qu'un jour ou l'autre elle sera vôtre. Quand on est amoureux, on commence toujours par se tromper soi-même, et on finit toujours par tromper les autres. C'est ce que le monde appelle une histoire d'amour. Vous avez quand même fait sa connaissance, je suppose ?

— Bien sûr, j'ai fait sa connaissance. Lors de la première soirée que j'ai passée au théâtre, l'horrible vieux juif est venu me retrouver dans ma loge après la fin du spectacle, et m'a proposé de me conduire dans les coulisses pour me présenter à elle. J'étais furieux, et je lui ai dit que Juliette était morte depuis plusieurs siècles et que son corps reposait à Vérone dans un tombeau de marbre. À voir son air éberlué, j'ai eu l'impression qu'il pensait que j'avais bu trop de champagne, ou quelque chose d'approchant.

— Cela ne m'étonne pas.

— Puis il me demanda si j'écrivais dans un journal. Je lui répondis que je n'en lisais même

jamais aucun. Il parut affreusement déçu, et me
confia que tous les critiques dramatiques s'étaient
ligués contre lui, et qu'ils étaient tous à vendre.

— Je ne serais pas surpris qu'il ait raison sur ce
point. Mais en revanche, si l'on se fie aux apparences, la plupart d'entre eux ne doivent pas coûter
très cher.

— En tout cas il paraissait les trouver au-dessus de
ses moyens, dit Dorian en riant. Toujours est-il qu'à
ce moment on éteignait les lumières du théâtre, et
qu'il me fallut partir. Il voulait que j'essaie des
cigares qu'il recommandait chaleureusement. Je
refusai. Le lendemain soir, bien entendu, je revins.
En me voyant, il s'inclina profondément, et m'assura
que j'étais un vrai protecteur des arts. C'est un
animal absolument insupportable, bien qu'il ait
pour Shakespeare une passion extraordinaire. Il me
raconta un jour avec fierté que ses cinq banque-
routes étaient entièrement dues " au Barde ",
comme il tenait absolument à l'appeler. Apparemment, c'était pour lui un titre de gloire.

— C'en était un, mon cher Dorian, un très grand
titre de gloire. La plupart des gens font faillite pour
avoir trop investi dans la prose de la vie. Se ruiner
pour la poésie est un honneur. Mais quand votre premier entretien avec Miss Sibyl Vane eut-il lieu ?

— Le troisième soir. Elle venait d'interpréter
Rosalinde. Je ne pus m'empêcher d'aller en coulisses. Je lui avais jeté des fleurs, et elle m'avait
regardé ; du moins l'avais-je cru. Le vieux juif insistait. Il paraissait résolu à me conduire jusqu'à elle, et
j'y consentis donc. Il est curieux que j'aie à ce point
refusé de faire sa connaissance, non ?

— Non, je ne le crois pas.

— Et pourquoi, mon cher Harry ?

— Je vous l'expliquerai une autre fois. À présent, je veux que vous me parliez de cette jeune fille.

— Sibyl ? Ah ! elle était si timide, et si douce. Elle a quelque chose d'une enfant. Un étonnement ravissant lui fit ouvrir tout grands les yeux quand je lui dis ce que je pensais de son jeu, et elle semblait n'avoir aucune conscience de son pouvoir. Je crois que nous étions tous les deux très nerveux. Le vieux juif restait planté devant la porte de ce foyer tout poussiéreux, faisant de longs discours à notre propos tandis que nous étions là à nous regarder comme des enfants, sans bouger. Il insistait pour m'appeler " Milord ", et il me fallut assurer à Sibyl que je ne l'étais pas le moins du monde. Elle me dit simplement : "Vous avez plutôt l'air d'un prince. Il faut que je vous appelle mon Prince Charmant. "

— Ma foi, Dorian, Miss Sibyl sait fort bien faire des compliments.

— Vous ne la comprenez pas, Harry. Je n'étais pour elle qu'un personnage de théâtre. Elle ne connaît rien à la vie. Elle vit avec sa mère, une vieille femme usée, lassée, qui le premier soir interprétait Lady Capulet dans une sorte de robe de chambre magenta, et qui a l'air d'avoir connu des jours meilleurs.

— Je connais cet air. Il me déprime, murmura Lord Henry, en examinant ses bagues.

— Le juif voulait qu'elle me raconte son histoire, mais je déclarai que cela ne m'intéressait pas.

— Vous aviez tout à fait raison. Les tragédies d'autrui ont toujours quelque chose de terriblement mesquin.

— Seule Sibyl m'intéresse. Que m'importe de
savoir d'où elle vient ? Depuis le sommet de sa petite
tête jusqu'à l'extrémité de ses petits pieds, elle est
absolument et totalement divine. Chaque soir que
Dieu fait je vais la voir jouer, et chaque soir elle est
plus admirable.

— Voilà sans doute pourquoi vous ne dînez plus
jamais avec moi. Je me disais que vous deviez avoir
en train quelque curieuse histoire d'amour. C'est
bien le cas, mais pas tout à fait dans le sens que
j'imaginais. »

D'étonnement, Dorian ouvrit ses yeux bleus.
« Mon cher Harry, nous déjeunons ou soupons
ensemble tous les jours, et je vous ai plusieurs fois
accompagné à l'Opéra, dit-il.

— Vous arrivez toujours avec un retard effroyable.

— C'est que je ne peux pas m'empêcher d'aller
voir jouer Sibyl, s'écria-t-il, ne fût-ce que pour un
seul acte. J'ai faim de sa présence ; et quand je songe
à l'âme admirable qui se cache dans ce petit corps
d'ivoire, une terreur religieuse m'envahit.

— Vous pouvez dîner avec moi ce soir, Dorian,
n'est-ce pas ? »

Il secoua la tête. « Ce soir elle est Imogène,
répondit-il, et demain soir elle sera Juliette.

— Quand donc est-elle Sibyl Vane ?

— Jamais.

— Je vous félicite.

— Vous êtes vraiment odieux ! Elle est à elle seule
toutes les grandes héroïnes du monde. Elle est plus
qu'un individu. Vous riez, mais je vous assure qu'elle
a du génie. Je l'aime et il faut que j'obtienne qu'elle
m'aime. Vous qui connaissez tous les secrets du

monde, dites-moi par quel enchantement je puis faire que Sibyl Vane m'aime ! Je veux rendre Roméo jaloux. Je veux que les amants disparus de l'univers entier entendent nos rires et se mettent à pleurer. Je veux que le souffle de notre passion remue leur poussière et leur rende leur conscience, que leurs cendres s'éveillent et souffrent. Par Dieu, Harry, si vous saviez comme je l'adore ! » Il arpentait la pièce en parlant. Des taches rouges, fiévreuses, enflammaient ses joues. Il était follement excité.

Lord Henry l'observait avec un plaisir subtil. Qu'il était différent à présent du jeune homme timide, craintif, qu'il avait rencontré dans l'atelier de Basil Hallward ! Sa nature s'était épanouie comme une plante, elle avait produit des fleurs écarlates comme le feu. Son âme avait quitté furtivement sa cachette secrète, et le Désir était venu à sa rencontre.

« Et que comptez-vous faire ? finit par dire Lord Henry.

— Je veux que Basil et vous m'accompagniez un soir et la regardiez jouer. Sur le résultat, je n'ai pas la moindre inquiétude. Je suis certain que vous reconnaîtrez son génie. Ensuite il faudra la tirer des griffes du juif. Elle est liée à lui pour trois ans, ou plutôt deux ans et huit mois à compter d'aujourd'hui. Il faudra que je lui verse quelque chose, bien entendu. Quand tout cela sera réglé, je choisirai un théâtre du West End[1] et je la présenterai comme il se doit. Elle enflammera le monde comme elle m'a enflammé.

— Voilà qui est impossible, mon cher enfant !

— Si, je vous l'assure. Elle n'a pas seulement son art, un instinct artistique consommé, mais elle a aussi de la personnalité ; et vous m'avez souvent dit que ce sont les personnalités, et non les principes, qui font bouger notre époque.

— Très bien, quelle soirée choisissons-nous ?

— Voyons. Nous sommes aujourd'hui mardi. Disons demain. Demain, elle interprète Juliette.

— Parfait. Huit heures au Bristol ; et j'amènerai Basil.

— Pas huit heures, Harry, je vous en prie. Six heures et demie. Il faut que nous soyons là-bas avant le lever du rideau. Il faut que vous la voyiez au premier acte, quand elle rencontre Roméo.

— Six heures et demie ! Quel horaire ! J'aurais l'impression de prendre un thé avec plats[1], ou de lire un roman anglais. Il faudra que ce soit à sept heures. Aucun gentleman ne dîne avant sept heures. Est-ce que vous rencontrerez Basil d'ici là ? Ou faut-il que je lui écrive ?

— Ce cher Basil ! Cela fait une semaine que je ne l'ai même pas entrevu. C'est vraiment odieux de ma part, si l'on considère qu'il m'a envoyé mon portrait après lui avoir donné un cadre magnifique, dessiné tout exprès par lui, et bien que je sois un peu jaloux de ce portrait qui est d'un mois entier plus jeune que moi, je dois reconnaître que je prends un plaisir infini à le regarder. Peut-être vaudrait-il mieux que vous lui écriviez. Je n'ai pas envie de le voir en tête à tête. Il dit des choses qui m'irritent. Il me donne de bons conseils. »

Lord Henry eut un sourire. « Les gens adorent donner ce dont ils sont le plus dépourvus. C'est ce que j'appelle le comble de la générosité.

— Oh, Basil est le meilleur des hommes, mais je le

crois un tout petit peu philistin. C'est depuis que je vous connais, Harry, que j'ai fait cette découverte.

— Basil, mon cher enfant, met dans son œuvre tout ce qui fait son charme. Le résultat, c'est qu'il ne lui reste dans sa vie rien d'autre que ses préjugés, ses principes et son bon sens. Les seuls artistes que je connaisse et qui soient personnellement délicieux, sont de mauvais artistes. Les bons artistes existent simplement par ce qu'ils font, et sont en conséquence totalement inintéressants dans ce qu'ils sont. Un grand poète, un poète réellement grand, est l'être le moins poétique qui soit. Mais les poètes mineurs sont absolument fascinants. Plus leurs vers sont mauvais, plus ils ont l'air pittoresque. Le simple fait d'avoir publié un livre de sonnets médiocres rend un homme absolument irrésistible. Il vit la poésie qu'il est incapable d'écrire. Les autres écrivent la poésie qu'ils n'osent pas traduire en actes.

— Je me demande s'il en est bien ainsi, Harry », dit Dorian Gray, versant sur son mouchoir un peu du parfum contenu dans un grand flacon à bouchon doré qui se trouvait sur la table. « Si vous le dites, c'est que c'est vrai. Et maintenant, je m'en vais. Imogène m'attend. Pour demain, n'oubliez pas. Au revoir. »

Lorsqu'il eut quitté la pièce, Lord Henry laissa retomber ses lourdes paupières et se mit à réfléchir. Peu de gens assurément l'avaient autant intéressé que Dorian Gray, et pourtant l'adoration passionnée que le jeune homme vouait à quelqu'un d'autre ne provoquait pas en lui le moindre pincement d'irritation ou de jalousie. Il en était ravi. Elle faisait de lui un objet d'étude plus intéressant. Il avait toujours été fasciné par les méthodes des sciences naturelles, mais le matériau ordinaire de ces sciences lui paraissait trivial et sans intérêt. Aussi avait-il commencé par pratiquer sur lui la vivisection, pour finir par la pratiquer sur autrui. La vie humaine, voilà la seule chose qui lui parût justifier la recherche. En termes de valeur rien ne pouvait se comparer à elle. Certes, lorsqu'on observe la vie dans son étrange creuset de souffrance et de plaisir, impossible de protéger son visage derrière un masque de verre, ou d'empêcher que des exhalaisons sulfureuses ne perturbent le cerveau et que des idées monstrueuses ou des rêves informes n'excitent l'imagination. Il existe des poisons si subtils qu'on est obligé, pour en connaître les propriétés, de se laisser contaminer par eux. Il existe des maladies si étranges qu'il faut les attraper pour en comprendre la nature. Et cependant, quelle récompense prodigieuse n'en tire-t-on pas ! Comme le monde entier vous devient merveilleux ! Noter la logique curieusement rigoureuse de la passion, et l'émotion qui colore la vie intellectuelle, observer en quel point ils se rencontrent, et en quel point ils se séparent, en quel point ils sont à l'unisson et en quel point ils sont en désaccord — quel enchantement ! Tout cela avait un coût, certes, mais quelle importance ? On ne paie jamais trop cher une sensation.

Il avait conscience — et d'y penser fit passer un éclair de plaisir dans ses yeux d'agate brune — que c'était grâce à certaines paroles prononcées par lui, des paroles mélodieuses exprimées par une voix mélodieuse, que l'âme de Dorian Gray s'était tournée vers cette blanche jeune fille et se proster-

nait devant elle. Pour l'essentiel, c'était lui qui avait
créé ce jeune homme. Il l'avait rendu précoce. Ce
n'était pas rien. Les gens ordinaires attendent que la
vie leur dévoile ses secrets, mais au petit nombre des
élus, les mystères de la vie sont révélés avant que le
voile ne soit soulevé. C'est parfois l'effet de l'art, et
surtout de l'art littéraire, qui traite sans médiation
des passions et de l'intellect. Mais il arrive qu'une
personnalité complexe prenne la place et joue le
rôle de l'art, qu'elle soit en vérité, à sa façon, une
véritable œuvre d'art, car la Vie a ses chefs-d'œuvre
raffinés, tout comme la poésie, ou la sculpture, ou la
peinture.

Oui, le jeune homme était précoce. On était
encore au printemps qu'il rentrait déjà sa moisson.
L'élan, la passion de la jeunesse étaient en lui, mais il
devenait lucide. C'était un ravissement de l'observer.
Avec son beau visage, et sa belle âme, il suscitait
l'émerveillement. Comment tout cela finirait-il,
comment tout cela était-il destiné à finir, voilà qui
n'avait pas d'importance. Il ressemblait à ces sil-
houettes gracieuses aperçues dans une fête ou sur
une scène, dont les joies nous paraissent très loin-
taines, mais dont les souffrances excitent notre sens
de la beauté et dont les blessures sont comme des
roses rouges.

L'âme et le corps, le corps et l'âme — quel mystère
en eux ! Il y a de l'animalité dans l'âme, et le corps a
ses moments de spiritualité. Les sens sont capables
de raffiner, et l'intellect est capable de dégrader. Qui
peut dire où s'arrête l'élan charnel, où commence
l'élan psychique ? Quelle superficialité dans les défi-
nitions arbitraires des psychologues ordinaires ! Et

pourtant, quelle difficulté à trancher entre les affirmations des diverses écoles ! L'âme est-elle un fan-
tôme habitant la demeure du péché ? Ou le corps est-
il vraiment situé à l'intérieur de l'âme, comme le
pensait Giordano Bruno[1] ? Mystère que la sépara-
tion de l'esprit d'avec la matière, mais mystère aussi
que l'union de l'esprit et de la matière.

Il commença à se demander s'il nous serait jamais
possible de faire de la psychologie une science assez
absolue pour que chaque petite source de vie nous
soit révélée. En attendant, nous nous trompons toujours sur nous-mêmes, et comprenons rarement
autrui. L'expérience n'a pas de valeur éthique. C'est
simplement le nom que les hommes donnent à leurs
erreurs. Les moralistes, pour l'essentiel, l'ont considérée comme une forme de mise en garde, ils ont
revendiqué pour elle une certaine efficacité éthique
dans la formation du caractère, ils ont vanté en elle
quelque chose qui nous enseigne le chemin à suivre
et nous indique la route à éviter. Mais il n'y a dans
l'expérience nulle force motivante. Pas plus que la
conscience elle-même elle n'est la cause active de
quoi que ce soit. Tout ce qu'elle démontre en réalité,
c'est que notre avenir sera identique à notre passé, et
que le péché commis une fois avec répugnance, sera
commis maintes fois dans l'allégresse.

Il était clair pour lui que la méthode expérimen-
tale était la seule méthode qui permît d'arriver à une
analyse scientifique des passions ; et assurément
Dorian Gray était un sujet fait sur mesure, qui semblait promettre des résultats riches et féconds. Son
amour subit et insensé pour Sibyl Vane était un phé-
nomène psychologique d'un intérêt non négli-

geable. Nul doute que la curiosité n'y tînt une grande place, la curiosité et la soif d'expériences nouvelles ; et pourtant c'était une passion non pas simple, mais au contraire très complexe. Ce que l'adolescence y avait mis de sensualité purement instinctive, le pouvoir de l'imagination l'avait transformé, changé en quelque chose qui paraissait, au jeune homme lui-même, éloigné de toute sensualité, et qui était donc d'autant plus dangereux. Ce sont les passions dont nous méconnaissons l'origine qui exercent sur nous la plus grande tyrannie. Nos motivations les plus faibles sont celles dont nous connaissons la nature. Il arrive souvent que lorsque nous pensons expérimenter sur autrui, nous soyons en réalité en train d'expérimenter sur nous-mêmes.

Tandis que Lord Henry ruminait ces idées, on frappa à la porte et son valet entra, lui rappelant qu'il était temps de s'habiller pour aller dîner. Il se leva et jeta par la fenêtre un regard sur la rue. Le soleil couchant avait frappé d'un or pourpre les fenêtres supérieures des maisons d'en face. Les vitres brillaient comme des plaques de métal incandescent. Le ciel, par-dessus, était comme une rose aux couleurs fanées. Il songea à la jeune vie couleur de feu de son ami, et se demanda comment tout cela finirait.

Lorsqu'il arriva chez lui, vers minuit et demi, il vit un télégramme posé sur la table du vestibule. Il l'ouvrit, et s'aperçut qu'il avait été expédié par Dorian Gray. Le télégramme lui annonçait ses fiançailles avec Sibyl Vane.

## 5

« Maman, Maman, que je suis heureuse ! » murmura la jeune fille, cachant son visage dans le giron de la femme fanée, aux traits fatigués, qui, tournant le dos à la lumière crue et importune, était assise dans l'unique fauteuil que contenait leur salon défraîchi. « Que je suis heureuse ! répéta-t-elle, et il faut que tu le sois aussi ! »

Le visage de Mme Vane se crispa et elle posa sur la tête de sa fille ses fines mains blanchies par le bismuth[1]. « Heureuse ! dit-elle en écho, je ne suis heureuse, Sibyl, que lorsque je te vois en scène. Tu ne dois penser à rien d'autre qu'à tes rôles. M. Isaacs a été très bon pour nous, et nous lui devons de l'argent. »

La jeune fille leva les yeux et fit la moue. « L'argent, maman ? s'écria-t-elle, quelle importance a-t-il ? L'amour compte plus que l'argent.

— M. Isaacs nous a avancé cinquante livres pour nous acquitter de nos dettes, et pour donner à James un équipement convenable. Il ne faut pas que tu l'oublies, Sibyl. Cinquante livres, c'est une très grosse somme. M. Isaacs nous a témoigné une grande obligeance.

— Ce n'est pas un *gentleman*, maman, et je déteste sa façon de me parler », dit la jeune fille, qui se redressa et se dirigea vers la fenêtre.

« Je ne sais pas comment nous nous en tirerions sans lui », répliqua la femme âgée d'une voix plaintive.

Sibyl Vane secoua la tête et se mit à rire. « Nous n'avons plus besoin de lui. Le Prince Charmant règne désormais sur notre vie. » Puis elle garda le silence. Une rose frémissait en son sang, et projetait son ombre sur ses joues. Un souffle vif entrouvrait les pétales de ses lèvres. Elles tremblèrent. Un grand vent du sud brûlant de passion la balaya et agita les plis coquets de sa robe. « Je l'aime, dit-elle simplement.

— Petite sotte ! petite sotte ! » Voilà ce qu'elle reçut pour toute réponse, une phrase de perroquet. Le mouvement des doigts crochus chargés de faux bijoux rendait les mots grotesques.

La jeune fille éclata de rire à nouveau. Il y avait dans sa voix la joie d'un oiseau en cage. Ses yeux reprirent la mélodie et leur éclat lui fit écho, puis ils se fermèrent un instant, comme pour cacher leur secret. Quand ils s'ouvrirent, les brumes d'un rêve les avaient traversés.

Depuis le fauteuil fatigué, la sagesse aux lèvres minces lui parlait, conseillant la prudence, tirant des citations de ce manuel de lâcheté dont l'auteur usurpe le titre de « bon sens ». Elle n'écoutait pas. Elle était libre dans la prison de sa passion. Son prince, le Prince Charmant, était à ses côtés. Elle avait invoqué la mémoire pour le recréer. Elle avait lancé son âme à sa recherche, et son âme le lui avait

ramené. Sur sa bouche, elle sentait à nouveau ses baisers brûlants. Sur ses paupières, elle sentait la chaleur de son haleine.

La Sagesse alors changea de méthode, et parla
d'épier, de chercher à savoir. Peut-être ce jeune
homme était-il riche. En ce cas, il faudrait penser au
mariage. Sur la conque de son oreille déferlaient les
vagues de la ruse mondaine. Les flèches de l'habileté
sifflaient à ses oreilles. Elle voyait bouger les lèvres
minces et souriait.

Elle éprouva soudain le besoin de parler. Le
silence lourd de mots la troublait. « Maman, maman,
s'écria-t-elle, pourquoi m'aime-t-il tant ? Je sais pourquoi je l'aime. Je l'aime parce qu'il est exactement ce
que l'Amour lui-même devrait être. Mais que voit-il
en moi ? Je ne suis pas digne de lui. Et pourtant, je ne
saurais dire pourquoi, bien que je me sente si inférieure à lui, je n'éprouve aucune humilité. Je me sens
fière, terriblement fière. Maman, est-ce que tu aimais
mon père comme j'aime le Prince Charmant ? »

La vieille femme pâlit sous la poudre grossière qui
barbouillait ses joues, et ses lèvres desséchées furent
agitées d'un spasme douloureux. Sibyl se précipita
vers elle, lui passa les bras autour du cou et
l'embrassa. « Pardonne-moi, maman, je sais que cela
te fait de la peine de parler de Papa. Mais si tu
éprouves de la peine, c'est seulement parce que tu
l'aimais tant. Ne sois pas si triste. Je suis aussi heureuse aujourd'hui que tu l'étais il y a vingt ans. Ah !
permets-moi d'être heureuse pour toujours !

— Mon enfant, tu es beaucoup trop jeune pour
songer à être amoureuse. Au reste, que sais-tu de ce
jeune homme ? Tu ne connais même pas son nom.

Toute cette affaire tombe vraiment très mal et, fran-
chement, au moment où James est sur le point de
partir pour l'Australie et où j'ai tant de choses à
faire, je dois dire que tu aurais pu me ménager
davantage. Cela dit, comme je l'ai observé tout à
l'heure, s'il est riche...

— Ah ! Maman, maman, permets-moi d'être
heureuse ! »

Mme Vane lui jeta un coup d'œil et, dans un de ces
gestes affectés qui deviennent si souvent une
seconde nature chez un comédien, elle la serra dans
ses bras. À cet instant la porte s'ouvrit, et un jeune
homme à la tignasse brune entra dans la pièce. Il
avait une silhouette épaisse, des mains et des pieds
massifs, et des mouvements assez gauches. Il n'avait
pas le raffinement de sa sœur. Il aurait été difficile
de deviner les liens étroits qui les unissaient.
Mme Vane le fixa du regard, et son sourire s'élargit.
Elle conférait mentalement à son fils l'éminente
dignité d'être le public. Elle était sûre que le *tableau*
était intéressant.

« Tu pourrais quand même me réserver quelques-
uns de tes baisers, Sibyl, fit le jeune homme sur un
ton de remontrance amicale.

— Oui, mais tu n'aimes pas qu'on t'embrasse, Jim,
s'écria-t-elle. Tu n'es qu'un gros ours. » Et elle traversa la pièce en courant pour le serrer contre son cœur.

James Vane examina avec tendresse le visage de sa
sœur. « Je voudrais que tu viennes faire une promenade avec moi, Sibyl. Je suppose que je ne reverrai
plus jamais cette horrible ville de Londres. En tout
cas je n'en ai aucune envie.

— Mon fils, ne prononce pas des paroles aussi

terribles », murmura Mme Vane, qui s'empara avec un soupir d'un costume de théâtre clinquant et se mit à le rapiécer. Elle était assez déçue qu'il ne se fût pas joint au groupe. Le pittoresque de la situation et son côté théâtral en eussent été accrus.

« Pourquoi pas, mère ? C'est bien ce que je pense.

— Tu me fais de la peine, mon fils. Je compte bien te voir revenir d'Australie dans l'opulence. Je crois savoir qu'il n'y a pas la moindre société dans les Colonies, rien de ce que j'appellerais de la bonne société, si bien que lorsque tu auras fait fortune, il faudra bien que tu reviennes à Londres pour affirmer ta position.

— La bonne société ! murmura le jeune homme. Voilà quelque chose qui ne m'intéresse pas du tout. Ce que je voudrais, c'est gagner un peu d'argent pour vous arracher, Sibyl et toi, à la scène. Je la déteste !

— Oh, Jim ! dit Sibyl en riant, que tu es méchant ! Mais tu as vraiment envie que nous fassions une promenade ensemble ? C'est merveilleux ! J'avais peur que tu n'ailles dire au revoir à certains de tes amis — à Tom Hardy, qui t'a donné cette horrible pipe, ou à Ned Langton, qui se moque de toi parce que tu la fumes. C'est très gentil à toi de me laisser partager ton dernier après-midi. Où allons-nous ? Allons au Parc.

— Je suis trop mal habillé, répondit-il en se renfrognant. Il n'y a que les gens chic qui vont au Parc.

— Ne dis pas de bêtises, Jim », murmura-t-elle en caressant la manche de sa veste.

Il hésita un instant. « D'accord, finit-il par dire, mais ne mets pas trop de temps à t'habiller. » Elle sortit de la pièce en dansant. Tandis qu'elle montait l'escalier quatre à quatre, on l'entendait chanter. Ses petits pieds trottinèrent dans la pièce au-dessus.

Il arpenta deux ou trois fois le salon. Puis il se tourna vers la silhouette immobile dans son fauteuil. « Mère, mes affaires sont-elles prêtes ? demanda-t-il.

— Tout à fait prêtes, James », répondit-elle sans lever les yeux de son ouvrage. Depuis quelques mois elle se sentait mal à l'aise chaque fois qu'elle se trouvait en tête à tête avec ce fils aux façons brusques et sévères. Avec sa nature secrète et superficielle, elle se troublait chaque fois que leurs yeux se rencontraient. Elle se demandait s'il avait des soupçons. Son silence, car il ne poursuivit pas sa remarque, lui devint intolérable. Elle commença à se plaindre. Les femmes se défendent par l'attaque, de même qu'elles attaquent au moyen de soudaines et bizarres capitulations. « J'espère que tu seras heureux, James, dans ta vie de marin, dit-elle. N'oublie pas que c'est un choix que tu as fait tout seul. Tu aurais pu entrer dans une étude d'avoué. Les avoués constituent une classe très respectable, et en province ils dînent souvent dans les meilleures familles.

— Je déteste les études et je déteste les clercs d'avoué, répliqua-t-il. Mais tu as parfaitement raison. C'est moi qui ai choisi la vie que je mènerai. Tout ce que je te dis, c'est : veille sur Sibyl. Qu'il ne lui arrive rien de mal. Mère, il faut absolument que tu veilles sur elle.

— James, tu tiens un bien étrange discours. Il va de soi que je veille sur Sibyl.

— On me dit qu'un monsieur vient chaque soir

au théâtre et va en coulisses pour lui parler. Est-ce exact ? Qu'en dis-tu ?

— Tu parles de choses que tu ne comprends pas, James. Dans notre métier, nous avons l'habitude de bénéficier de beaucoup d'attentions, et c'est fort agréable. Il fut un temps où moi-même je recevais de nombreux bouquets. C'était l'époque où l'on appréciait vraiment l'art du comédien. Quant à Sibyl, je ne sais pas à l'heure actuelle si son attachement est sérieux ou pas. Mais il est hors de doute que le jeune homme en question est un parfait *gentleman*. Il est toujours extrêmement poli avec moi. De plus, il donne l'impression d'être riche, et les fleurs qu'il envoie sont magnifiques.

— Peut-être, mais tu ne connais pas son nom, dit le jeune homme d'une voix coupante.

— Non », dit sa mère, dont le visage conserva son expression placide. « Il n'a pas encore révélé son nom véritable. Je trouve cela très romanesque de sa part. Il appartient probablement à l'aristocratie. »

James Vane se mordit les lèvres. « Veille sur Sibyl, mère, s'écria-t-il ; veille sur elle.

— Mon fils, tu me causes beaucoup de peine. Sibyl est l'objet de ma constante vigilance. Bien entendu, si ce monsieur est riche, il n'y a aucune raison qu'elle ne puisse contracter une alliance avec lui. Je suis sûre qu'il appartient à l'aristocratie. Il en a, je dois dire, tout à fait l'apparence. Ce pourrait être pour Sibyl un mariage extrêmement brillant. Ils formeraient un couple charmant. En vérité, il est extrêmement beau ; tout le monde les remarque. »

Le jeune homme grommela quelque chose, et ses doigts grossiers pianotèrent sur la vitre. Il venait de se retourner pour dire quelque chose, quand la porte s'ouvrit, et Sibyl entra en courant.

« Que vous êtes sérieux, tous les deux ! s'écria-t-elle. Que se passe-t-il ?

— Rien du tout, répliqua-t-il. Je suppose qu'il faut bien être sérieux de temps en temps. Au revoir, mère ; je dînerai à cinq heures. Tous mes bagages sont faits, sauf mes chemises, tu n'as donc aucun souci à te faire.

— Au revoir, mon fils », répondit-elle, avec une inclinaison de tête solennelle et guindée.

Elle était extrêmement contrariée du ton qu'il avait adopté envers elle, et elle avait lu dans son regard quelque chose qui l'avait effrayée.

« Embrasse-moi, maman », dit la jeune fille. Ses lèvres semblables à des fleurs touchèrent la joue flétrie et en réchauffèrent la glace.

« Mon enfant ! mon enfant ! » s'écria Mme Vane, dont les yeux cherchèrent au plafond d'imaginaires tribunes.

« Allons, viens, Sibyl », dit son frère avec impatience. Il détestait les simagrées de sa mère.

Ils sortirent dans la lumière du soleil que le vent faisait vaciller, et descendirent sans se presser la triste Euston Road. Les passants jetaient des regards surpris sur ce jeune homme maussade et massif qui, vêtu d'habits grossiers et mal ajustés, tenait compagnie à une jeune fille aussi gracieuse, d'un aspect aussi raffiné. On aurait dit un vulgaire jardinier donnant le bras à une rose.

Jim se rembrunissait chaque fois qu'il remarquait le regard curieux d'un inconnu. Il avait cette horreur d'être dévisagé qui s'empare des génies au soir de leur vie et n'abandonne jamais les gens ordinaires. Sibyl, en revanche, ne se rendait absolument pas compte de l'effet qu'elle produisait. Son amour, tel un rire, tremblait sur ses lèvres. Elle pensait au Prince Charmant, et, pour pouvoir y penser encore davantage, elle n'en parlait pas, mais ne cessait de babiller à propos du navire sur lequel Jim allait voguer, de l'or qu'il allait sûrement trouver, de la merveilleuse héritière dont il allait sauver la vie en l'arrachant aux méchants coureurs de brousse en chemise rouge. Car il ne resterait pas marin, ni subrécargue, ni rien de ce qu'il serait au début. Oh non ! La vie de marin était abominable. Quelle idée de se claquemurer dans un affreux bateau, où les croupes des vagues tentent de pénétrer en mugissant tandis qu'un noir ouragan renverse les mâts et transforme les voiles en longues lanières gémissantes ! Il abandonnerait le vaisseau à Melbourne, prendrait poliment congé du capitaine, et partirait aussitôt vers les mines d'or. En moins d'une semaine, il trouverait une grosse pépite d'or pur, la plus grosse pépite jamais découverte, et l'emporterait jusqu'à la côte dans une voiture escortée de six policiers à cheval. Par trois fois les coureurs de brousse les attaqueraient, et seraient vaincus au prix d'un énorme carnage. Ou plutôt, non. Il n'irait pas du tout jusqu'aux mines d'or. C'étaient des lieux abominables, où les hommes s'enivraient, se tiraient dessus dans des tavernes et disaient des gros mots. Il deviendrait un aimable éleveur de moutons, et un soir, en rentrant chez lui sur sa monture, il verrait un brigand enlever la belle héritière sur son noir coursier, lui donnerait la chasse et délivrerait l'héritière. Évidem-

ment elle tomberait amoureuse de lui, et lui d'elle, et
ils se marieraient, et rentreraient au pays, pour vivre
à Londres dans une maison immense. Ah certes, des
événements merveilleux l'attendaient. Mais il fallait
qu'il se conduise très bien, qu'il ne se mette pas en
colère, et qu'il ne dépense pas son argent n'importe
comment. Elle n'avait qu'un an de plus que lui, mais
elle connaissait tellement mieux la vie que lui. Il fallait aussi, absolument, qu'il lui envoie autant de
lettres qu'il y avait de courriers, et qu'il dise ses
prières chaque soir avant de s'endormir. Dieu était
très bon, et veillerait sur lui. Elle prierait pour lui,
elle aussi, et au bout de quelques années seulement il
reviendrait, riche et heureux.

Le jeune homme l'écoutait d'un air bougon, sans
lui répondre. Il avait la mort dans l'âme à la perspective de quitter son foyer.

Pourtant il n'y avait pas que cela qui le rendît
sombre et morose. Tout inexpérimenté qu'il était, il
avait pourtant fortement conscience du danger que
faisait courir à Sibyl sa position. Ce jeune dandy qui
lui faisait la cour n'annonçait rien de bon pour elle.
C'était un monsieur, et rien que pour cela il le haïssait, il le haïssait par un curieux instinct racial qu'il
ne pouvait s'expliquer et qui, pour cette raison
même, exerçait sur lui une domination d'autant plus
forte. Il avait également conscience du caractère
superficiel et vain de sa mère, et y décelait un péril
immense pour Sibyl et le bonheur de Sibyl. Les
enfants commencent par aimer leurs parents ; en
avançant en âge, ils les jugent ; il leur arrive de leur
pardonner.

Sa mère ! Il avait dans la tête une question qu'il

voulait lui poser, une question que pendant des mois de silence il avait retournée dans son esprit. Une phrase entendue par hasard au théâtre, un sarcasme chuchoté qui avait frappé son oreille un soir qu'il attendait devant l'entrée des artistes, avait fait naître un cortège de pensées odieuses. Il se la rappelait comme si c'eût été la brûlure d'une cravache cinglant son visage. Ses sourcils se rapprochèrent, formant un profond sillon et, dans une grimace de douleur, il se mordit la lèvre.

« Tu n'écoutes absolument pas ce que je suis en train de dire, Jim ! s'écria Sibyl, alors que je suis en train d'échafauder pour ton avenir les plans les plus merveilleux. Dis quelque chose, je t'en prie.

— Que veux-tu que je te dise ?

— Eh bien, que tu te conduiras bien et que tu ne nous oublieras pas », lui dit-elle avec un sourire.

Il haussa les épaules. « Ce n'est pas moi qui t'oublierai, mais il y a de grandes chances pour que ce soit toi qui m'oublies, Sibyl. »

Elle rougit. « Que veux-tu dire, Jim ? demanda-t-elle.

— Tu as un nouvel ami, si je comprends bien. Qui est-il ? Pourquoi ne m'en as-tu pas parlé ? Il ne te veut aucun bien.

— Arrête, Jim ! s'exclama-t-elle. Je te défends de dire du mal de lui. Je l'aime.

— Allons donc, tu ne sais même pas comment il s'appelle, répliqua le jeune homme. Qui est-il ? J'ai le droit de le savoir.

— Il s'appelle Prince Charmant. Tu n'aimes pas ce nom ? Que tu es sot ! il ne faut pas que tu l'oublies, jamais ! Si seulement tu le voyais, tu verrais que c'est

l'être le plus merveilleux qui soit au monde. Un jour
tu le rencontreras ; quand tu reviendras d'Australie.
Il te plaira beaucoup. Il plaît à tout le monde, et
moi... je l'aime. Je regrette que tu ne puisses pas venir
au théâtre ce soir. Il y sera, et moi, je dois jouer
Juliette. Ah ! comme je vais jouer ! Tu te rends
compte, Jim, être amoureuse et jouer Juliette ! Savoir
qu'il est assis dans la salle ! Jouer pour son plaisir !
J'ai peur d'effrayer la troupe, de l'effrayer ou de
l'ensorceler. Être amoureux, c'est se surpasser soi-
même. Ce pauvre et horrible M. Isaacs hurlera au
" génie " à l'adresse des badauds installés à son bar.
Il a prêché sur moi comme si j'étais un dogme, et ce
soir il annoncera que je suis une révélation. Je le
sens. Et tout cela, c'est à lui que je le dois, à lui seul,
mon Prince Charmant, mon superbe amoureux,
mon seigneur de toutes les grâces. Mais à côté de lui,
je suis pauvre. Pauvre ? Quelle importance ? Quand
la pauvreté frappe humblement à la porte, l'amour
entre d'un coup d'aile. Nos proverbes ont besoin
d'être réécrits. Ils ont été inventés en hiver, et c'est
maintenant l'été ; pour moi, je crois que c'est le printemps, une vraie farandole de fleurs dans le ciel
bleu.

— C'est un monsieur, dit le jeune homme d'un air
bougon.

— Un prince ! s'écria-t-elle d'une voix mélodieuse. Que te faut-il de plus ?

— Il veut faire de toi son esclave.

— Je tremble à l'idée de rester libre.

— Je veux que tu te méfies de lui.

— Le voir, c'est l'adorer, le connaître, c'est se fier
à lui.

— Sibyl, il t'a rendue folle. »

Elle éclata de rire, et lui prit le bras. « Mon pauvre Jim que j'aime tant, tu parles comme si tu avais cent ans. Un jour viendra où tu seras toi aussi amoureux. Ce jour-là tu sauras ce que c'est. Ne prends pas cet air boudeur. En vérité tu devrais être heureux de savoir que, bien que tu sois sur le point de partir, tu me laisses plus heureuse que je ne l'ai jamais été. La vie a été dure pour nous deux, terriblement dure, terriblement difficile. Mais elle sera désormais différente. Tu pars à la recherche d'un nouveau monde, et moi, j'en ai découvert un. Voici deux chaises ; asseyons-nous, et regardons passer les gens bien mis. »

Ils s'assirent au milieu d'une foule de badauds. De l'autre côté de l'allée, les plates-bandes de tulipes flamboyaient comme des anneaux de feu palpitants. Une poussière blanche — un nuage frissonnant de poudre d'iris, aurait-on dit — flottait dans l'air pantelant. Les ombrelles aux couleurs éclatantes s'élevaient et s'abaissaient comme d'énormes papillons.

Elle fit parler son frère de lui-même, de ses espoirs, de ses projets. Il parlait lentement, avec effort. Ils échangeaient des paroles comme des joueurs s'échangent des jetons. Sibyl se sentait oppressée. Elle ne pouvait pas communiquer sa joie. Un léger sourire arrondissant cette bouche maussade, voilà tout l'écho qu'elle réussissait à obtenir. Au bout d'un moment, elle se tut. Soudain elle aperçut des cheveux blonds et des lèvres rieuses, et, dans une voiture découverte, Dorian Gray passa, en compagnie de deux dames.

Elle se dressa d'un bond. « Le voilà ! s'écria-t-elle.

— Qui donc ? fit Jim Vane.

— Le Prince Charmant », répondit-elle, suivant la victoria du regard.

Il se leva brusquement et la saisit brutalement par le bras. « Montre-le-moi. Lequel est-ce ? Indique-le-moi. Il faut que je le voie ! » s'exclama-t-il. Mais en cet instant l'attelage du duc de Berwick s'interposa et, lorsque l'espace fut dégagé, la voiture avait quitté le Parc.

« Il est parti, murmura tristement Sibyl. Je regrette que tu ne l'aies pas vu.

— Je le regrette aussi, car, aussi sûr que Dieu existe, si jamais il te fait le moindre mal, je le tuerai. »

Elle le regarda d'un air horrifié. Il répéta ses paroles. Elles fendaient l'air comme une épée. Les gens qui les entouraient commencèrent à les dévisager. Une dame toute proche d'elle eut un petit rire.

« Allons-nous-en, Jim, allons-nous-en », chuchota-t-elle. Il la suivit d'un air buté à travers la foule. Il était content de ce qu'il avait dit.

Lorsqu'ils atteignirent la statue d'Achille[1], elle se retourna. Il y avait dans ses yeux de la compassion, qui se changea sur ses lèvres en un sourire. Elle secoua la tête en le regardant. « Tu es fou, Jim, complètement fou, tu es un petit garçon coléreux, voilà tout. Comment peux-tu dire des choses aussi abominables ? Tu ne sais pas ce que tu dis. Tu es simplement jaloux et méchant. Tout ce que je te souhaite, c'est de tomber amoureux. L'amour rend les gens bons, et ce que tu as dit était cruel.

— J'ai seize ans, répondit-il, et je sais de quoi je parle. Mère ne t'est d'aucune utilité. Elle ne sait pas comment veiller sur toi. Je regrette à présent de partir pour l'Australie. J'aurais bien envie de laisser tomber tout ça. Je le ferais bien, si je n'avais pas signé mon contrat.

— Allons, Jim, ne prends pas tout au tragique. Tu ressembles aux héros de ces mélodrames absurdes dans lesquels maman aimait tant jouer. Je n'ai pas l'intention de me disputer avec toi. Je l'ai vu et, je t'assure, le voir représente pour moi la perfection du bonheur. Nous n'allons pas nous disputer. Je sais bien que tu ne ferais pas de mal à quelqu'un que j'aime, n'est-il pas vrai ?

— Tant que tu l'aimes, sans doute pas, répondit-il d'un ton maussade.

— Je l'aimerai toujours ! s'écria-t-elle.

— Et lui ?

— Lui aussi, toujours.

— Il y a intérêt. »

Elle eut un mouvement de recul. Puis elle se mit à rire, et posa la main sur son bras. Ce n'était qu'un enfant.

À Marble Arch, ils hélèrent un omnibus, qui les déposa non loin de leur pauvre logis sur Euston Road. Il était plus de cinq heures, et il fallait que Sibyl restât allongée deux heures avant d'aller jouer. Jim insista pour qu'elle le fît. Il lui dit qu'il préférait lui dire adieu en l'absence de leur mère. À coup sûr elle ferait une scène, et il détestait les scènes de toute nature.

Ce fut dans la chambre de Sibyl qu'ils se dirent adieu. Le cœur du jeune homme était rempli de jalousie, et d'une haine farouche, meurtrière, pour cet étranger qui, à ses yeux, s'était interposé entre

eux. Cependant, quand Sibyl lui mit les bras autour
du cou, que ses doigts lui caressèrent les cheveux, il
s'adoucit et l'embrassa avec une affection véritable.
En descendant l'escalier il avait les larmes aux yeux.

Sa mère l'attendait en bas. À son entrée, elle le
réprimanda pour son absence de ponctualité. Il ne
répondit pas, mais s'assit pour attaquer le maigre
repas préparé. Les mouches bourdonnaient autour
de la table et arpentaient la nappe toute tachée. Il
entendait, couvrant le grondement des omnibus et
le clic-clac des chevaux de fiacres, la voix monotone
qui dévorait chacune des minutes qui lui restaient.

Au bout de quelques instants, il repoussa son
assiette et se prit la tête dans les mains. Il était
convaincu d'avoir le droit de savoir. Il aurait dû être
mis au courant plus tôt, si les choses étaient bien
telles qu'il les soupçonnait. Figée par la peur, sa
mère l'observait. Des paroles jaillissaient machinalement de ses lèvres. Ses doigts chiffonnaient un mouchoir de dentelle tout déchiré. Lorsque la pendule
sonna six heures, il se leva, et se dirigea vers la porte.
Puis il se retourna et la regarda. Leurs regards se
croisèrent. Dans les yeux de sa mère, il lut un appel
désespéré à la compassion. Cela le mit en fureur.

« Mère, j'ai une question à te poser », dit-il. Son
regard, indécis, parcourut la pièce. Elle ne répondit
rien. « Dis-moi la vérité. J'ai le droit de savoir. Étais-
tu mariée à mon père ? »

Elle poussa un profond soupir. C'était un soupir
de soulagement. L'instant terrible, l'instant que nuit
et jour, depuis des semaines et des mois, elle redoutait, cet instant était enfin venu, et pourtant elle
n'éprouvait aucune terreur. Au contraire, elle était

d'une certaine façon déçue. Une question aussi vul-
gairement directe appelait une réponse directe. La
situation n'avait pas été amenée progressivement.
Elle manquait de finesse. On aurait dit une mauvaise répétition.

« Non », répondit-elle, s'étonnant de la simplicité
brutale de la vie.

« Mon père était donc une canaille ? » s'écria le
garçon en serrant les poings.

Elle secoua la tête. « Je savais qu'il n'était pas libre
de ses mouvements. Nous nous aimions beaucoup.
S'il avait vécu plus longtemps, il aurait fait pour
nous le nécessaire. Ne dis pas de mal de lui, mon
fils. C'était ton père, et c'était un *gentleman*. En
vérité, il était de la haute société. »

Un juron s'échappa de ses lèvres. « Pour moi,
s'écria-t-il, tout cela ne compte pas. Mais que Sibyl
ne… C'est bien un *gentleman,* ou prétendu tel, celui
qui est amoureux d'elle ? De la haute société, lui
aussi, sans doute. »

Un affreux sentiment d'humiliation envahit un
instant sa mère. Elle baissa la tête. Elle s'essuya les
yeux d'une main agitée de tremblements. « Sibyl a
une mère, murmura-t-elle. Je n'en avais pas. »

Le garçon fut touché. Il alla vers elle et, se baissant,
l'embrassa. « Je suis désolé si je t'ai fait de la peine en
t'interrogeant sur mon père, dit-il, mais je n'ai pas
pu m'en empêcher. Maintenant il faut que je m'en
aille. Au revoir. N'oublie pas que désormais tu n'as
plus qu'une enfant sur qui veiller, et crois-moi : si cet
homme porte tort à ma sœur, je découvrirai son
identité, je lui donnerai la chasse, et je le tuerai,
comme un chien ! J'en fais le serment. »

L'exagération absurde de la menace, le geste passionné qui l'accompagnait, les paroles mélodramati-
ques insensées, tout cela pour sa mère redevenait
plus éclatant de vie. C'était une atmosphère qui lui
était familière. Elle respira plus librement, et, pour
la première fois depuis plusieurs mois, elle éprouva
pour son fils une réelle admiration. Elle aurait aimé
filer la scène dans cette même tonalité passionnelle,
mais il y mit fin brutalement. Il fallait descendre les
malles et chercher les cache-col. La bonne à tout
faire de leur logis ne cessait d'entrer et de sortir. Il
fallait marchander avec le voiturier. Le temps se
passa en détails triviaux. Ce fut avec un sentiment de
déception qu'elle agita derechef par la fenêtre le
mouchoir de dentelle tout déchiré au moment où la
voiture de son fils s'éloigna. Elle se rendait compte
qu'une magnifique occasion avait été manquée. Elle
se consola en disant à Sibyl à quel point sa vie serait
vide maintenant qu'elle n'avait plus qu'une enfant
sur qui veiller. Elle avait retenu la formule. Elle lui
plaisait. De la menace elle ne dit rien. Elle avait été
exprimée avec intensité et un grand sens théâtral.
Elle était convaincue qu'un jour viendrait où ils en
riraient tous.

« Je suppose que vous connaissez la nouvelle, Basil ? » dit Lord Henry, ce même soir, à l'entrée de Hallward dans le petit salon du Bristol où le couvert était mis pour trois personnes.

« Non, Harry », dit l'artiste en donnant son chapeau et son pardessus au garçon qui s'inclinait. « De quoi s'agit-il ? Pas de politique, j'espère ? Je ne m'y intéresse pas du tout. Il serait difficile de trouver à la Chambre des Communes une seule personne dont il vaille la peine de faire le portrait ; mais à dire vrai nombre d'entre elles mériteraient un petit lessivage.

— Dorian Gray est fiancé », dit Lord Henry, qui en prononçant ces paroles ne le quitta pas des yeux.

Hallward sursauta, puis se rembrunit. « Dorian Gray fiancé ! s'écria-t-il. C'est impossible !

— C'est absolument vrai.

— À qui ?

— À une petite actrice.

— Je n'arrive pas à y croire. Dorian est bien trop raisonnable.

— Dorian est bien trop sage pour ne pas faire de temps à autre une bêtise, mon cher Basil.

— Le mariage n'est pas vraiment une chose que l'on puisse faire " de temps à autre ", Harry.

— Sauf en Amérique, répliqua Lord Henry sans s'émouvoir. Mais je n'ai pas dit qu'il était marié. J'ai dit qu'il était fiancé. C'est très différent. Je me rappelle très nettement mon mariage, mais pour ce qui est de mes fiançailles, je n'en ai pas le moindre souvenir. J'ai tendance à penser que je n'ai jamais été fiancé.

— Mais songez à la naissance de Dorian, à sa position, à sa fortune. Il serait absurde qu'il épouse une femme socialement si inférieure à lui.

— Dites-lui donc cela si vous voulez qu'il épouse cette fille, Basil. Il le fera à coup sûr. Quand un homme accomplit un acte parfaitement stupide, c'est toujours à partir des motifs les plus nobles qui soient.

— J'espère que cette fille est honnête, Harry. Je n'ai pas envie de voir Dorian s'attacher à un être méprisable, qui risquerait d'avilir sa personnalité et d'étouffer son intelligence.

— Oh, elle est mieux qu'honnête, elle est belle », murmura Lord Henry, en prenant une gorgée de vermouth à l'orange amère. « Dorian dit qu'elle est belle ; et en cette matière il ne se trompe pas souvent. Le portrait que vous avez fait de lui a aiguisé son jugement sur l'aspect extérieur d'autrui. C'est là, entre autres choses, une conséquence très positive de ce portrait. Nous allons la voir ce soir, si notre jeune ami n'oublie pas son rendez-vous.

— Vous êtes sérieux ?

— Tout à fait sérieux, Basil. Je serais bien à plaindre si je croyais pouvoir jamais être plus sérieux que je ne le suis en cet instant.

— Mais est-ce que vous approuvez tout cela, Harry ? » demanda le peintre, qui arpentait la pièce en se mordant les lèvres. « C'est impossible que vous l'approuviez. Ce coup de foudre est ridicule.

— Désormais je n'approuve ni ne désapprouve plus rien. C'est prendre, face à la vie, une attitude absurde. Nous n'avons pas été créés pour faire parade de nos préjugés moraux. Je ne tiens jamais le moindre compte de ce que pensent les gens quelconques, et je ne m'immisce jamais dans ce que font les gens charmants. Si une personne me fascine, tout mode d'expression qu'elle choisit m'enchante absolument. Dorian Gray tombe amoureux d'une belle jeune fille qui interprète Juliette, et se propose de l'épouser. Pourquoi pas ? S'il épousait Messaline, sa personnalité n'en serait pas moins intéressante. Vous savez que je ne suis pas un tenant du mariage. La véritable faiblesse du mariage, c'est qu'il vous empêche d'être égoïste. Sans égoïsme, les gens sont incolores. Ils manquent d'individualité. Cela dit, il existe des tempéraments que le mariage rend plus complexes. Ils conservent leur égotisme et lui ajoutent bien d'autres moi. Ils sont contraints d'avoir plus d'une vie. Ils s'organisent de façon bien plus savante, et savoir s'organiser de façon savante, voilà, me semble-t-il, l'objet même de l'existence. Au reste, toute expérience a sa valeur, et quoi qu'on puisse dire contre le mariage, c'est incontestablement une expérience. J'espère que Dorian Gray fera de cette jeune fille son épouse, qu'il l'adorera passionnément pendant six mois, puis que, subitement, il sera fasciné par une autre. Ce serait un sujet d'étude merveilleux.

— Vous ne pensez pas un mot de ce que vous venez de dire, Harry, vous le savez pertinemment. Si la vie de Dorian Gray se trouvait gâchée, personne ne serait plus désolé que vous. Vous êtes bien meilleur que vous ne le prétendez. »

Lord Henry se mit à rire. « Si nous aimons tous penser du bien d'autrui, c'est que nous craignons tous pour nous-mêmes. Le fondement de l'optimisme, c'est la terreur pure et simple. Nous croyons être généreux parce que nous créditons notre prochain de la possession de vertus qui pourraient nous être profitables. Nous louons le banquier pour obtenir un découvert, et trouvons quelques qualités au bandit de grand chemin dans l'espoir qu'il épargnera nos poches. Je crois absolument à tout ce que j'ai dit. J'ai pour l'optimisme le plus grand mépris. Quant aux vies gâchées, les seules vies gâchées sont celles qui voient leur développement bloqué. Il suffit pour abîmer un être de le réformer. Quant au mariage, bien sûr ce serait idiot, mais il y a entre les hommes et les femmes quantité d'autres liens possibles, et plus intéressants. Je compte bien les encourager. Ils ont le charme supplémentaire d'être de bon ton. Mais voici Dorian lui-même. Il vous en dira plus que je ne pourrais le faire.

— Mon cher Harry, mon cher Basil, j'attends vos félicitations à tous deux ! » dit le jeune homme, qui se débarrassa de son manteau de soirée aux pans doublés de satin et serra tour à tour la main de ses deux amis. « Je n'ai jamais été aussi heureux. Bien sûr tout cela est très soudain ; c'est le propre de tous les événements réellement enchanteurs. Et pourtant j'ai l'impression que c'est là ce que j'ai recherché toute ma vie. » L'excitation et la joie lui avaient donné des couleurs, et il leur parut extraordinairement beau.

« J'espère que tu seras toujours très heureux, Dorian, dit Hallward, mais j'ai du mal à te pardonner de ne pas m'avoir informé de tes fiançailles. Tu en as informé Harry.

— Et moi je ne vous pardonne pas d'être en retard pour le dîner », interrompit Lord Henry, qui posa sa main sur l'épaule du jeune homme et souriait en parlant. « Allons, asseyons-nous, et voyons ce que vaut le nouveau *chef*, ensuite vous nous direz comment tout cela s'est produit.

— En vérité, il n'y a pas grand-chose à dire », s'écria Dorian, tandis qu'ils prenaient place autour de la petite table ronde. « Ce qui s'est passé se résume à ceci. Après vous avoir quitté hier soir, Harry, j'allai m'habiller, fis un dîner léger au petit restaurant italien de Rupert Street que vous m'avez fait connaître, et me retrouvai au théâtre à huit heures. Sibyl jouait Rosalinde. Bien entendu les décors étaient affreux, et Orlando ridicule. Mais Sibyl ! Vous auriez dû la voir ! Quand elle est entrée en scène dans ses habits d'homme, elle était tout simplement magnifique. Elle portait un pourpoint de velours vert mousse avec des manches couleur cannelle, un svelte haut-de-chausses brun aux jarretières en croix, une adorable petite toque verte surmontée d'une plume de faucon fixée par un bijou, et un manteau à capuche doublé de rouge éteint. Elle ne m'avait jamais paru plus délicieuse. Elle avait toute la grâce de cette statuette de Tanagra que tu as dans ton atelier, Basil. Ses cheveux encadraient son visage comme des feuilles sombres une rose pâle. Quant à son jeu... eh bien, vous en jugerez ce soir. C'est tout simplement une artiste née. Assis dans cette loge miteuse j'étais complètement ensorcelé. J'avais oublié que j'étais à Londres et au XIXe siècle. J'étais parti avec ma bien-aimée dans une forêt que nul homme n'avait jamais contemplée. Quand le spectacle fut terminé, j'allai dans les coulisses et lui parlai. Tandis que nous étions assis l'un près de l'autre, apparut soudain dans ses yeux un regard que je n'y avais encore jamais vu. Mes lèvres allèrent vers les siennes. Nous nous embrassâmes. Je ne puis vous décrire ce qu'en cet instant j'éprouvai. On eût dit que toute ma vie se concentrait en un point unique de joie parfaite couleur de rose. Elle tremblait de tous ses membres, frémissant comme un blanc narcisse. Puis elle tomba à genoux et me baisa les mains. Il me semble que j'ai tort de vous dire tout cela, mais je ne peux m'en empêcher. Bien entendu, nos fiançailles sont un secret absolu. Elle n'a même rien dit à sa mère. Je ne sais pas ce que diront mes tuteurs. Lord Radley sera certainement furieux. Je m'en moque. Dans moins d'un an je serai majeur, et pourrai alors faire ce que je voudrai. N'est-ce pas, Basil, que j'ai eu raison d'aller chercher mon amour dans la poésie, et de trouver une épouse dans le théâtre de Shakespeare ? Des lèvres auxquelles Shakespeare a enseigné la parole ont chuchoté leur secret à mon oreille. Les bras de Rosalinde m'ont enlacé, et j'ai embrassé Juliette sur la bouche.

— Oui, Dorian, je suppose que tu as eu raison, dit Hallward avec lenteur.

— L'avez-vous vue aujourd'hui ? » demanda Lord Henry.

Dorian Gray secoua la tête. « Je l'ai laissée dans la forêt d'Ardenne, je la retrouverai à Vérone, dans un verger. »

Lord Henry buvait à petites gorgées son champagne, l'air songeur. « À quel moment précis avez-vous prononcé le mot mariage, Dorian ? Et qu'a-t-elle répondu ? Peut-être ne vous en souvenez-vous plus.

— Mon cher Harry, je n'ai pas traité là une affaire commerciale, et je n'ai pas fait de demande en bonne et due forme. Je lui ai dit que je l'aimais, et elle m'a dit qu'elle était indigne d'être ma femme. Indigne ! En vérité, à côté d'elle le monde entier ne compte pas !

— Les femmes ont un esprit extraordinairement pratique, murmura Lord Henry, infiniment plus pratique que nous. Dans ce type de situation nous oublions souvent de parler de mariage, et ce sont toujours elles qui nous y font penser. »

Hallward lui mit la main sur le bras. « Arrêtez, Harry. Vous avez irrité Dorian. Il n'est pas comme les autres hommes. Il ne causerait jamais le malheur de qui que ce soit. Il a une trop belle nature. »

Lord Henry dirigea son regard de l'autre côté de la table. « Dorian n'est jamais irrité contre moi, répondit-il. J'ai posé cette question pour les meilleures raisons du monde, en vérité pour la seule raison qui justifie toute question : la pure et simple curiosité. J'ai une théorie, selon laquelle ce sont toujours les femmes qui proposent le mariage, et non pas nous qui le proposons. Sauf bien sûr dans la bourgeoisie. Mais c'est que la bourgeoisie n'est pas moderne. »

Dorian Gray éclata de rire et secoua la tête. « Vous êtes absolument incorrigible, Harry, mais je ne m'en formalise pas. Il est impossible de se mettre en colère contre vous. Quand vous verrez Sibyl Vane, vous vous rendrez compte que pour lui causer du tort il faudrait être une bête, une bête sans cœur. Je ne puis comprendre comment on peut vouloir déshonorer l'objet de son amour. J'aime Sibyl Vane. Je veux l'élever sur un piédestal d'or, et voir l'univers adorer la femme qui est mienne. Qu'est-ce que le mariage ? Un vœu irrévocable. Voilà pourquoi vous le raillez. Ah ! ne raillez pas. C'est un vœu irrévocable que je veux prononcer. La confiance de Sibyl me rend fidèle, sa foi me rend bon. Quand je suis avec elle, je regrette tout ce que vous m'avez enseigné. Je deviens différent de l'homme que vous avez connu. Je suis changé, et le simple contact de la main de Sibyl Vane me fait vous oublier, et avec vous toutes vos théories si fausses, si fascinantes, si vénéneuses et si séduisantes.

— Et quelles sont-elles... ? demanda Lord Henry, en se servant de salade.

— Bah, vos théories sur la vie, vos théories sur l'amour, vos théories sur le plaisir. À vrai dire, toutes vos théories, Harry.

— Seul le plaisir mérite une théorie, répondit-il de sa voix lente et mélodieuse. Mais je crains de ne pouvoir la revendiquer comme mienne. Elle appartient à la Nature, et non à moi. Le plaisir est la pierre de touche de la Nature, le signe d'approbation qu'elle nous donne. Quand on est heureux, on est toujours bon, mais quand on est bon, on n'est pas toujours heureux.

— Ah ! qu'entendez-vous par " bon " ? s'écria Basil Hallward.

— Oui », fit Dorian en écho, se renversant sur sa chaise et regardant Lord Henry par-dessus les lourdes grappes d'iris aux lèvres violettes posés au centre de la table, « qu'entendez-vous par " bon ", Harry ?

— Être bon, c'est être en harmonie avec soi-même », répondit-il, effleurant de ses doigts pâles et fuselés le pied ténu de son verre. « Il y a dissonance lorsqu'on est contraint d'être en harmonie avec autrui. Notre propre vie : voilà ce qui est important. Quant à la vie de notre prochain, quiconque veut être un père-la-vertu ou un puritain peut afficher le jugement moral qu'elle lui inspire, mais ce n'est pas notre affaire. D'ailleurs, c'est l'Individualisme qui se propose l'objectif le plus noble. La morale moderne consiste à accepter les critères de son époque. Je considère pour ma part que, pour un homme cultivé, accepter les critères de son époque est faire preuve de l'immoralité la plus grossière.

— Mais Harry, suggéra le peintre, à ne vivre que pour soi-même, ne risque-t-on pas de le payer très cher ?

— Il est vrai que de nos jours tout se paie trop cher. J'ai tendance à penser que la véritable tragédie des pauvres, c'est qu'ils ne peuvent rien se payer, si ce n'est l'abnégation. Les beaux péchés, comme les beaux objets, sont le privilège des riches.

— On ne paie pas toujours en argent.

— Et comment donc, Basil ?

— Oh, en remords, j'imagine, en souffrance, en..., eh bien, en conscience de sa dégradation. »

Lord Henry haussa les épaules. « Mon cher ami, l'art médiéval est charmant, mais les émotions médiévales sont désuètes. Certes, on peut y avoir recours dans un roman. Mais à vrai dire les seules choses auxquelles on puisse avoir recours dans un roman sont celles dont on n'a en fait plus l'usage. Croyez-moi, il n'est pas d'homme civilisé qui regrette jamais un plaisir, ni de barbare qui puisse jamais se douter de ce qu'est un plaisir.

— Moi je sais ce qu'est un plaisir, s'écria Dorian Gray. C'est d'adorer quelqu'un.

— Cela vaut sûrement mieux que d'être adoré », répliqua-t-il en jouant avec des fruits. « Être adoré est insupportable. Les femmes nous traitent exactement comme l'homme traite ses dieux. Elles nous révèrent et nous sollicitent sans cesse pour obtenir quelque chose de nous.

— J'aurais plutôt dit que quoi qu'elles demandent, elles nous l'ont préalablement donné, murmura le jeune homme avec gravité. Ce sont elles qui créent en nous l'Amour. Elles sont en droit d'exiger qu'on le leur rende.

— Voilà qui est tout à fait vrai, Dorian, s'écria Hallward.

— Rien n'est jamais tout à fait vrai », dit Lord Henry. Dorian Gray l'interrompit : « Ceci l'est. Vous êtes bien obligé de reconnaître, Harry, que les femmes donnent aux hommes l'or même de leur vie.

— C'est possible, soupira-t-il, mais immanquablement elles en demandent le remboursement en toute petite monnaie. Voilà l'ennui. Les femmes, comme l'exprima un jour un Français plein d'esprit, nous inspirent le désir de réaliser des chefs-d'œuvre, et nous empêchent toujours d'y parvenir.

— Harry, vous êtes odieux ! Je ne sais pourquoi j'ai tant d'affection pour vous !

— Vous aurez toujours de l'affection pour moi, Dorian, répliqua-t-il. Amis, prendrez-vous du café ?

— Garçon, apportez-nous du café, de la *fine champagne* et des cigarettes. Non, ne vous occupez pas des cigarettes ; j'en ai. Basil, je ne puis vous autoriser à fumer le cigare. Il faut que vous fumiez une cigarette. La cigarette représente le type parfait d'un plaisir parfait. C'est exquis, et cela laisse insatisfait. Que souhaiter de plus ? Oui, Dorian, vous aurez toujours de l'affection pour moi. Je représente pour vous tous les péchés que vous n'avez jamais eu le courage de commettre.

— Que de bêtises vous débitez, Harry ! » s'écria le jeune homme ; en allumant sa cigarette à la gueule enflammée d'un dragon d'argent que le garçon avait posé sur la table. « Partons pour le théâtre. Quand Sibyl entrera en scène, vous aurez un nouvel idéal de vie. Elle représentera pour vous quelque chose que vous n'avez jamais connu.

— J'ai tout connu, dit Lord Henry, les yeux envahis de lassitude, mais je suis toujours prêt pour une émotion neuve. Je crains pourtant que, en ce qui me concerne en tout cas, ce ne soit impossible. Cela dit, votre merveilleuse jeune fille va peut-être m'émouvoir. J'adore le théâtre. C'est tellement plus réel que la vie. Allons-y. Dorian, venez avec moi. Je suis désolé, Basil, mais il n'y a que deux places dans le coupé. Il faudra que vous nous suiviez en fiacre. »

Ils se levèrent et mirent leur pardessus, buvant

leur café debout. Le peintre était silencieux et préoc-
cupé. Il se sentait gagné par la tristesse. Ce mariage
lui était intolérable, mais lui paraissait néanmoins
préférable à bien d'autres situations qui auraient pu
se produire. Au bout de quelques instants, ils furent
tous trois en bas. Il partit seul, comme cela avait été
convenu, et suivit des yeux les feux clignotants du
petit coupé qui le précédait. Il éprouvait un étrange
sentiment d'abandon. Il sentait que Dorian Gray ne
serait plus jamais pour lui tout ce qu'il avait été dans
le passé. La vie s'était interposée entre eux... Ses yeux
s'assombrirent, et les rues pleines de monde, éclatantes de lumière, se brouillèrent à ses yeux. Quand
le fiacre s'arrêta devant le théâtre, il lui sembla qu'il
avait vieilli de plusieurs années.

## 7

Ce soir-là, pour une raison inconnue, la salle était pleine, et le gros directeur juif qui les accueillit à l'entrée arborait un sourire immense, onctueux et frémissant. Il les conduisit à leur loge avec une sorte d'humilité pompeuse, agitant ses mains grassouillettes couvertes de bagues et parlant aussi fort qu'il le pouvait. Dorian Gray le trouvait encore plus répugnant qu'à l'accoutumée. Il avait l'impression de se retrouver accueilli par Caliban[1] quand il était venu voir Miranda. En revanche Lord Henry le trouva plutôt sympathique. C'est du moins ce qu'il affirma, et il tint absolument à lui serrer la main, l'assurant qu'il était fier de rencontrer un homme qui avait découvert un génie véritable et qui s'était ruiné pour un poète. Hallward se divertit à observer les visages des occupants du parterre. La chaleur était terriblement étouffante, et l'énorme projecteur flamboyait comme un monstrueux dahlia aux pétales de feu jaune. Dans les galeries, les jeunes gens avaient ôté veste et gilet et les avaient accrochés sur la balustrade. Ils se parlaient d'un bout à l'autre de la salle et partageaient leurs oranges avec les jeunes filles aux

tenues criardes qui étaient assises à leurs côtés. Au
parterre, quelques femmes riaient. Elles avaient des
voix affreusement stridentes et discordantes. Du bar
s'élevait le bruit des bouchons qui sautaient.

« Curieux endroit où venir découvrir sa déesse !
dit Lord Henry.

— Oui ! dit Dorian Gray. C'est ici que je l'ai
découverte, et elle surpasse en divinité tout ce qui
vit. Quand elle jouera, vous oublierez tout. Ces gens
ordinaires, grossiers, avec leur visage fruste et leurs
gestes brutaux, deviennent complètement différents
quand elle est en scène. Ils restent silencieux et la
regardent. Ils pleurent ou rient comme elle le leur
ordonne. Elle les fait réagir autant qu'un violon. Elle
leur donne une spiritualité, et il devient clair que
nous sommes faits, eux et nous, de la même chair et
du même sang.

— De la même chair et du même sang ! Ah !
j'espère que non ! » s'exclama Lord Henry, qui à
l'aide de ses jumelles observait les occupants des
galeries.

« Ne fais pas attention à lui, Dorian, dit le peintre.
Je comprends ce que tu veux dire, et je crois en cette
jeune fille. Tout être que tu aimes est nécessairement
merveilleux, et toute jeune fille qui produit l'effet que
tu décris est nécessairement belle et noble. Donner de
la spiritualité à son époque, voilà qui vaut d'être
accompli. Si cette fille est capable de donner une
âme à des gens qui en étaient jusque-là privés, si elle
peut faire naître un sens de la beauté chez des êtres
dont la vie était jusque-là laide et sordide, si elle peut
les débarrasser de leur égoïsme et leur prêter des
larmes pour des souffrances qui ne sont pas les leurs,

elle mérite toute ton adoration, elle mérite l'adoration de l'univers entier. Ce mariage est tout à fait légitime. Au début, je ne pensais pas ainsi, mais je le reconnais à présent. C'est pour toi que les dieux ont créé Sibyl Vane. Sans elle tu serais resté incomplet.

— Merci, Basil, répondit Dorian Gray en lui serrant la main. Je savais que tu me comprendrais. Harry est tellement cynique qu'il me fait peur. Mais voici l'orchestre. Il est abominable, mais il ne joue que cinq minutes environ. Puis le rideau se lève, et vous verrez la jeune fille à qui je vais faire don de toute ma vie, à qui j'ai donné tout ce que j'ai de bon en moi. »

Un quart d'heure plus tard, au milieu d'un extraordinaire tonnerre d'applaudissements, Sibyl Vane entra en scène. Oui, elle était assurément belle à regarder, l'une des plus belles créatures, se dit Lord Henry, qu'il eût jamais vues. Il y avait quelque chose du faon dans sa timidité gracieuse et dans ses yeux alarmés. Une légère rougeur, comme l'ombre d'une rose dans un miroir argenté, envahit son visage quand elle jeta un coup d'œil sur la salle enthousiaste pleine à craquer. Elle fit quelques pas en arrière, et ses lèvres parurent trembler. Basil Hallward se leva d'un bond et se mit à applaudir. Dorian Gray, quant à lui, la contemplait, immobile, comme dans un rêve. Lord Henry l'observait dans ses jumelles , murmurant « Charmante ! charmante ! »

La scène se déroulait dans le vestibule de la maison des Capulet, où Roméo, en habit de pèlerin, était entré avec Mercutio et ses autres amis. L'orchestre, ou ce qui en tenait lieu, joua quelques mesures, et la danse commença[1]. Au milieu de la foule de comédiens disgracieux, vêtus de costumes minables, Sibyl Vane paraissait une créature surgie d'un univers plus raffiné. Son corps, tandis qu'elle dansait, ondulait comme ondule une plante aquatique. Les courbes de son cou étaient les courbes d'un lis blanc. Ses mains paraissaient faites d'un ivoire frais.

Elle était pourtant étrangement indifférente. Elle ne manifesta aucune joie quand ses yeux se posèrent sur Roméo. Les quelques mots qu'elle devait prononcer :

> Bon pèlerin, vous faites injustice à votre main
> Car elle a montré dévotion courtoise ;
> Les saintes ont des mains qui touchent les pèlerins,
> Paume sur paume, c'est le pieux baiser des pèlerins[1] —

suivis d'un court dialogue, furent dits d'une manière totalement artificielle. La voix était exquise, mais elle était, du point de vue de l'intonation, totalement fausse. La couleur n'était pas la bonne. Elle ôtait à la poésie toute vie. Elle rendait la passion irréelle.

Dorian Gray, l'observant, pâlissait. Il était déconcerté, inquiet. Ni l'un ni l'autre de ses amis n'osait lui dire quoi que ce fût. Ils la trouvaient parfaitement incompétente. Ils étaient affreusement déçus.

Ils savaient pourtant que la véritable pierre de touche, pour toute Juliette, est la scène du balcon, au deuxième acte. C'est là qu'ils l'attendaient. Si elle ratait la scène, elle n'était bonne à rien.

Quand elle apparut dans le clair de lune, elle avait l'air charmante. Impossible de le nier. Mais le

côté théâtral de son jeu était insupportable, et ne fit
qu'empirer. Ses gestes étaient artificiels jusqu'à en
devenir absurdes. Elle accentuait à l'excès tout ce
qu'elle avait à dire. Le si beau passage —

> Tu sais, le masque de la nuit couvre mon visage,
> Sinon une rougeur de vierge
> Aurait coloré mes joues
> Pour ce que tu m'as entendu dire cette nuit[1] —

fut déclamé avec la précision pénible d'une écolière
formée à la récitation par un professeur d'élocution
de second ordre. Lorsqu'elle se pencha au balcon et
parvint aux vers magnifiques :

> Bien qu'en toi soit ma joie,
> Le serment cette nuit ne me fait nulle joie ;
> Il est trop prompt, trop irréfléchi, trop soudain,
> Trop pareil à l'éclair
> Qui cesse d'être avant qu'on ait dit « Il éclaire ».
> Doux cœur, oh bonne nuit !
> Au souffle mûrissant d'été ce bourgeon d'amour
> Pourra se montrer fleur quand nous nous reverrons[2] —

elle prononça les mots comme s'ils ne signifiaient
rien pour elle. Ce n'était pas le trac. Au contraire,
loin d'être nerveuse, elle était parfaitement maîtresse d'elle-même. C'était simplement l'absence de
tout art. L'échec était total.

Même les spectateurs ordinaires et incultes du
parterre et des galeries perdirent tout intérêt pour la
pièce. Ils s'agitèrent, et se mirent à parler à haute
voix et à siffler. Le directeur juif, debout au fond de
la corbeille, trépignait de rage et lançait des jurons.

La seule personne qui restât impassible était la jeune fille elle-même.

Quand le deuxième acte fut achevé, une tempête de sifflets s'éleva, et Lord Henry quitta son fauteuil et mit son manteau. « Elle est très belle, Dorian, dit-il, mais elle ne sait pas jouer. Allons-nous-en.

— Je veux voir la pièce jusqu'au bout, répondit le jeune homme, d'une voix dure et amère. Je suis absolument navré de vous avoir fait gâcher une soirée, Harry. Je vous présente à tous deux mes excuses.

— Mon cher Dorian, je suppose que Miss Vane est malade, interrompit Hallward. Nous reviendrons un autre soir.

— Si seulement c'était vrai, répliqua-t-il. Mais elle me paraît simplement froide et insensible. Elle est complètement changée. Hier soir, c'était une grande artiste. Ce soir, c'est simplement une actrice banale et médiocre.

— Ne parle pas ainsi de quelqu'un que tu aimes, Dorian. L'Amour est plus admirable que l'Art.

— Ce ne sont tous deux que des formes d'imitation, observa Lord Henry. Mais partons donc. Dorian, il ne faut pas que vous restiez davantage. Il n'est pas bon pour le moral de regarder de mauvais acteurs. D'ailleurs, je suppose que vous refuserez de laisser jouer votre épouse. Quelle importance, par conséquent, si elle interprète Juliette comme une poupée de bois ? Elle est très belle, et si elle est aussi ignorante de la vie que de l'art du comédien, ce sera pour vous une expérience délicieuse. Il n'y a que deux sortes d'êtres qui soient véritablement fascinants : ceux qui savent absolument tout, et ceux qui ne savent absolument rien. Grands dieux, mon cher petit, ne prenez pas cet air tragique ! Le secret de la jeunesse éternelle, c'est de ne jamais éprouver une émotion malséante. Accompagnez-nous, Basil et moi, au club. Nous fumerons des cigarettes et boirons à la beauté de Sibyl Vane. Elle est belle. Que pouvez-vous souhaiter de plus ?

— Allez-vous-en, Harry, s'écria le jeune homme. Je veux être seul. Basil, il faut que tu t'en ailles. Ne voyez-vous donc pas que mon cœur se brise ? » Des larmes brûlantes emplirent ses yeux. Ses lèvres tremblèrent, et courant vers le fond de la loge, il s'appuya contre le mur, cachant son visage entre ses mains.

« Partons, Basil », dit Lord Henry, dont la voix prit une tendresse étrange ; et les deux jeunes hommes sortirent ensemble.

Quelques instants plus tard, les feux de la rampe s'allumèrent, et le rideau se leva sur le troisième acte. Dorian Gray regagna son siège. Il était blême, et fier, et indifférent. La pièce se traînait, et paraissait interminable. La moitié des spectateurs sortirent en riant, faisant traîner leurs gros souliers. La soirée était un *fiasco*. Le dernier acte se joua devant des banquettes presque vides. Le rideau tomba sur des rires étouffés et quelques murmures.

Dès que la pièce fut terminée, Dorian Gray se précipita dans les coulisses et gagna le foyer des artistes. La jeune fille s'y tenait toute seule et son visage arborait un air de triomphe. Ses yeux brillaient d'un feu extraordinaire. Elle rayonnait. Ses lèvres entrouvertes souriaient à un secret d'elle seule connu.

Quand il entra, elle le regarda et l'expression d'une joie infinie l'envahit. « Que j'ai mal joué ce soir, Dorian ! s'écria-t-elle.

— Affreusement mal ! répondit-il, la dévisageant avec stupéfaction. Affreusement mal ! Ce fut atroce. Êtes-vous malade ? Vous n'avez pas la moindre idée de ce que cela donnait. Vous n'avez pas la moindre idée de ce que j'ai enduré. »

La jeune fille eut un sourire. « Dorian », répondit-elle, laissant sa voix mélodieuse s'attarder sur son prénom, comme s'il eût été plus doux que miel pour les rouges pétales de sa bouche, « Dorian, vous auriez dû comprendre. Mais à présent, vous comprenez, n'est-ce pas ?

— Comprendre quoi ? demanda-t-il avec colère.

— Pourquoi j'ai été si mauvaise ce soir. Pourquoi je serai toujours mauvaise. Pourquoi je ne jouerai plus jamais bien. »

Il haussa les épaules. « Vous êtes malade, je suppose. Lorsque vous êtes malade, vous ne devriez pas jouer. Vous vous ridiculisez. Mes amis se sont ennuyés. Je me suis ennuyé. »

On eût dit qu'elle ne l'avait pas entendu. La joie la transfigurait. Un bonheur extatique s'était emparé d'elle.

« Dorian, Dorian, s'écria-t-elle, avant de vous connaître le théâtre était la seule réalité dans ma vie. Je ne vivais que sur scène. Je croyais que tout ce qui s'y passait était vrai. J'étais un soir Rosalinde, un autre soir Portia. La joie de Béatrice était ma joie, et les souffrances de Cordélia étaient aussi les miennes[1]. Je croyais à tout. Les gens ordinaires qui jouaient avec moi me semblaient posséder une nature divine. Les décors peints étaient mon univers. Je ne connaissais que des ombres, et je les croyais réelles. Vous êtes apparu — oh ! mon bel

amour ! — et vous avez libéré mon âme de sa prison.
Vous m'avez appris ce qu'est réellement la réalité. Ce
soir, pour la première fois de ma vie, j'ai percé à jour
le néant, l'imposture, la stupidité de ce spectacle
creux dans lequel je jouais constamment. Ce soir,
pour la première fois, je me suis rendu compte que
notre Roméo était hideux, vieux et fardé ; que le
clair de lune dans le verger était faux, que les décors
étaient vulgaires, et que les paroles que je devais prononcer étaient irréelles, n'étaient pas mes propres
paroles, n'étaient pas ce que j'avais envie de dire.
C'est que vous m'aviez apporté quelque chose de
plus élevé, quelque chose dont l'art n'est que le
reflet. Vous m'aviez fait comprendre ce qu'est véritablement l'amour. Mon amour ! mon amour ! Prince
Charmant ! Prince de vie ! Je n'en peux plus de ces
ombres. Vous êtes bien plus pour moi que l'art ne
saurait jamais être. Qu'ai-je donc à voir avec les pantins d'une pièce ? Quand je suis entrée en scène ce
soir, je n'ai pas compris pourquoi tout m'avait
quittée. Je croyais que j'allais être admirable. Je
m'aperçus que je ne pouvais rien faire. Et soudain le
jour se fit en moi, et je compris ce que tout cela signifiait. Cette connaissance fut pour moi délicieuse. Je
les entendais siffler, et je souriais. Que pouvaient-ils
savoir d'un amour comme le nôtre ? Emmène-moi,
Dorian, emmène-moi avec toi, là où nous pourrons
être tout à fait seuls. Je hais le théâtre. Je serais
capable de simuler une passion que je n'éprouve
pas, mais je suis incapable d'en simuler une qui me
brûle comme le feu. Oh, Dorian, Dorian, tu comprends maintenant ce que cela signifie ? Même si
j'en étais capable, ce serait pour moi une profana-

tion que de jouer une amoureuse. Voilà ce que tu m'as fait découvrir. »

Il s'affaissa sur le sofa, et détourna son visage. « Tu as tué mon amour », murmura-t-il.

Elle le regarda, interdite, puis se mit à rire. Il ne répondit rien. Elle s'avança vers lui, et ses doigts menus caressèrent ses cheveux. Elle s'agenouilla et lui prit les mains pour les poser sur sa bouche. Il les lui retira, cependant qu'un tremblement s'emparait de lui.

Puis il se leva d'un bond, et se dirigea vers la porte. « Oui, s'écria-t-il, tu as tué mon amour. Autrefois tu excitais mon imagination. À présent, tu n'excites même plus ma curiosité. Tu ne produis plus le moindre effet. Je t'aimais parce que tu étais merveilleuse, parce que tu avais du génie et de l'intelligence, parce que tu réalisais les rêves de grands poètes et donnais forme et substance aux ombres de l'art. Tout cela, tu l'as rejeté. Tu es superficielle et sotte. Mon Dieu ! Quel fou j'étais d'éprouver de l'amour pour toi ! Quel imbécile ! Tu n'es plus rien pour moi désormais. Je ne te reverrai jamais. Je ne penserai jamais à toi. Je ne prononcerai plus jamais ton nom. Tu ne peux savoir ce que tu as représenté pour moi... Oh ! rien que d'y penser m'est intolérable ! Ah ! si je pouvais ne t'avoir jamais aperçue ! Tu as détruit toute la poésie de ma vie. Comme tu connais peu l'amour, si tu peux dire qu'il nuit à ton art. Sans ton art, tu n'es rien. Je t'aurais rendue célèbre, splendide, magnifique. Le monde t'aurait adorée, et tu aurais porté mon nom. Qu'es-tu donc à présent ? Une actrice de troisième ordre avec un joli visage. »

Dorian humilie et insulte Sibyl

La jeune fille blêmit et fut saisie de tremblements. Elle serra ses mains l'une contre l'autre, et sa voix sembla s'étouffer dans sa gorge. « Tu n'es pas sérieux, Dorian ? murmura-t-elle. Tu joues la comédie.

— Jouer la comédie ! Je te laisse cela. Tu la joues si bien », répliqua-t-il d'une voix amère.

Elle se releva, et, le visage empreint d'une souffrance pitoyable, elle traversa la pièce pour venir jusqu'à lui. Elle mit sa main sur le bras du jeune homme, et le regarda dans les yeux. Il la repoussa. « Ne me touche pas ! » s'écria-t-il.

Elle poussa un faible gémissement, et elle se jeta à ses pieds, et y resta, comme une fleur foulée aux pieds. « Dorian, Dorian, ne m'abandonne pas, murmura-t-elle. Je suis navrée d'avoir mal joué. Je pensais sans arrêt à toi. Mais je vais essayer, je t'assure, je vais essayer. Il m'a si brutalement prise, cet amour pour toi. Je crois que jamais je n'en aurais pris conscience si tu ne m'avais pas embrassée, si nous ne nous étions pas embrassés. Embrasse-moi encore, mon amour. Ne t'éloigne pas de moi. Je ne pourrais pas le supporter. Ah ! ne t'éloigne pas de moi. Mon frère... Non, cela ne fait rien. Il ne le pensait pas vraiment. Il plaisantait... Mais toi, ah ! ne peux-tu donc me pardonner ce qui s'est passé ce soir ? Je vais travailler énormément, et tenter de mieux faire. Ne sois pas cruel envers moi sous prétexte que je t'aime plus que tout au monde. Après tout, c'est la seule fois que je ne t'ai pas plu. Mais tu as tout à fait raison, Dorian. J'aurais dû me montrer davantage artiste. J'ai agi stupidement ; et pourtant, je n'y pouvais rien. Ah, ne me quitte pas, ne me quitte pas. » Un accès de sanglots désespérés l'empêcha de

poursuivre. Elle était recroquevillée sur le sol, comme
une pauvre chose brisée, et Dorian Gray, de ses yeux
si beaux, la toisait, et de ses lèvres ciselées faisait une
moue de dédain consommé. Il y a toujours quelque
chose de ridicule dans les émotions des gens qu'on a
cessé d'aimer. Il trouvait Sibyl Vane ridicule et mélo-
dramatique. Ses larmes et ses sanglots l'agaçaient.

« Je pars, dit-il de sa voix claire et posée. Je ne
veux pas être cruel, mais je ne vous reverrai plus.
Vous m'avez déçu. »

Elle pleurait en silence, et ne répondit rien, se
contentant de ramper vers lui. Ses petites mains
se tendaient vers lui à tâtons, comme cherchant à le
toucher. Il tourna les talons et quitta la pièce.
Quelques instants plus tard, il était sorti du théâtre.

Où le menèrent ses pas, il aurait été bien en peine
de le dire. Il se rappela avoir erré dans des rues
mal éclairées, longé de lugubres passages peuplés
d'ombres noires et des maisons inquiétantes. Des
femmes à la voix éraillée, au rire brutal, l'avaient
hélé. Des ivrognes titubants l'avaient côtoyé, l'injure
à la bouche, marmottant comme des singes monstrueux. Il avait vu des enfants à l'aspect grotesque
blottis sur des pas de portes, et entendu des cris et
des jurons s'élever d'arrière-cours ténébreuses.

Comme le jour commençait à poindre, il se
retrouva tout près de Covent Garden[1]. L'obscurité
s'atténua, et le ciel, s'éclairant de faibles feux, s'arron-
dit pour devenir une perle parfaite. D'énormes
charrettes remplies de lys dodelinants roulaient
lentement le long des rues vides au pavage poli.
L'air était chargé du parfum des fleurs, et il semblait
à Dorian que leur beauté allégeait ses souffrances. Il

les suivit jusqu'à l'intérieur du marché, et regarda
les hommes décharger leurs chariots. Un charretier
en blouse blanche lui offrit des cerises. Il le remer-
cia, se demanda pourquoi l'autre refusait d'accepter
quelque argent en échange, et se mit à les manger
distraitement. Elles avaient été cueillies à minuit, et
la froideur de la lune les avait pénétrées. Une
longue file de jeunes garçons portant des paniers de
tulipes à rayures et de roses jaunes et rouges passa
devant lui, se faufilant au milieu des énormes amas
de légumes vert jade. Sous le portique aux colonnes
grises blanchies par le soleil, une troupe de fillettes
en haillons, tête nue, flânait, attendant que les
enchères fussent achevées. D'autres étaient massées
près des portes à tambour du café de la Piazza. Les
lourds chevaux de trait glissaient et piétinaient
sur les pavés inégaux, agitant leurs clochettes et
secouant leur harnachement. Certains conducteurs
dormaient, étendus sur une pile de sacs. Les pigeons,
col d'iris et pattes de rose, sautillaient çà et là, pico-
rant des graines.

Au bout de quelque temps, il héla un fiacre et se
fit conduire chez lui. Il s'attarda un instant sur le
seuil, parcourant du regard la place silencieuse, ses
fenêtres aveugles derrière leurs volets fermés, ses
stores éclatants. Le ciel était devenu une pure opale
et les toits des maisons s'en détachaient dans un
miroitement d'argent. D'une cheminée, de l'autre
côté de la place, s'élevait un mince ruban de fumée.
Il déroulait dans l'air nacré ses volutes mauves.

Dans l'immense lanterne vénitienne toute dorée,
dérobée à la barge d'un doge, qui pendait au plafond du grand vestibule lambrissé de chêne, trois

becs tremblotants projetaient encore quelque
lumière ; on eût dit de fins pétales de flamme bleue
ourlés d'un feu tout blanc. Il les éteignit, jeta sur la
table sa cape et son chapeau, et après avoir traversé
la bibliothèque atteignit la porte de sa chambre à
coucher, grande pièce octogonale située au rez-de-
chaussée que, dans sa toute récente passion de luxe,
il venait de faire décorer pour son plaisir, y accrochant de curieuses tapisseries Renaissance découvertes dans un grenier oublié à Selby Royal. Au
moment où il tournait la poignée de la porte, son
regard tomba sur son portrait peint par Basil Hallward. Il sursauta et recula, comme saisi d'étonnement. Puis il passa dans sa chambre, l'air quelque
peu perplexe. Après qu'il eut ôté la fleur qui déco-
rait la boutonnière de sa jaquette, il parut hésiter.
Finalement, il rebroussa chemin, s'approcha du
tableau, et l'examina. Éclairé par le peu de lumière
que laissaient filtrer les stores de soie crème, le
visage lui parut légèrement changé. L'expression
avait l'air différente. On aurait dit que la bouche présentait une touche de cruauté. C'était assurément
étrange.

Il se retourna et, allant jusqu'à la fenêtre, il releva
le store. L'éclat de l'aube inonda la pièce et chassa
vers les recoins obscurs les ombres fantastiques, qui
s'y immobilisèrent, frissonnantes. Mais l'expression
étrange qu'il avait remarquée sur le visage du portrait semblait y persister, s'y intensifier même. La
lumière du jour, ardente, palpitante, lui montrait les
plis de cruauté autour de la bouche aussi clairement
que s'il s'était regardé dans un miroir après avoir
commis une action abominable.

Il tressaillit et, prenant sur la table une glace ovale encadrée de cupidons d'ivoire, un des multiples cadeaux de Lord Henry, il jeta un regard rapide sur ses profondeurs polies. Aucun pli semblable n'abîmait ses lèvres rouges. Qu'est-ce que cela signifiait ?

Il se frotta les yeux, vint tout près du tableau, et l'examina de nouveau. Lorsqu'il observait le portrait lui-même, il ne remarquait aucun indice de changement, et cependant l'expression tout entière s'était indubitablement modifiée. Ce n'était pas simple imagination de sa part. Le fait était atrocement visible.

Il se laissa tomber dans un fauteuil, et se mit à réfléchir. En un éclair il se rappela soudain ce qu'il avait dit dans l'atelier de Basil Hallward le jour de l'achèvement du portrait. Oui, il se le rappelait parfaitement. Il avait exprimé un vœu insensé : que lui même pût rester jeune et le portrait vieillir ; que sa beauté à lui échappât à toute flétrissure et que le visage fixé sur la toile portât le fardeau de ses passions et de ses péchés ; que l'image peinte fût marquée des rides de la souffrance et de la méditation, mais que lui conservât l'éclat délicat, le charme et la beauté de son adolescence alors à peine consciente d'elle-même. Se pouvait-il que son vœu eût été exaucé ? De pareilles choses étaient impossibles. Il paraissait monstrueux de simplement y songer. Et pourtant, le portrait était là, sous ses yeux, avec, sur la bouche, la touche de cruauté.

De cruauté ! Avait-il été cruel ? C'était la faute de la jeune fille, non la sienne. Il avait rêvé d'elle comme d'une grande artiste, et parce qu'il la croyait grande lui avait donné son amour. Puis elle l'avait déçu. Elle s'était montrée superficielle, sans valeur. Et pourtant, à la revoir couchée à ses pieds, sanglotant comme un petit enfant, il était envahi d'un sentiment d'indicible regret. Il se rappelait avec quelle froideur il l'avait observée. Pourquoi la nature l'avait-elle ainsi fait ? Pourquoi avait-il reçu une telle âme ? Mais lui aussi avait souffert. Tout au long des trois heures effroyables qu'avait duré la pièce, il avait vécu des siècles de souffrance, des éternités de torture. Sa vie valait bien celle de Sibyl. S'il l'avait blessée durablement, elle l'avait meurtri pour un temps. Au reste, les femmes étaient plus aptes à supporter la douleur que les hommes. Elles vivaient de leurs émotions. Elles ne pensaient qu'à leurs émotions. Quand elles prenaient un amant, c'était simplement pour avoir sous la main une personne à qui faire une scène. C'est ce que Lord Henry lui avait dit, et Lord Henry connaissait bien les femmes. Pourquoi se faire du souci pour Sibyl Vane ? Elle n'était désormais plus rien pour lui.

Mais le portrait ? Qu'en dire ? Il contenait le secret de sa vie, et racontait son histoire. Le portrait lui avait appris à aimer sa propre beauté. Allait-il lui apprendre à haïr son âme ? Oserait-il jamais le regarder à nouveau ?

Non ; c'était simplement une illusion qui s'exerçait sur ses sens désorientés. La nuit atroce qu'il venait de passer avait laissé derrière elle des fantômes. Cette minuscule tache écarlate qui rend les hommes fous avait soudain fondu sur son cerveau. Le portrait n'avait pas changé. Il était insensé de le croire.

Pourtant le portrait le regardait, avec son beau

visage abîmé et son sourire cruel. Ses cheveux éclatants brillaient dans le soleil matinal. Ses yeux bleus
rencontrèrent les siens. Il fut envahi d'un sentiment
de compassion indicible, non pour lui-même, mais
pour cette image peinte de lui-même. Elle avait déjà
changé, et changerait davantage. Son or se ternirait,
deviendrait gris. Ses roses rouges et blanches péri-
raient. À chaque péché commis, une tache viendrait
souiller et ruiner sa beauté. Mais il ne pécherait pas.
Le portrait, altéré ou non, serait pour lui l'emblème
visible de sa conscience. Il résisterait à la tentation. Il
ne verrait plus Lord Henry, ou du moins ne prêterait
plus l'oreille à ces théories subtiles et vénéneuses qui,
dans le jardin de Basil Hallward, avaient pour la première fois éveillé en lui la passion de l'impossible.
Il retournerait voir Sibyl Vane, lui demanderait
pardon, l'épouserait, essaierait de l'aimer à nouveau.
Oui, tel était son devoir. Elle avait sûrement souffert
plus que lui. La pauvre enfant ! Il s'était montré
envers elle égoïste et cruel. La fascination qu'elle
avait exercée sur lui opérerait à nouveau. Ils seraient
heureux ensemble. Sa vie avec elle serait belle et pure.

Il quitta son fauteuil, et plaça devant le portrait un
grand paravent, mais tandis qu'il lui jetait un coup
d'œil un frisson le saisit. « Quelle horreur ! » murmura-t-il, et il alla jusqu'à la porte-fenêtre, qu'il
ouvrit. Quand il fut sur la pelouse, il inspira profondément. L'air frais du matin parut chasser toutes ses
sombres émotions. Il ne pensait qu'à Sibyl. Un faible
écho de son amour parvenait à nouveau jusqu'à lui.
Il répéta plusieurs fois son nom. On eût dit que les
oiseaux chantant dans le jardin noyé de rosée parlaient d'elle aux fleurs.

## 8

Midi était passé depuis longtemps quand il se réveilla. Son valet était entré dans la chambre à plusieurs reprises, sur la pointe des pieds, pour voir s'il avait ouvert l'œil, et s'était demandé d'où venait que son jeune maître dormait encore quand il était si tard. La sonnerie finit par retentir, et Victor entra sans bruit, portant sur un petit plateau d'ancienne porcelaine de Sèvres une tasse de thé et une pile de lettres, et tira les rideaux de satin vert olive doublés de moire bleue tendus devant les trois hautes fenêtres.

« *Monsieur* a vraiment bien dormi cette nuit, dit-il en souriant.

— Quelle heure est-il, Victor ? demanda Dorian Gray, d'une voix endormie.

— Une heure et quart, *Monsieur*. »

Qu'il était tard ! Il s'assit dans son lit et, après avoir bu un peu de thé, jeta un coup d'œil sur ses lettres. L'une d'elles provenait de Lord Henry, et était arrivée par porteur le matin même. Il hésita un instant, puis la mit de côté. Il ouvrit les autres distraitement. Elles contenaient la série habituelle de cartes, d'invitations à dîner, de billets pour des expositions privées, de programmes de concerts de bienfaisance, etc., que les jeunes gens du beau monde reçoivent chaque matin par brassées tout au long de la saison. Il y avait une facture assez lourde pour une table de toilette Louis XV en argent repoussé qu'il n'avait pas encore eu le courage de faire suivre à ses tuteurs, gens extrêmement vieux jeu qui ne comprenaient pas que nous vivons à une époque où le superflu est le seul nécessaire que nous ayons ; il y avait également des messages rédigés en termes fort courtois émanant de prêteurs de Jermyn Street[1] qui proposaient d'avancer de l'argent, quel qu'en fût le montant, dans les délais les plus brefs et aux taux les plus raisonnables.

Au bout de dix minutes environ il se leva et, après avoir enfilé une élégante robe de chambre en cachemire brodée de soie, il passa dans la salle de bains pavée d'onyx. L'eau froide, après un si long sommeil, le rafraîchit. Il avait apparemment oublié tout ce par quoi il était passé. Le sentiment confus d'avoir participé à quelque étrange tragédie le traversa une fois ou deux, mais sans plus de réalité qu'un rêve.

Dès qu'il fut habillé, il alla dans sa bibliothèque et s'assit devant un petit déjeuner à la française, léger, qui avait été disposé pour lui sur un guéridon proche de la fenêtre grande ouverte. C'était une journée délicieuse. L'air tiède semblait chargé d'épices. Une abeille entra et se mit à bourdonner au-dessus du bol de porcelaine bleue à motifs de dragons qui, garni de roses jaune soufre, était posé devant lui. Il se sentait parfaitement heureux.

Son regard tomba soudain sur le paravent qu'il avait installé devant le portrait, et il sursauta.

« *Monsieur* a froid ? » demanda son valet, plaçant une omelette sur la table. « Dois-je fermer la fenêtre ? »

Dorian secoua la tête. « Je n'ai pas froid », murmura-t-il.

Tout cela était-il vrai ? Le portrait avait-il réellement changé ? Ou bien était-ce simplement son imagination qui lui avait fait voir un air cruel là où il y avait auparavant un air joyeux ? Sûrement une toile peinte ne pouvait se modifier ? L'idée était absurde. Cela ferait un jour une excellente histoire à raconter à Basil. Elle le ferait sourire.

Et pourtant, tout était net dans son souvenir ! D'abord dans la pénombre de l'aube, puis dans l'éclat de l'aurore, il avait remarqué sur les lèvres déformées la touche de cruauté. Il redoutait presque que son valet ne quittât la pièce. Il savait que lorsqu'il serait seul il ne pourrait s'empêcher d'examiner le portrait. Il avait peur de rencontrer la certitude. Quand son domestique lui eut apporté le café et les cigarettes et se prépara à sortir, il eut terriblement envie de lui ordonner de rester. Au moment où la porte se refermait, il le rappela. Le valet s'immobilisa, attendant ses ordres. Dorian le regarda quelques instants. « Je ne suis là pour personne, Victor », dit-il en soupirant. Le valet s'inclina et sortit.

Il quitta alors la table, alluma une cigarette et se laissa tomber sur un divan aux luxueux coussins qui faisait face au paravent. C'était un paravent ancien en cuir de Cordoue doré, estampé et ouvré dans un style Louis XIV assez flamboyant. Il l'observa avec curiosité, se demandant s'il lui était déjà arrivé de dissimuler les secrets d'une vie humaine.

Au fond, était-il nécessaire de le déplacer ? Pourquoi ne pas le laisser là ? À quoi bon savoir ? Si la chose était vraie, c'était terrible. Si elle ne l'était pas, pourquoi s'inquiéter ? Oui, mais si, par hasard ou par un coup mortel du destin, d'autres yeux que les siens surprenaient ce qu'il y avait derrière, et découvraient l'horrible changement ? Que ferait-il si Basil Hallward venait et demandait à regarder le portrait qu'il avait fait ? Basil le demanderait à coup sûr. Non ; l'examen devait avoir lieu, et sur-le-champ. Tout était préférable à cette effrayante incertitude.

Il se releva et ferma les deux portes à clef. Du moins serait-il seul lorsqu'il contemplerait le masque de sa honte. Puis il retira le paravent, et se trouva face à face avec lui-même. C'était parfaitement exact. Le portrait avait changé.

Par la suite il se rappela fréquemment, et chaque fois avec un vif étonnement, qu'il avait d'abord ressenti à l'examen du portrait un sentiment de curiosité presque scientifique. Qu'un tel changement se fût produit était pour lui incroyable. Et pourtant le fait était là. Existait-il une subtile affinité entre les atomes chimiques qui devenaient sur la toile formes et couleurs, et l'âme qui se trouvait au fond de lui ? Se pouvait-il que se réalisât par eux ce que l'âme pensait ? que devînt véridique ce qu'elle rêvait ? Ou y avait-il une autre raison, plus terrifiante ? Il frissonna, il eut peur et, retournant vers le divan, il s'y étendit et contempla le portrait, plein d'une épouvante qui lui soulevait le cœur.

Il y avait cependant quelque chose dont il se sentait redevable envers le portrait. Il lui avait fait prendre conscience de l'injustice et de la cruauté qu'il avait témoignées envers Sibyl Vane. Il n'était pas trop tard pour les réparer. Il était encore possible de l'épouser. L'amour irréel et égoïste qu'il éprouvait céderait à une influence plus élevée, se transformerait en une passion plus noble, et le portrait que Basil Hallward avait peint serait un guide pour lui tout au long de sa vie ; il serait pour lui ce qu'est pour certains la sainteté, pour d'autres la conscience, et pour nous tous la crainte de Dieu. Il y avait des opiats pour le remords, des remèdes capables d'anesthésier tout sens moral. Mais ce qu'il avait sous les yeux, c'était le symbole visible de la dégradation qu'entraîne le péché. Ce qu'il avait sous les yeux, c'était le signe toujours présent de la ruine où les hommes conduisent leur âme.

Trois heures sonnèrent, puis quatre, et la demi-heure fit retentir son double carillon sans que Dorian Gray eût bougé. Il essayait de rassembler les fils écarlates de la vie, de les tisser en un motif ; de retrouver son chemin dans le labyrinthe de passion rouge sang où il s'était perdu. Il ne savait que faire, ni que penser. En fin de compte, il alla jusqu'à la table et rédigea une lettre passionnée à l'adresse de la jeune fille qu'il avait aimée d'amour, implorant son pardon et s'accusant de folie. Il couvrit page sur page de regrets éperdus, et de souffrances plus éperdues encore. Il y a quelque chose de somptueux à s'accuser soi-même. Lorsque nous nous blâmons, il nous semble que personne d'autre n'a le droit de nous blâmer. C'est la confession, et non le prêtre, qui nous donne l'absolution. Quand Dorian eut achevé sa lettre, il eut le sentiment d'avoir été pardonné.

Un coup retentit brusquement à sa porte, et il entendit la voix de Lord Henry. « Mon cher enfant, il faut que je vous voie. Laissez-moi entrer sur-le-champ. Je ne puis supporter que vous vous enfermiez ainsi. »

Dans un premier temps il ne répondit pas, et resta complètement immobile. Les coups continuèrent de pleuvoir et devinrent plus violents. Oui, il valait mieux laisser entrer Lord Henry, et lui exposer la vie nouvelle qu'il avait décidé de mener, se disputer avec lui s'il le fallait, s'éloigner de lui si l'éloignement était inévitable. Il se leva d'un bond, replaça en hâte le paravent devant le portrait, et déverrouilla la porte.

« Je suis tout à fait désolé, Dorian, dit Lord Henry en entrant. Mais il ne faut pas trop y penser.

— Vous voulez parler de Sibyl Vane ? demanda le jeune homme.

— Oui, bien sûr », répondit Lord Henry en se laissant tomber dans un fauteuil, et en retirant sans hâte ses gants jaunes. « D'un certain point de vue, c'est affreux, mais ce n'est pas votre faute. Dites-moi, êtes-vous allé la voir dans sa loge après la fin du spectacle ?

— Oui.

— J'en étais sûr. Lui avez-vous fait une scène ?

— J'ai été brutal, Harry — terriblement brutal. Mais à présent tout va bien. Je ne regrette rien de ce qui s'est passé. Cela m'a appris à mieux me connaître.

— Ah, Dorian, je suis ravi que vous le preniez

ainsi ! J'avais peur de vous trouver plongé dans le remords, en train d'arracher ces jolis cheveux bouclés.

— J'ai déjà dépassé ce stade, dit Dorian, secouant la tête avec un sourire. Je suis maintenant parfaitement heureux. D'abord, je sais ce qu'est la conscience. Ce n'est pas ce que vous m'aviez dit. C'est ce qu'il y a de plus divin en nous. Ne la dénigrez plus, Harry, du moins pas devant moi. Je veux être bon. Je ne puis supporter l'idée d'avoir une âme hideuse.

— Voilà pour la morale une base délicieuse et très artistique, Dorian ! Je vous félicite. Mais comment comptez-vous commencer ?

— En épousant Sibyl Vane.

— En épousant Sibyl Vane ! » s'écria Lord Henry, qui se releva et le contempla avec stupéfaction et perplexité. « Mais, mon cher Dorian...

— Oui, Harry, je sais ce que vous allez dire. Quelque chose d'horrible sur le mariage. Ne le dites pas. Ne me parlez plus jamais ainsi. Il y a deux jours, j'ai demandé à Sibyl de m'épouser. Je n'ai pas l'intention de me dérober à ma promesse envers elle. Elle sera ma femme !

— Votre femme ! Dorian !... Vous n'avez pas reçu ma lettre ? Je vous ai écrit ce matin, et j'ai fait porter ma note par mon domestique.

— Votre lettre ? Ah oui, je m'en souviens. Je ne l'ai pas encore lue, Harry. Je craignais qu'elle ne contînt quelque chose qui me déplairait. Avec vos épigrammes, vous mettez la vie en pièces.

— Ainsi vous ne savez rien ?

— Que voulez-vous dire ? »

Lord Henry traversa la pièce pour s'asseoir auprès de Dorian Gray, lui prit les deux mains, les mit dans les siennes et les serra fortement. « Dorian, dit-il, ma lettre — n'ayez pas peur — voulait vous informer que Sibyl Vane est morte. »

Un cri de douleur jaillit des lèvres du jeune homme, et il se redressa d'un bond, arrachant ses deux mains à l'étreinte de Lord Henry. « Morte ! Sibyl est morte ! Ce n'est pas vrai ! C'est un mensonge abominable ! Comment osez-vous ?

— C'est absolument vrai, Dorian, dit Lord Henry, d'une voix grave. Les journaux du matin l'annoncent tous. Je vous ai écrit pour vous demander de ne recevoir personne avant que je sois venu vous voir. Il va y avoir, bien évidemment, une enquête judiciaire[1], et il ne faut pas que vous y soyez mêlé. À Paris ce genre d'affaire vous rend célèbre. Mais à Londres, les gens ont trop de préjugés. Ici, il est hors de question de faire ses *débuts* avec un scandale. Mieux vaut réserver cela pour donner un intérêt à ses vieux jours. Je suppose qu'au théâtre on ignore votre nom ? Si c'est le cas, tout va bien. Quelqu'un vous a-t-il vu aller dans sa loge ? Le point est important. »

Dorian resta quelques instants sans répondre. L'horreur l'avait hébété. Il finit par balbutier d'une voix étranglée. « Harry, vous avez bien parlé d'enquête ? Que vouliez-vous dire ? Est-ce que Sibyl — ? Oh, Harry, je ne peux pas le supporter ! Mais répondez-moi vite. Dites-moi tout sur-le-champ.

— Je suis convaincu qu'il ne s'agit pas d'un accident, Dorian, même si c'est ainsi qu'il faudra présenter les faits à l'opinion. Il semble qu'au moment où elle quittait le théâtre avec sa mère, vers minuit et demi, elle ait dit avoir oublié quelque chose à l'étage. On l'a attendue quelques instants, mais elle ne redescendait pas. On a fini par la retrouver morte sur le sol de sa loge. Elle avait avalé quelque chose par erreur, un produit horrible qu'on utilise au théâtre. Je ne sais pas ce que c'était, mais cela contenait de l'acide prussique ou du blanc de plomb. Je pense que c'était de l'acide prussique, car elle est apparemment morte instantanément.

— Harry, Harry, c'est atroce ! s'écria le jeune homme.

— Oui ; c'est extrêmement tragique, sans nul doute, mais il ne faut pas que vous y soyez mêlé. J'ai découvert dans *The Standard* qu'elle avait dix-sept ans. Je l'aurais crue un peu plus jeune. Elle avait tellement l'air d'une enfant, et semblait une actrice si peu expérimentée. Dorian, il ne faut pas que vous laissiez cet événement ébranler vos nerfs. Il faut que vous veniez dîner avec moi, après quoi nous irons à l'Opéra. C'est une soirée Patti[1], et tout le monde sera là. Vous pouvez venir dans la loge de ma sœur. Elle est accompagnée de quelques femmes élégantes.

— J'ai donc assassiné Sibyl Vane, dit Dorian Gray, se parlant à demi à lui-même, je l'ai assassinée aussi sûrement que si j'avais tranché son petit cou à l'aide d'un couteau. Et pourtant les roses n'en sont pas moins belles. Les oiseaux, dans mon jardin, chantent aussi gaiement. Et ce soir, je dois dîner avec vous, puis aller à l'Opéra, et ensuite, je suppose, souper quelque part. Quel extraordinaire théâtre, en vérité, que la vie ! Si j'avais lu tout cela dans un livre, Harry, je crois que mes larmes auraient coulé. D'une certaine façon, maintenant que les événements ont effectivement eu lieu et que je les ai vécus, cela me paraît bien trop prodigieux pour que j'en pleure. Voici la première lettre d'amour ardent que j'aie écrite de ma vie. N'est-il pas étrange que ma première lettre d'amour ardent ait été destinée à une jeune morte ? Éprouvent-ils des sentiments, ces êtres blanchis et muets que nous appelons les morts ? je me le demande. Sibyl ! Est-elle capable de sentir, de connaître, d'entendre ? Oh, Harry, comme je l'ai aimée, jadis ! J'ai à présent l'impression qu'il y a de cela des années. Elle était tout pour moi. Puis ce fut cette affreuse soirée — était-ce vraiment hier ? — où elle a si mal joué, et où mon cœur a failli se briser. Elle m'a tout expliqué. C'était terriblement pathétique. Mais je n'ai pas ressenti la moindre émotion. Je l'ai jugée superficielle. Et soudain quelque chose s'est produit qui m'a épouvanté. Je ne puis vous dire ce que c'était, mais ce fut terrifiant. Je me suis dit que je retournerais vers elle. Je sentais que j'avais mal agi. Et voilà qu'elle est morte. Mon Dieu ! Mon Dieu ! Harry, que vais-je faire ? Vous n'avez aucune idée du danger qui me guette, et il n'y a rien qui puisse me maintenir dans le droit chemin. Elle l'aurait fait pour moi. Elle n'avait pas le droit de se tuer. Elle a fait preuve d'égoïsme.

— Mon cher Dorian », répliqua Lord Henry en tirant une cigarette de son étui, puis en sortant une boîte d'allumettes en or fin, « le seul moyen qu'ait une femme d'amener un homme à se réformer est de l'ennuyer si radicalement qu'il en perde tout intérêt pour la vie. Si vous aviez épousé cette fille, vous auriez été malheureux comme les pierres. Bien sûr, vous l'auriez traitée gentiment. On peut toujours être gentil avec les gens pour lesquels on n'éprouve rien. Mais elle aurait eu tôt fait de découvrir que vous n'aviez pour elle qu'indifférence absolue. Et quand une femme découvre cela chez son mari, soit elle commence à s'habiller affreusement mal, soit elle porte des chapeaux très élégants qu'elle fait payer au mari d'une autre. Je ne parle pas de l'erreur sociale, qui aurait été lamentable et que, cela va de soi, je n'aurais pas permise, mais je vous assure que, dans tous les cas, l'affaire n'eût été d'un bout à l'autre qu'un échec absolu.

— Je suppose que vous avez raison », murmura le jeune homme qui, le visage affreusement blême, arpentait la pièce. « Mais je croyais que c'était là mon devoir. Ce n'est pas ma faute si cette horrible tragédie m'a empêché d'agir correctement. Je me rappelle vous avoir entendu dire qu'il y a une fatalité qui s'attache aux bonnes résolutions : elles sont prises toujours trop tard. Ce fut certainement le cas pour les miennes.

— Les bonnes résolutions sont des efforts inutiles pour contrarier les lois scientifiques. Elles n'ont d'autre source que la vanité. Leur résultat est parfaitement nul. Elles nous procurent de temps à autre quelques-unes de ces émotions somptueuses et stériles auxquelles les faibles trouvent un certain charme. Il n'y a rien de plus à dire en leur faveur. Ce n'est rien d'autre que des chèques tirés sur une banque où l'on n'a pas de compte ouvert.

— Harry, s'écria Dorian Gray en venant s'asseoir à côté de lui, comment se fait-il que je ne puisse ressentir cette tragédie avec toute l'intensité que je

souhaiterais ? Je ne pense pas être insensible.
Croyez-vous que je le sois ?

— Vous avez fait bien trop de sottises au cours de
la quinzaine écoulée pour avoir le droit de vous
donner ce titre, Dorian », répondit Lord Henry, qui
accompagna ces mots de son doux et mélancolique
sourire.

Le jeune homme se rembrunit. « Je n'aime pas cette
explication, Harry, répliqua-t-il, mais je suis content
que vous ne me jugiez pas sans cœur. Je ne le suis
absolument pas. Je le sais. Et pourtant je dois reconnaître que l'événement qui vient de se produire ne
m'affecte pas autant qu'il le devrait. Il ressemble simplement pour moi au dénouement merveilleux
d'une pièce merveilleuse. Il a toute la terrifiante
beauté d'une tragédie grecque, une tragédie dans
laquelle j'ai joué un rôle important, mais qui ne m'a
pas blessé.

— C'est là un problème intéressant », dit Lord
Henry, qui prenait un plaisir subtil à jouer sur le nar-
cissisme inconscient du jeune homme, « un problème extrêmement intéressant. J'ai idée que l'explication véritable est la suivante : les tragédies de la vie
réelle présentent fréquemment, quand elles survien-
nent, un aspect si peu artistique qu'elles nous cho-
quent par leur violence grossière, leur incohérence
absolue, leur absurde manque de sens, leur totale
absence de style. Elles nous affectent exactement
comme nous affecte la vulgarité. Elles ne nous donnent qu'une impression de force brutale, et c'est
contre cela que nous nous révoltons. Parfois cependant, notre vie croise une tragédie qui renferme des
éléments de beauté artistique. Si ces éléments de

beauté sont réels, l'ensemble fait tout simplement appel à notre sens du théâtre. Nous découvrons subitement que dans cette pièce nous ne sommes plus acteurs, mais spectateurs. Ou plutôt que nous appartenons à l'une et l'autre catégorie. Nous nous observons et sommes ensorcelés par le charme même du spectacle. Dans le cas qui nous occupe, que s'est-il passé en réalité ? Quelqu'un s'est tué par amour pour vous. Je regrette de n'avoir jamais connu une telle expérience. J'en serais, pour le reste de ma vie, devenu amoureux de l'amour. Les personnes qui m'ont adoré — il n'y en a pas eu un très grand nombre, mais il y en a eu quelques-unes — ont toujours tenu à survivre longtemps après que j'avais cessé de les aimer ou elles de m'aimer. Elles sont devenues corpulentes et ennuyeuses, et quand je les rencontre, elles se lancent immédiatement dans des réminiscences. Ah ! cette terrible mémoire qu'ont les femmes ! C'est une chose effrayante. Et combien révélatrice d'un marasme intellectuel absolu ! Il faut absorber la couleur de la vie, mais ne jamais en retenir les détails. Les détails sont toujours vulgaires.

— Il faut que je sème des pavots dans mon jardin, soupira Dorian.

— Ce n'est pas nécessaire, répliqua son compagnon. La vie a toujours des pavots plein les mains. Certes les choses traînent parfois. Il m'est jadis arrivé de ne porter que des violettes pendant toute une saison, en signe de deuil artistique pour une histoire d'amour qui refusait de mourir. En fin de compte, elle est quand même morte. Je ne me rappelle pas ce qui l'a tuée. Je crois que c'est la proposition de ma

partenaire de me sacrifier l'univers entier. Ces
instants-là sont toujours affreux. On se sent envahi
par la terreur de l'éternité. Eh bien, le croirez-vous ?
la semaine passée, dînant chez Lady Hampshire, je
me suis retrouvé assis à côté de la dame en question,
et elle a tenu à rappeler toute l'histoire, à déterrer le
passé et à labourer l'avenir. J'avais enseveli mon
amour sous un lit d'asphodèles. Elle l'en a tiré et m'a
assuré que je lui avais gâché la vie. Je dois préciser
qu'elle a fait un repas gigantesque, ce qui m'a
épargné toute inquiétude. Mais quel manque de
goût ! Le seul charme du passé réside dans ce qu'il
est le passé. Mais les femmes ne voient jamais que
le rideau est tombé. Elles veulent toujours un
sixième acte, et dès que la pièce a perdu tout intérêt,
elles suggèrent sa continuation. Si on leur accordait
ce qu'elles demandent, toute comédie aurait un
dénouement tragique, et toute tragédie se termine-
rait en farce. Elles sont adorablement artificielles,
mais elles n'ont aucun sens artistique. Vous avez
plus de chance que moi. Je vous assure, Dorian,
qu'aucune des femmes que j'ai connues n'eût fait
pour moi ce que Sibyl Vane a fait pour vous. Les
femmes ordinaires se consolent toujours. Certaines
le font en arborant des couleurs sentimentales. Ne
vous fiez jamais, quel que soit son âge, à une femme
qui porte du mauve, ni à une femme de plus de
trente-cinq ans qui aime les rubans roses. Cela
signifie toujours qu'elles ont un passé. D'autres se
consolent merveilleusement en découvrant les qualités de leur mari. Elles vous jettent leur bonheur
conjugal à la figure comme si c'était le plus fascinant
des péchés. La religion en console d'autres. Ses mys-

tères ont tout le charme d'un flirt, comme m'a dit
une fois l'une d'entre elles ; et je le comprends fort
bien. D'ailleurs rien n'est aussi flatteur que de
s'entendre dire que l'on est un pécheur. La conscience nous rend tous narcissiques. Oui, les consola-
tions offertes aux femmes par la vie moderne sont
infinies. D'ailleurs, je n'ai pas mentionné la plus
importante d'entre elles.

— Laquelle, Harry ? demanda le jeune homme
avec nonchalance.

— Oh, la consolation la plus évidente. Celle qui
consiste, quand on a perdu son admirateur, à
prendre celui d'une autre. Dans la bonne société, le
procédé blanchit toujours une femme. Mais en
vérité, Dorian, comme Sibyl Vane devait peu ressembler à toutes les femmes que l'on rencontre ! Il y a
pour moi quelque chose de très beau dans sa mort. Je
suis heureux de vivre en un siècle qui voit se produire de telles merveilles. Elles vous font croire à la
réalité de ces choses avec lesquelles nous jouons
tous : le romanesque, la passion, l'amour.

— J'ai été envers elle d'une cruauté abominable.
Vous l'oubliez.

— Je crains que les femmes n'apprécient plus que
tout la cruauté, la cruauté pure et simple. Elles ont
des instincts prodigieusement primitifs. Nous les
avons émancipées, mais elles restent des esclaves qui
cherchent leur maître. Elles adorent être dominées.
Je suis sûr que vous avez été splendide. Je ne vous ai
encore jamais vu vraiment et totalement furieux,
mais j'imagine que vous étiez superbe. Et, après tout,
vous m'avez dit avant-hier quelque chose qui m'a
paru sur le moment simplement fantaisiste, mais

qui, je le vois à présent, était totalement vrai, et qui est la clef de tout ce qui s'est passé.

— De quoi s'agit-il, Harry ?

— Vous m'avez dit que Sibyl Vane représentait pour vous toutes les héroïnes romanesques, qu'elle était un soir Desdémone, un autre soir Ophélie ; que si elle mourait en Juliette, elle renaissait en Imogène.

— Elle ne renaîtra plus à présent », murmura le jeune homme, qui enfouit son visage entre ses mains.

« Non, elle ne renaîtra plus jamais. Elle a joué son dernier rôle. Mais cette mort solitaire dans une loge miteuse, il faut que vous vous la représentiez simplement comme un passage étrange et haut en couleur tiré d'une tragédie jacobéenne, comme une scène merveilleuse de Webster, de Ford, ou de Cyril Tourneur[1]. C'est une jeune fille qui n'a jamais vraiment vécu, elle n'a donc jamais vraiment péri. Pour vous en tout cas elle a toujours été un rêve, une apparition dont le vol a traversé les pièces de Shakespeare et les a embellies de sa présence, un roseau d'où la musique de Shakespeare s'exhalait plus riche et plus gaie. Dès qu'elle a effleuré la vie réelle, elle l'a abîmée, et s'est retrouvée abîmée par elle, et elle en est morte. Portez si vous le souhaitez le deuil d'Ophélie. Couvrez-vous la tête de cendres parce que Cordélia a été étranglée. Lancez des imprécations contre les dieux parce que la fille de Brabantio[2] est morte. Mais ne gaspillez pas vos larmes pour Sibyl Vane. Elle était moins réelle que toutes celles-là ne le sont. »

Il y eut un silence. La pièce s'assombrissait avec le soir. Silencieuses, les ombres du jardin progressaient de leurs pieds argentés. Les couleurs des choses, lassées, s'éteignaient.

Au bout de quelque temps, Dorian Gray leva les yeux. « Vous m'avez expliqué à moi-même, Harry, murmura-t-il avec une sorte de soupir de soulagement. Tout ce que vous m'avez dit, je le sentais, mais d'une certaine façon j'en avais peur, et j'étais incapable de me l'exprimer à moi-même. Comme vous me connaissez bien ! Mais nous ne parlerons plus de ce qui s'est passé. Ce fut une expérience extraordinaire. Voilà tout. Je me demande si la vie me réserve encore rien d'aussi extraordinaire.

— La vie vous réserve tout, Dorian. Avec votre prodigieuse beauté, il n'y a rien que vous ne puissiez faire.

— Mais supposez, Harry, que je devienne hâve, vieux, ridé ? Que se passera-t-il ?

— Ah ! en ce cas, dit Lord Henry en se levant pour prendre congé, en ce cas, mon cher Dorian, vous auriez à combattre pour remporter vos victoires. Pour l'instant, elles vous sont apportées comme sur un plateau. Non, il faut que vous conserviez votre beauté. Nous vivons en un siècle qui lit trop pour être sage, et qui pense trop pour être beau. Vous nous êtes indispensable. Et maintenant, vous feriez mieux de vous habiller et de vous faire conduire au club. Nous sommes déjà fort en retard.

— Je crois que je vous rejoindrai à l'Opéra, Harry. Je me sens trop fatigué pour manger quoi que ce soit. Quel est le numéro de la loge de votre sœur ?

— Vingt-sept, je crois. Elle se trouve à la corbeille. Vous verrez son nom sur la porte. Mais je suis désolé que vous ne veniez pas dîner.

— Je ne me sens pas d'attaque, dit Dorian avec nonchalance. Mais je vous suis très reconnaissant de tout ce que vous m'avez dit. Vous êtes incontestablement mon meilleur ami. Personne ne m'a jamais compris comme vous le faites.

— Nous n'en sommes qu'au début de notre amitié, Dorian, répondit Lord Henry en lui serrant la main. Au revoir. Je vous verrai avant neuf heures et demie, j'espère. N'oubliez pas que c'est la Patti qui chante. »

Pendant qu'il fermait la porte derrière lui, Dorian Gray actionna la sonnette et au bout de quelques minutes, Victor arriva avec les lampes, et il abaissa les stores. Dorian attendait impatiemment son départ. Chacun de ses gestes semblait lui prendre un temps infini.

Dès qu'il fut sorti, Dorian se précipita vers le paravent, et l'écarta. Non, rien d'autre n'avait changé dans le portrait. Il avait appris la nouvelle de la mort de Sibyl Vane avant que lui-même n'en eût été informé. Il avait conscience des événements de la vie à mesure qu'ils se produisaient. La cruauté perverse qui déformait les lignes séduisantes de la bouche était sûrement apparue au moment même où la jeune fille avait absorbé le poison, quel qu'il ait pu être. Ou bien était-il indifférent aux résultats ? Se contentait-il de prendre connaissance de ce qui se passait dans l'âme ? Dorian s'interrogeait, espérant qu'un jour il verrait le changement se produire sous ses yeux, et de l'espérer le fit frissonner.

Pauvre Sibyl ! Quelle merveilleuse aventure ç'avait été ! Elle avait bien souvent simulé la mort sur scène. Puis la mort elle-même l'avait touchée, et l'avait emportée. Comment avait-elle joué cette horrible scène finale ? Sur le point de mourir, l'avait-elle maudit ? Non ; elle était morte d'amour pour lui, et désormais pour lui l'amour serait pour toujours un sacrement. Elle avait tout expié en faisant le sacrifice de sa vie. Il ne penserait plus à ce qu'elle lui avait fait subir, lors de cette soirée atroce au théâtre. Quand il songerait à elle, ce serait comme à une merveilleuse figure de tragédie placée sur la scène du monde pour prouver la suprême réalité de l'amour. Une merveilleuse figure de tragédie ? Les larmes lui montèrent aux yeux au souvenir de son aspect enfantin, de ses manières fantasques, captivantes, et de sa grâce frémissante et timide. Il les essuya en hâte, et scruta de nouveau le portrait.

Il sentait que le moment était véritablement venu pour lui de faire un choix. Mais son choix n'avait-il pas déjà été fait ? Oui, la vie avait décidé pour lui — la vie, mais aussi la curiosité infinie qu'il portait à la vie. Jeunesse éternelle, passion sans limites, plaisirs subtils et secrets, joies sauvages et péchés plus sauvages encore : il lui fallait tout cela. Au portrait de porter le fardeau de sa honte, voilà tout.

Un sentiment de douleur l'envahit à la pensée de la dégradation qui attendait le beau visage fixé sur la toile. Jadis, dans une parodie puérile de Narcisse, il avait baisé, ou feint de baiser, ces lèvres peintes qui maintenant lui souriaient si cruellement. Combien de matinées avait-il passées devant le portrait, s'émerveillant de sa beauté, devenant, lui semblait-il parfois, presque amoureux de lui ! Se modifierait-il désormais à chaque caprice auquel il céderait ? Deviendrait-il un objet monstrueux, répugnant, qu'il faudrait cacher dans une pièce fermée à double tour, priver de la lumière de ce soleil qui avait si souvent métamorphosé en or éclatant ses merveilleux cheveux bouclés ? Quelle pitié ! quelle pitié !

Un instant il songea à prier pour que disparût l'abominable sympathie qui l'unissait au tableau. C'était en réponse à une prière que ce dernier avait changé ; peut-être pourrait-il, en réponse à une autre prière, rester inaltérable. Qui donc pourtant, connaissant la vie, renoncerait à l'espoir de rester éternellement jeune, quelque invraisemblable que cet espoir pût être, ou quelques fatales que pussent en être les conséquences ? Du reste, cela dépendait-il vraiment de lui ? Était-ce effectivement sa prière qui avait entraîné la substitution ? Ne se pourrait-il pas qu'il y eût à tout cela une mystérieuse raison scientifique ? Si la pensée était capable d'influer sur un organisme vivant, était-il impossible que la pensée pût influer sur des choses mortes et inorganiques ? Était-il même impossible qu'en dehors de toute pensée et de tout désir conscient des choses extérieures à nous vibrent à l'unisson de nos humeurs et de nos passions, un atome en appelant un autre en fonction de quelque amour ou de quelque étrange affinité ? Mais peu importait la raison de tout cela. Jamais plus il ne tenterait par une prière les puissances redoutables. Si le portrait devait changer, il changerait. Voilà tout. Pourquoi s'interroger trop avant ?

Car il y aurait à le scruter un plaisir véritable. Il pourrait suivre son esprit dans ses recoins les plus secrets. Ce portrait serait pour lui le plus magique des miroirs. Comme il lui avait révélé son corps, il lui

révélerait son âme. Et quand l'hiver atteindrait le
portrait, lui-même se tiendrait encore en ce point où
le printemps tressaille au bord de l'été. Quand le
sang se serait retiré de ce visage pour n'y laisser
qu'un masque de craie blafard aux yeux de plomb,
lui-même conserverait tout le charme de l'adolescence. Pas une seule des fleurs de sa beauté ne se
fanerait jamais. Pas une seule pulsation de sa vie ne
se ralentirait jamais. Comme les dieux des Grecs, il
resterait fort, agile et joyeux. Qu'importait ce qui
arriverait à l'image en couleurs peinte sur la toile ? Il
serait à l'abri. C'était la seule chose qui comptât.

Un sourire aux lèvres, il replaça le paravent à sa
place antérieure, devant le portrait, et gagna sa
chambre à coucher, où son valet l'attendait déjà. Une
heure plus tard, il était à l'Opéra, et Lord Henry se
penchait vers son fauteuil.

## 9

Le lendemain matin, tandis qu'il prenait son petit déjeuner, Basil Hallward fut introduit dans la pièce.

« Je suis très heureux de te trouver, Dorian, dit-il avec gravité. Je suis passé hier soir, et l'on m'a dit que tu étais à l'Opéra. Évidemment, je savais que c'était impossible. Mais je regrette que tu n'aies pas laissé un message disant où tu te trouvais réellement. J'ai passé une soirée épouvantable, craignant presque qu'une première tragédie ne fût suivie d'une seconde. Il me semble que tu aurais pu m'envoyer un télégramme dès que tu as appris la nouvelle. Je l'ai lue tout à fait par hasard dans une édition tardive du *Globe* que j'ai trouvée au club. Je suis venu ici aussitôt, et j'ai été très triste de ne pas te trouver. Je ne saurais te dire à quel point j'ai le cœur brisé devant tout cela. Je sais combien tu dois souffrir. Mais où donc étais-tu ? Es-tu allé voir la mère de cette jeune fille ? J'ai quelque temps envisagé de te rejoindre chez elle. Le journal donnait l'adresse. Quelque part sur Euston Road, c'est bien cela ? Mais j'ai eu peur de m'immiscer dans une douleur que j'aurais été incapable d'alléger. Pauvre femme ! Songe à l'état dans lequel elle doit se trouver ! Et c'était, de surcroît, son unique enfant ! Que dit-elle de tout cela ?

— Mon cher Basil, comment le saurais-je ? » murmura Dorian Gray, en buvant à petites gorgées, avec l'air de s'ennuyer profondément, un vin jaune clair qui remplissait un élégant verre soufflé vénitien tout orné de perles d'or. « J'étais à l'Opéra. Tu aurais dû venir. J'ai rencontré pour la première fois Lady Gwendolen, la sœur de Harry. Nous étions dans sa loge. Elle est absolument charmante ; et la Patti a chanté divinement bien. Ne me parle pas de sujets affreux. Il suffit de ne pas parler d'un événement pour qu'il ne se soit jamais produit. Comme le dit Harry, c'est seulement de les exprimer qui donne aux choses leur réalité. Je me permets de te signaler que ce n'était pas l'unique enfant de cette femme. Il y a un garçon, quelqu'un de charmant, je crois. Mais il n'est pas acteur. C'est un marin, ou quelque chose de ce genre. À présent, parle-moi de toi et de ce que tu es en train de peindre.

— Tu étais à l'Opéra ? » dit Hallward, parlant très lentement, avec dans la voix une tension douloureuse. « Tu étais à l'Opéra pendant que Sibyl Vane gisait morte dans une chambre sordide ? Tu es capable de me parler du charme d'autres femmes et de la Patti qui chantait divinement, avant même que la jeune fille que tu aimais ait trouvé à s'endormir dans le repos d'une tombe ? Enfin, que diable, songes-tu à l'horreur qui attend son petit corps tout blanc ?

— Arrête, Basil ! Je refuse de t'écouter ! s'écria

Dorian, en se dressant d'un bond. Je t'interdis de me faire des reproches. Ce qui est fait est fait. Ce qui est passé est passé.

— Parce que pour toi hier appartient au passé ?

— Ce n'est pas une question de durée effective ! Seuls les êtres superficiels ont besoin de plusieurs années pour se débarrasser d'une émotion. Dès qu'un homme est maître de lui, il peut aussi aisément faire cesser une douleur qu'inventer un plaisir. Je refuse d'être à la merci de mes émotions. Je veux m'en servir, en jouir, et les dominer.

— Dorian, c'est abominable ! Quelque chose t'a changé de fond en comble. À te voir, tu es exactement le même garçon merveilleux que celui qui, jour après jour, venait dans mon atelier poser pour son portrait. Mais en ce temps-là tu étais simple, naturel et affectueux. Tu étais l'être le moins souillé qui fût au monde. Maintenant, je ne sais ce qui s'est emparé de toi. Tu parles comme si tu n'avais pas de cœur, comme si tu ne connaissais pas la compassion. Tout cela, c'est l'influence de Harry. Je m'en rends bien compte. »

Le visage du jeune homme s'empourpra et, gagnant la fenêtre, il observa un instant le jardin verdoyant qui miroitait sous les coups du soleil. « Je dois beaucoup à Harry, Basil, dit-il enfin, plus que je ne te suis redevable. Toi, tu m'as seulement appris la vanité.

— Eh bien, m'en voilà puni, Dorian — ou je le serai tôt ou tard.

— Je ne vois pas ce que tu veux dire, Basil, s'écria Dorian en se retournant. Je ne sais pas ce que tu veux. Que veux-tu ?

— Je veux le Dorian Gray que je peignis jadis, dit l'artiste avec tristesse.

— Basil », dit le jeune homme en s'approchant de lui et en lui posant la main sur l'épaule, « tu es arrivé trop tard. Hier, lorsque j'ai appris que Sibyl Vane s'était suicidée...

— Suicidée ! Grands dieux ! N'y a-t-il aucun doute sur ce point ? s'écria Hallward, levant les yeux vers lui avec une expression horrifiée.

— Mon cher Basil ! Tu ne penses quand même pas qu'il s'agit d'un vulgaire accident ? Bien sûr qu'elle s'est suicidée. »

Son aîné enfouit son visage entre ses mains. « C'est affreux », murmura-t-il, et un frisson le secoua.

« Non, dit Dorian Gray, il n'y a là rien d'affreux. C'est l'une des grandes tragédies romantiques de notre époque. En règle générale, les comédiens mènent la vie la plus banale qui soit. Ce sont de bons maris ou des épouses fidèles, bref, des gens ennuyeux. Tu vois ce que je veux dire : la vertu bourgeoise, et cetera. Avec Sibyl, quelle différence ! Elle a vécu sa plus belle tragédie. Elle a toujours été une héroïne. Le dernier soir où elle a joué, le soir où tu l'as vue, elle jouait mal parce qu'elle avait rencontré la réalité de l'amour. Quand elle en a connu l'irréalité, elle est morte, comme Juliette aurait pu mourir. Elle a regagné la sphère de l'art. Elle avait quelque chose d'une martyre. Sa mort présente toute l'inutilité pathétique, tout le gaspillage de beauté, propres au martyre. Mais, comme je te le disais, il ne faut pas croire que je n'aie pas souffert. Si tu étais arrivé hier à un certain moment — vers cinq heures et demie peut-être, ou six heures moins le quart — tu m'aurais

trouvé en larmes. Même Harry, qui était ici, et qui en
fait m'a appris la nouvelle, n'avait pas la moindre
idée de ce que j'endurais. J'ai souffert immensément.
Et puis cela est passé. Je suis incapable de répéter
une émotion. Personne n'en est capable, à moins
d'être sentimental. Et puis tu es très injuste, Basil. Tu
viens ici pour me consoler. C'est très gentil à toi. Tu
me trouves consolé, et tu te mets en colère. La belle
sympathie ! Tu me rappelles une histoire que Harry
m'a racontée, à propos d'un philanthrope qui avait
passé vingt ans de sa vie à obtenir le redressement
d'un tort ou la modification d'une loi injuste — j'ai
oublié ce que c'était exactement. Il finit par réussir,
et sa déception ne connut pas de bornes. Il n'avait
absolument plus rien à faire, il faillit mourir d'*ennui*,
et devint un misanthrope confirmé. Et d'ailleurs,
cher vieux Basil, si tu veux vraiment me consoler,
apprends-moi plutôt à oublier ce qui s'est passé, ou à
le considérer sous l'angle artistique qui convient.
N'est-ce pas Gautier qui avait coutume de parler de
*la consolation des arts*[1] ? Je me rappelle avoir trouvé
un jour dans ton atelier un petit livre à couverture
de vélin et être tombé sur cette expression délicieuse. Que veux-tu, je ne suis pas comme ce jeune
homme dont tu m'as parlé lorsque nous étions
ensemble à Marlow, celui qui disait que le satin jaune
console de tous les malheurs de la vie. J'adore les
beaux objets que l'on peut toucher et manier. Vieux
brocarts, bronzes verdis, laques, ivoire sculpté, cadre
raffiné, luxe, pompe — de tout cela du plaisir peut
naître. Mais le tempérament artistique que ces éléments créent, ou du moins révèlent, est encore plus
précieux à mes yeux. Devenir le spectateur de sa

propre vie, comme le dit Harry, c'est échapper aux souffrances de la vie. Je sais que tu es surpris de m'entendre parler ainsi. Tu ne t'es pas rendu compte à quel point j'ai mûri. Quand nous avons fait connaissance, j'étais un écolier. À présent, je suis un homme. J'ai de nouvelles passions, de nouvelles pensées, de nouvelles idées. Je suis différent, mais il ne faut pas que tu m'en aimes moins pour autant. Je suis changé, mais il faut que tu restes à jamais mon ami. Certes je suis très attaché à Harry. Mais je sais que tu vaux mieux que lui. Tu n'es pas plus fort — tu as beaucoup trop peur de la vie — mais tu es meilleur. Et comme nous étions heureux ensemble ! Ne m'abandonne pas, Basil, et ne me cherche pas querelle. Je suis ce que je suis. Il n'y a rien de plus à dire. »

Le peintre se sentit envahi d'une étrange émotion. Le jeune homme lui était infiniment cher, et sa personnalité avait produit dans son art un tournant décisif. Il ne pouvait envisager de le blâmer davantage. Après tout, son indifférence n'était probablement qu'une humeur passagère. Il y avait en lui tant de noblesse, il y avait en lui tant de vertu.

« Eh bien, Dorian, finit-il par dire avec un sourire attristé, je ne te parlerai plus, désormais, de cet horrible événement. J'espère seulement que l'on ne mentionnera pas ton nom à son propos. L'enquête judiciaire doit avoir lieu cet après-midi. As-tu été convoqué ? »

Dorian secoua la tête, cependant qu'au mot « enquête » un air de contrariété passait sur son visage. Tout cela avait quelque chose de si grossier, de si vulgaire. « Personne ne connaît mon nom, répondit-il.

— Mais elle, elle le connaissait certainement ?

— Elle ne connaissait que mon prénom, mais je suis sûr qu'elle ne l'a jamais indiqué à personne. Elle m'a expliqué un jour qu'ils étaient tous très curieux de savoir qui j'étais, et qu'elle leur répondait invariablement que mon nom était " Prince Charmant ". C'était adorable de sa part. Basil, il faut que tu me fasses un dessin de Sibyl. J'aimerais avoir d'elle autre chose que le souvenir de quelques baisers et de quelques phrases décousues pleines de pathos.

— J'essaierai de faire quelque chose, Dorian, si cela peut te faire plaisir. Mais il faut que tu reviennes toi-même poser pour moi. Je ne puis me passer de toi.

— Je ne pourrai plus jamais poser pour toi, Basil. C'est impossible ! » s'écria-t-il avec un mouvement de recul.

Le peintre le regarda avec stupéfaction. « Mon petit, c'est absurde ! s'écria-t-il. Tu veux dire que tu n'aimes pas le portrait que j'ai fait de toi ? Où est-il ? Pourquoi l'as-tu placé derrière ce paravent ? Laisse-moi le regarder. C'est le plus beau travail que j'aie jamais réalisé. Enlève le paravent, Dorian. Je trouve honteux que ton domestique dissimule ainsi mon œuvre. Je sentais bien en entrant que la pièce avait une allure différente.

— Mon domestique n'y est pour rien, Basil. Tu n'imagines quand même pas que je le laisse aménager la pièce à ma place ? Il lui arrive de disposer mes fleurs, un point, c'est tout. Non, c'est moi qui l'ai fait. La lumière l'éclairait trop brutalement.

— Trop brutalement ! Mais, cher ami, c'est

impossible ! L'endroit est idéal. Laisse-moi le voir. »
Et Hallward se dirigea vers l'angle de la pièce.

Un cri de terreur s'échappa des lèvres de Dorian
Gray, et il se précipita pour s'interposer entre le
peintre et le paravent. « Basil, dit-il, le visage très
pâle, il ne faut pas que tu le regardes. Je ne le souhaite pas.

— Que je ne regarde pas une œuvre que j'ai faite !
Tu n'es pas sérieux. Pourquoi ne devrais-je pas la
regarder ? » s'exclama Hallward en riant.

— Si tu essaies de le regarder, Basil, je te donne
ma parole d'honneur qu'aussi longtemps que je
vivrai, je ne t'adresserai plus la parole. Je suis tout à
fait sérieux. Je ne te donnerai aucune explication, et
je te prie de ne pas m'en demander. Mais rappelle-toi
bien : si tu touches à ce paravent, tout est fini entre
nous. »

Hallward était médusé. Il dévisagea Dorian Gray
avec une stupéfaction infinie. Il ne l'avait encore
jamais vu ainsi. Le jeune homme était véritablement
blême de rage. Il avait les mains crispées, et les
pupilles de ses yeux ressemblaient à deux disques de
feu de couleur bleue. Il tremblait de tous ses membres.

« Dorian !

— Pas un mot !

— Mais que se passe-t-il ? Bien sûr, si tu me
l'interdis, je ne le regarderai pas », dit-il d'un ton
plutôt froid en tournant les talons pour se diriger
vers la fenêtre. « Mais en vérité ne trouves-tu pas
légèrement ridicule que je ne puisse pas regarder
une œuvre que j'ai faite, d'autant que je vais
l'exposer à Paris cet automne. Il me faudra sans

doute auparavant lui passer une nouvelle couche de
vernis ; je serai donc bien obligé de la voir un jour ou
l'autre : pourquoi pas aujourd'hui ?

— L'exposer ! Tu veux l'exposer ? » s'exclama
Dorian Gray, qu'envahit une étrange terreur. Le
monde entier allait-il connaître son secret ? Allait-on
contempler bouche bée le mystère de sa vie ? C'était
impossible. Il fallait sur-le-champ faire quelque
chose, il ne savait pas au juste quoi.

« Oui ; je pense que tu n'y verras pas d'objection.
Georges Petit va rassembler les meilleurs de mes
tableaux pour monter rue de Sèze une exposition
spéciale[1] qui ouvrira dans la première semaine
d'octobre. Le portrait ne sera absent qu'un mois. Je
suppose que tu peux t'en séparer pour un si court
laps de temps. En fait, à cette date tu auras sûrement
quitté la capitale. D'ailleurs si tu le gardes caché derrière un paravent, c'est que tu n'y tiens pas
beaucoup. »

Dorian Gray se passa la main sur le front. Des
gouttelettes de sueur y perlaient. Il se sentait menacé
d'un péril effrayant. « Tu m'as dit il y a un mois que
tu ne l'exposerais jamais ! s'écria-t-il. Pourquoi as-tu
changé d'avis ? Tu es comme tous ces gens qui se pré-
tendent logiques : vous faites autant de caprices que
les autres. La seule différence, c'est que vos caprices
n'ont absolument aucun sens. Ce n'est pas possible
que tu aies déjà oublié m'avoir assuré avec la plus
grande solennité que rien au monde ne pourrait te
convaincre de l'envoyer dans une exposition. Tu as
dit exactement la même chose à Harry. » Il s'interrompit subitement, et une lueur apparut dans ses
yeux. Il se rappelait que Lord Henry lui avait un jour

dit, mi-sérieux, mi-plaisant : « Si vous voulez passer un quart d'heure insolite, obtenez de Basil qu'il vous dise pourquoi il refuse d'exposer votre portrait. Il m'en a donné l'explication, et ce fut pour moi une révélation. » Oui, peut-être Basil avait-il, lui aussi, son secret. Il allait lui poser la question, pour voir.

« Basil », dit-il, s'approchant tout près de lui et le regardant droit dans les yeux, « nous avons chacun un secret. Dis-moi le tien, et je te dirai le mien. Pour quelle raison refusais-tu d'exposer mon portrait ? »

Le peintre ne put s'empêcher de frissonner. « Dorian, si je te le disais, tu perdrais peut-être un peu de l'affection que tu me portes, et tu te moque-rais sûrement de moi. Je ne supporterais ni l'un ni l'autre. Si tu souhaites que je ne regarde plus jamais ton portrait, je m'en satisfais. Il me reste toujours la possibilité de te regarder, toi. Si tu souhaites que la plus belle œuvre que j'aie jamais réalisée soit cachée au monde, je m'en satisfais. Ton amitié m'est plus chère que la gloire et la réputation.

— Non, Basil, il faut que tu me le dises, insista Dorian Gray. Je crois avoir le droit de savoir. » Son sentiment de terreur s'était dissipé, pour être rem-placé par la curiosité. Il était décidé à découvrir le mystère de Basil Hallward.

« Asseyons-nous, Dorian, dit le peintre, qui avait l'air troublé. Asseyons-nous. Et réponds à une seule question. As-tu remarqué quelque chose de curieux dans le portrait ? quelque chose qui ne t'avait sans doute pas frappé à l'origine, mais qui s'est soudaine-ment révélé à toi ?

— Basil ! » s'écria le jeune homme, qui agrippa de ses mains tremblantes les accoudoirs de son fauteuil, et le contempla avec des yeux égarés remplis d'inquiétude.

« Je vois que c'est bien le cas. Ne dis rien. Attends d'avoir entendu ce que j'ai à dire. Dorian, dès l'instant où je t'ai rencontré, ta personnalité a exercé sur moi une influence absolument extraordinaire. J'ai été dominé par toi, dans mon âme, dans mon cerveau, dans mon énergie. Tu es devenu pour moi l'incarnation visible de cet idéal caché dont le souvenir nous hante, nous autres artistes, comme un rêve enchanteur. Je t'ai adoré. Dès que tu t'entretenais avec quelqu'un, j'en devenais jaloux. Je te voulais tout entier pour moi. Je n'étais heureux qu'en ta compagnie. Quand tu étais loin de moi, tu restais présent dans mon art... Bien sûr je ne t'ai jamais rien dit de tout cela. C'eût été impossible. Tu ne l'aurais pas compris. C'est à peine si je le comprenais moi-même. Tout ce que je savais, c'est que j'avais contemplé la perfection en face, et que le monde était devenu merveilleux à mes yeux — trop merveilleux, peut-être, car ces folles adorations sont sources de danger, danger de les perdre mais aussi danger de les garder... Les semaines et les mois passèrent, et je devins de plus en plus obsédé par toi. Puis il se produisit quelque chose de nouveau. Je t'avais représenté en Pâris revêtu d'une armure raffinée, et en Adonis portant habit de chasseur et tenant un épieu poli. Le front couronné de lourdes fleurs de lotus, tu avais pris place sur la barque d'Hadrien[1], portant tes regards sur l'autre rive du Nil aux eaux vertes et troubles. Tu t'étais penché au-dessus d'un étang immobile, dans un bosquet grec, et tu avais vu dans le silence argenté de l'eau cette merveille qu'est ton

visage[1]. Et tout cela avait été, comme il convient à
l'art, inconscient, idéal et lointain. Un jour, jour fatal
me semble-t-il parfois, je décidai de peindre un
magnifique portrait de toi tel que tu es en réalité,
non pas dans le costume des époques révolues, mais
dans ta tenue réelle et dans ton époque même. Fut-ce
le réalisme de la méthode, ou le simple éblouisse-
ment de ta personnalité qui m'était ainsi présentée
sans brume ni voile ? je ne sais. Mais je sais qu'à
mesure que j'y travaillais, chaque lamelle, chaque
couche de peinture me semblait révéler mon secret.
J'eus peur que d'autres ne découvrent mon idolâtrie.
Je sentis, Dorian, que j'en avais trop dit, que j'y avais
mis trop de moi-même. C'est alors que je résolus de
ne jamais permettre que le portrait fût exposé. Tu en
ressentis une certaine contrariété ; mais c'est que tu
ne te rendais pas compte de toute l'importance qu'il
revêtait pour moi. Harry, à qui j'en parlai, se moqua
de moi. Mais cela m'était égal. Quand le portrait fut
achevé et que je me retrouvai assis seul en face de lui,
je sus que j'avais raison... Enfin, au bout de quelques
jours, l'objet quitta mon atelier, et dès que je fus
débarrassé de la fascination intolérable que constituait sa présence, il me sembla que j'avais été stupide
de m'imaginer y voir quelque chose, si ce n'est ton
extrême beauté et mon talent de peintre. Aujour-
d'hui encore je ne peux m'empêcher de penser que
l'on a tort de croire que la passion éprouvée par le
créateur se révèle effectivement dans l'œuvre créée.
L'art est toujours plus abstrait que nous ne l'imagi-
nons. La forme et la couleur nous parlent de formes
et de couleurs, un point c'est tout. J'ai souvent le sentiment que l'art dissimule l'artiste bien plus complè-

tement qu'il ne le révèle. Si bien que lorsque je reçus cette offre de Paris, je décidai de faire de ton portrait le cœur de l'exposition. Jamais je n'aurais pensé que tu pusses refuser. Je vois à présent que tu avais raison. Le portrait ne saurait pas être montré. Il ne faut pas que tu m'en veuilles, Dorian, de ce que je t'ai dit. Comme je l'ai expliqué un jour à Harry, tu es fait pour être adoré. »

Dorian Gray prit une profonde inspiration. Ses joues reprirent leurs couleurs, et un sourire se dessina sur ses lèvres. Le péril était écarté. Il était pour l'instant en sûreté. Et cependant il ne pouvait se défendre d'une compassion infinie pour le peintre qui venait de lui faire cette étrange confession, et il se demanda s'il lui arriverait jamais, à lui aussi, d'être à ce point subjugué par la personnalité d'un ami. Le charme de Lord Henry venait de ce qu'il était très dangereux. Mais c'était tout. Il était trop intelligent et trop cynique pour qu'on pût vraiment s'attacher à lui. Y aurait-il un jour un être qui susciterait en lui une étrange idolâtrie ? Était-ce une de ces situations que lui réservait la vie ?

« Je trouve extraordinaire, Dorian, dit Hallward, que tu aies pu voir cela dans le portrait. L'as-tu vraiment vu ?

— J'y ai vu quelque chose, répondit-il, quelque chose qui m'a paru très curieux.

— Eh bien, tu permets maintenant que je le regarde ? »

Dorian secoua la tête. « Il ne faut pas me demander cela, Basil. Je ne saurais en aucun cas t'autoriser à regarder ce portrait en face.

— Sûrement, tu me le permettras un jour ?

— Jamais.

— Bon, peut-être as-tu raison. Et maintenant je te dis : au revoir, Dorian. Tu as été dans ma vie la seule personne qui ait exercé une influence véritable sur mon art. Ce que j'ai pu faire de bien, c'est à toi que je le dois. Ah ! tu ne sais pas combien il m'en a coûté de te parler comme je l'ai fait.

— Mon cher Basil, dit Dorian, que m'as-tu dit ? Simplement que tu avais l'impression que tu m'admirais trop. Ce n'est même pas un compliment.

— Je n'y voyais pas un compliment. C'était une confession. Maintenant que je l'ai faite, j'ai l'impression d'avoir perdu quelque chose de moi-même. Peut-être ne devrait-on jamais traduire en paroles un sentiment d'adoration.

— Si c'était une confession, elle fut très décevante.

— Vraiment ? Qu'attendais-tu, Dorian ? Tu n'as rien vu d'autre dans le portrait, n'est-ce pas ? Il n'y avait rien d'autre à voir ?

— Non, il n'y avait rien d'autre à voir. Pourquoi poses-tu cette question ? Mais il ne faut pas parler d'adoration. C'est stupide. Toi et moi sommes des amis, Basil, et nous devons le rester toujours.

— Tu as Harry, dit le peintre avec tristesse.

— Oh, Harry ! s'écria le jeune homme qui partit d'un éclat de rire. Harry passe ses journées à dire des choses incroyables et ses soirées à faire des choses improbables. C'est exactement le genre de vie que j'aimerais mener. Cela dit, je ne crois pas que je me tournerais vers Harry si j'avais des ennuis. Je préférerais me tourner vers toi, Basil.

— Tu poseras encore pour moi ?

— Impossible !

— Ton refus ruine ma vie d'artiste, Dorian. Jamais aucun homme n'a rencontré deux fois l'idéal. Rares sont ceux qui l'ont rencontré une seule fois.

— Je ne peux pas te donner d'explication, Basil, mais je ne pourrai jamais plus poser pour toi. Il y a quelque chose de fatal dans un portrait. Il a une vie propre. J'irai prendre le thé avec toi. Ce sera tout aussi agréable.

— Plus agréable pour toi, je le crains, murmura Hallward sur le ton du regret. Et maintenant, au revoir. Je suis désolé que tu ne me laisses pas regarder une seule fois encore le portrait. Mais nous n'y pouvons rien. Je comprends très bien ce que tu ressens. »

Tandis qu'il quittait la pièce, Dorian Gray eut un sourire. Pauvre Basil ! Il était loin de soupçonner la raison véritable de son attitude ! Et n'était-ce pas étrange qu'au lieu d'avoir à révéler son secret, il ait réussi, presque par hasard, à arracher un secret à son ami ! Que de choses se trouvaient éclairées par cette étrange confession ! Les crises de jalousie absurdes du peintre, sa dévotion passionnée, ses éloges extravagants, ses réticences bizarres — il comprenait tout, à présent, et il éprouvait de la peine. Il y avait, lui semblait-il, quelque chose de tragique dans une amitié si proche de l'amour.

Il poussa un soupir et sonna. Le portrait devait coûte que coûte être mis à l'abri des regards. Il ne pouvait se permettre de risquer une seconde fois d'être découvert. Il avait été fou de laisser l'objet, ne fût-ce qu'une heure, dans une pièce à laquelle ses amis avaient accès.

## 10

Lorsque son domestique entra, il le regarda fixement et se demanda s'il avait eu l'idée de jeter un regard derrière le paravent. L'homme était absolument impassible, attendant ses ordres. Dorian alluma une cigarette, alla jusqu'au miroir et s'y regarda. Il voyait le visage de Victor s'y refléter à la perfection. C'était un masque de servilité totalement placide. Il n'y avait rien à craindre de ce côté-là. Il jugea pourtant plus sage de rester sur ses gardes.

Parlant très posément, il lui dit de prévenir l'intendante qu'il voulait la voir, puis d'aller chez l'encadreur et de lui demander d'envoyer sur-le-champ deux de ses ouvriers. Il eut l'impression qu'en quittant la pièce le domestique laissait errer ses yeux dans la direction du paravent. Mais peut-être n'était-ce qu'une idée qu'il se faisait ?

Au bout d'un moment Mme Leaf, vêtue d'une robe de soie noire et portant sur ses mains ridées des gants de fil à l'ancienne, entra très affairée dans la bibliothèque. Il lui demanda la clef de la salle de classe.

« La vieille salle de classe, M. Dorian ? s'exclama-t-elle. Mais voyons, elle est pleine de poussière. Il faut que je la fasse nettoyer et remettre en état avant que vous y entriez. Ce n'est pas possible de vous la montrer telle qu'elle est, monsieur. Non, vraiment, c'est impossible.

— Je ne veux pas qu'elle soit remise en état, Leaf. Je veux seulement en avoir la clef.

— Eh bien, monsieur, si vous y entrez, vous serez couvert de toiles d'araignées. Que voulez-vous ? Cela fait près de cinq ans qu'elle n'a pas été ouverte, depuis la mort de Monseigneur. »

En entendant mentionner son grand-père, son visage se crispa. Il en avait gardé un souvenir détestable. « Cela ne fait rien, répondit-il. Je veux simplement la voir , un point, c'est tout. Donnez-moi la clef.

— Eh bien voici la clef, monsieur », dit la vieille dame, tandis que ses mains maladroites et tremblantes cherchaient dans son trousseau. « Voici la clef. Il me faut un instant pour la détacher du trousseau. Mais vous ne songez pas à y vivre, monsieur, alors que vous êtes si bien ici ?

— Non, non, s'écria-t-il avec impatience. Merci, Leaf. Ce sera tout. »

Elle s'attarda quelques instants, et fut intarissable sur quelque détail de la maisonnée. Il soupira, et lui dit de régler les affaires comme elle l'entendait. Elle quitta la pièce le visage rayonnant.

Tandis que la porte se refermait, Dorian mit la clef dans sa poche, et parcourut la pièce du regard. Il aperçut un grand couvre-lit de satin pourpre abondamment brodé d'or, une pièce splendide fabriquée à Venise à la fin du xviie siècle, que son grand-père avait trouvée dans un couvent près de Bologne. Oui, voilà qui servirait à envelopper l'affreux objet. Peut-être avait-elle souvent servi de drap mortuaire. Ce qu'elle allait à présent dissimuler, c'était une chose marquée par une corruption spécifique, pire que la corruption de la mort elle-même — une chose qui engendrerait des abominations et qui pourtant ne périrait jamais. Ce que sont les vers pour un cadavre, ses péchés le seraient pour l'image peinte sur la toile. Ils en abîmeraient la beauté, et en rongeraient la grâce. Ils la profaneraient, et la rendraient infâme. Et pourtant, la chose continuerait à vivre. Elle serait vivante à jamais.

Il frissonna, et regretta un instant de ne pas avoir donné à Basil la raison véritable qui le poussait à dissimuler le portrait. Basil l'aurait aidé à résister à l'influence de Lord Henry, et aux influences encore plus vénéneuses nées de sa propre nature. L'amour qu'il lui portait — car c'était vraiment de l'amour — n'avait rien en lui qui ne fût noble et spirituel. Ce n'était pas cette admiration purement physique de la beauté qui naît des sens et meurt quand ceux-ci se lassent. C'était l'amour qu'avaient connu Michel-Ange, Montaigne[1], Winckelmann[2] et Shakespeare lui-même[3]. Oui, Basil aurait pu le sauver. Mais il était trop tard à présent. On pouvait toujours abolir le passé. Les regrets, les reniements, l'oubli, le permettaient. Mais l'avenir était inévitable. Il avait en lui des passions terribles qui exigeraient de se réaliser, des rêves qui changeraient en réalité l'ombre de leur perversité.

Il prit sur le divan le grand tissu pourpre et or qui recouvrait le portrait et, le tenant entre ses mains, il passa derrière le paravent. Le visage sur la toile était-il plus vil qu'auparavant ? Il eut l'impression qu'il n'avait pas changé ; et cependant son aversion pour lui s'accrut encore. Les cheveux d'or, les yeux bleus, les lèvres d'un rouge de rose, tout était là. Seule l'expression s'était modifiée. Elle était effrayante de cruauté. Comparés à ce qu'il y lisait de condamnation et de blâme, combien les reproches de Basil à propos de Sibyl Vane avaient été superficiels — superficiels et anodins ! Son âme même, depuis la toile, le regardait et le mettait en accusation. Une expression de douleur passa sur son visage, et il jeta le drap somptueux sur le portrait. Au moment où il faisait ce geste, on frappa à la porte. Il revint devant le paravent pendant que son domestique entrait.

« Les personnes sont là, *monsieur.* »

Il sentit qu'il fallait se débarrasser de cet homme sans attendre. Il ne fallait pas qu'il sût où l'on rangeait le portrait. Il y avait chez lui quelque chose de sournois, et dans ses yeux se lisaient le calcul et la traîtrise. S'asseyant à son bureau, il griffonna un billet à l'intention de Lord Henry, le priant de lui envoyer un livre à lire, et lui rappelant qu'ils étaient convenus de se retrouver le soir même à huit heures quinze.

« Attendez la réponse, dit-il en lui remettant le billet, et faites entrer les hommes. »

Deux ou trois minutes plus tard, on frappa de nouveau, et M. Hubbard en personne, le célèbre encadreur de South Audley Street, entra, accompagné d'un jeune assistant à l'allure plutôt fruste. M. Hubbard était un petit homme rubicond doté de favoris roux, dont l'admiration pour l'art était considérablement tempérée par l'impécuniosité invétérée de la plupart des artistes auxquels il avait affaire. En règle générale, il ne quittait jamais son magasin. Il attendait qu'on vînt le voir. Mais il faisait toujours une exception en faveur de Dorian Gray. Il y avait chez Dorian Gray quelque chose qui ensorcelait tout le monde. Rien que de le contempler vous réjouissait.

« Que puis-je faire pour vous, M. Gray ? » dit-il, frottant l'une contre l'autre ses mains potelées couvertes de taches de rousseur. « J'ai voulu me faire l'honneur de venir en personne. J'ai justement un cadre de toute beauté, monsieur. Trouvé à une vente. Florentin ancien. Vient de Fonthill[1], je crois. Admirablement adapté à un sujet religieux, M. Gray.

— Je suis désolé que vous ayez pris la peine de vous déplacer vous-même, M. Hubbard. Je vais certainement passer chez vous et jeter un coup d'œil au cadre — bien qu'à l'heure actuelle je ne donne guère dans l'art religieux — mais tout ce que je souhaite aujourd'hui, c'est faire porter un tableau jusqu'au dernier étage de la maison. Il est fort lourd, c'est pourquoi j'ai pensé vous demander de me prêter deux de vos ouvriers.

— Aucun problème, M. Gray. Je suis ravi de pouvoir vous rendre service. De quelle œuvre d'art s'agit-il, monsieur ?

— De celle-ci, répondit Dorian en écartant le paravent. Vous est-il possible de la transporter, recouverte comme elle est, sans toucher à rien ? Je ne voudrais pas qu'elle soit éraflée dans la montée.

— Aucune difficulté », dit l'encadreur avec bonne humeur en commençant, avec l'aide de son compagnon, à dégager le tableau des longues chaînes de cuivre par lesquelles il était accroché. « Et maintenant, où faut-il le transporter, M. Gray ?

— Si vous voulez bien me suivre, M. Hubbard, je vais vous montrer le chemin. Mais peut-être vaudrait-il mieux que vous passiez devant. Malheureusement, c'est tout en haut de la maison. Nous allons prendre l'escalier principal, qui est plus large. »

Il leur tint la porte, et ils passèrent dans le vestibule puis commencèrent leur ascension. Du fait du caractère très ouvragé de son cadre, le tableau était très encombrant et de temps à autre, en dépit des protestations obséquieuses de M. Hubbard qui, comme tous les vrais artisans, détestait cordialement qu'un *gentleman* fît rien d'utile, Dorian mettait la main à la pâte pour les aider.

« Voilà un sacré morceau à porter, monsieur ! » fit le petit homme tout essoufflé, lorsqu'ils atteignirent le dernier étage. Et il essuya son front luisant.

« Je suis désolé, il pèse en effet très lourd », murmura Dorian en actionnant la serrure de la porte qui ouvrait sur la chambre où seraient renfermés pour lui seul le mystérieux secret de sa vie et son âme dissimulée aux yeux des hommes.

Cela faisait plus de quatre ans qu'il n'avait pénétré dans cette pièce — en fait, depuis l'époque où elle lui avait servi d'abord de salle de jeux, durant son enfance, puis de bureau quand il était devenu un peu plus grand. C'était une vaste pièce, aux belles proportions, construite tout exprès par le dernier Lord Kelso à l'intention de ce petit-fils que, par suite de son étrange ressemblance avec sa mère, et aussi pour d'autres raisons, il avait toujours détesté et voulu tenir à distance. Dorian eut l'impression qu'elle avait bien peu changé. Il y avait cet énorme *cassone*[1] italien, aux panneaux recouverts de peintures fantastiques et aux baguettes dédorées, dans lequel, enfant, il s'était si souvent caché. Et là la bibliothèque de bois satiné remplie de ses livres de classe aux pages cornées. Derrière, accrochée au mur, c'était la même tapisserie flamande toute déchirée, sur laquelle un roi et une reine défraîchis jouaient aux échecs dans un jardin tandis qu'une compagnie de fauconniers passait à cheval, tenant sur leur poignet ganté un oiseau encapuchonné. Comme il se rappelait tout cela distinctement ! Chaque instant de son enfance solitaire surgissait à nouveau sous son regard. Il se rappelait la pureté sans tache de son adolescence, et il trouva monstrueux de devoir cacher en ce lieu le portrait fatal. Qu'il était loin de se douter, en cette époque révolue, de tout ce que la vie lui réservait !

Mais il n'y avait dans la maison aucun autre emplacement qui fût autant à l'abri des regards curieux. Il en avait la clef, et personne d'autre ne pouvait y pénétrer. Sous son drap pourpre, le visage peint sur la toile pouvait bien devenir bestial, bouffi, immonde. Quelle importance ? Personne ne le verrait. Lui-même ne le verrait pas. Pourquoi devrait-il surveiller la hideuse corruption de son âme ? Il conservait sa jeunesse, cela suffisait. Et d'ailleurs était-il exclu que sa personnalité, en fin de compte, devînt plus belle ? Il n'y avait aucune raison pour que l'avenir fût à ce point marqué par l'ignominie. Un amour peut-être entrerait dans sa vie, qui le purifierait et le protégerait contre ces péchés qu'il croyait déjà sentir palpiter dans son esprit et dans sa chair — ces mystérieux péchés inimaginables, dont la subtilité et le charme reposent sur leur mystère même. Peut-être un jour l'expression de cruauté aurait-elle disparu de cette bouche vermeille pleine de sensibilité, et pourrait-il montrer au monde le chef-d'œuvre de Basil Hallward.

Non, c'était impossible. D'heure en heure, de semaine en semaine, la chose peinte sur la toile vieillissait. Peut-être échapperait-elle à l'horreur du péché, mais l'horreur de l'âge lui était promise. Les joues se creuseraient, deviendraient flasques. Des pattes-d'oie jaunâtres se formeraient peu à peu autour des yeux affaiblis et les rendraient hideux. Les cheveux perdraient leur éclat, la bouche s'entrouvrirait ou s'effondrerait, deviendrait bête ou vulgaire, comme l'est la bouche des vieillards. Il y aurait ce cou ridé, ces mains froides veinées de bleu, ce corps contrefait, qu'il se rappelait chez le grand-père qui avait été si sévère pour lui durant son enfance. Il fallait cacher le portrait. Impossible de faire autrement.

« Apportez-le à l'intérieur, s'il vous plaît, M. Hubbard, dit-il d'une voix lasse en se retournant. Je suis désolé de vous avoir fait attendre si longtemps. Je pensais à autre chose.

— Ça fait toujours du bien de se reposer, M. Gray, répondit l'encadreur, qui haletait encore. Où faut-il le mettre, monsieur ?

— Oh, n'importe où. Ici, cela ira très bien. Je ne souhaite pas l'accrocher. Appuyez-le simplement contre le mur. Merci.

— Et pourrait-on jeter un coup d'œil à l'œuvre d'art, monsieur ? »

Dorian sursauta. « Cela ne vous intéresserait pas, M. Hubbard », dit-il sans le quitter des yeux. Il était prêt à sauter sur lui et à le clouer au sol s'il osait soulever la riche tenture qui dissimulait le secret de sa vie. « Je ne vais pas vous déranger davantage. Je vous suis très reconnaissant d'avoir bien voulu venir jusqu'ici.

— Pas du tout, M. Gray, pas du tout. Toujours prêt à vous rendre service, monsieur. » Et M. Hubbard descendit lourdement les escaliers, suivi de son compagnon, qui se retourna pour jeter un coup d'œil sur Dorian, son visage fruste et sans attraits brillant d'une timide admiration. Il n'avait jamais vu quelqu'un d'aussi merveilleux.

Quand le bruit de leurs pas se fut éteint, Dorian ferma la porte à clef, et mit celle-ci dans sa poche. Il se sentait désormais sain et sauf. Plus personne ne regarderait jamais l'horrible chose. Aucun œil autre que le sien ne verrait jamais sa honte.

En atteignant la bibliothèque, il s'aperçut que cinq heures venaient de sonner et que le thé était déjà servi. Sur une petite table de bois sombre et parfumé incrusté d'une nacre épaisse qui lui avait été offerte par l'épouse de son tuteur, Lady Radley — aimable invalide professionnelle qui avait passé l'hiver précédent au Caire —, se trouvaient un message de Lord Henry et, à côté, un livre à couverture jaune ; celle-ci était légèrement déchirée et ses bords abîmés. Un exemplaire de la troisième édition de *The St. James's Gazette*[1] avait été placé sur le plateau à thé. Visiblement Victor était rentré. Dorian se demanda s'il avait croisé les hommes dans le vestibule, au moment où ils quittaient la maison, et leur avait

arraché des informations sur ce qu'ils avaient fait.
Nul doute qu'il ne remarquât l'absence du tableau —
il avait dû déjà la remarquer en disposant le service à
thé. Le paravent n'avait pas été remis en place, et
l'on pouvait voir un blanc sur le mur. Qui sait s'il
n'allait pas le découvrir, une nuit, en train de monter
furtivement les escaliers pour essayer de forcer la
porte de la pièce ? Quelle horreur d'avoir un espion
dans sa propre maison ! Il avait entendu parler de
personnes aisées soumises toute leur vie au chantage
d'un domestique qui avait lu une lettre, surpris une
conversation, ramassé une carte de visite portant
une adresse, ou trouvé sous un oreiller une fleur
fanée ou un lambeau de dentelle froissée.

Il soupira et, après s'être versé du thé, il décacheta
la note de Lord Henry. Elle l'informait simplement
qu'il lui faisait porter le journal du soir ainsi qu'un
livre qui pourrait l'intéresser, et qu'il serait au club à
huit heures et quart. Il ouvrit paresseusement *The
St James's* et le parcourut. Son regard fut attiré par
une marque au crayon rouge sur la cinquième page.
Elle appelait son attention sur le paragraphe ci-
dessous :

ENQUÊTE JUDICIAIRE SUR UNE COMÉDIENNE. — Ce
matin, au Café Bell, sur Hoxton Road, s'est tenue, sous la
présidence du juge d'instruction du district, M. Danby,
une enquête à propos du corps de Sibyl Vane, jeune comédienne qui jouait récemment au Théâtre Royal de Hol-
born. Verdict rendu : mort accidentelle. Une vive sympathie a été témoignée à la mère de la défunte, qui manifesta
une très grande émotion au cours de son témoignage ainsi
que durant celui du Docteur Birell, qui avait fait l'autopsie
de la défunte.

Son visage se rembrunit et, après avoir déchiré le journal en deux, il traversa la pièce et en jeta les morceaux. Comme tout cela était laid ! Et comme la laideur rendait les choses atrocement réelles ! Il était un peu contrarié que Lord Henry lui eût fait parvenir ce compte rendu. Et ç'avait été stupide de sa part de marquer le passage au crayon rouge. Victor l'avait peut-être lu. Il connaissait bien assez d'anglais pour cela[1].

Peut-être l'avait-il lu et avait-il commencé à éprouver des soupçons. Et pourtant, quelle importance ? Qu'est-ce que Dorian Gray avait à voir avec la mort de Sibyl Vane ? Il n'y avait rien à craindre. Dorian Gray ne l'avait pas tuée.

Son regard se posa sur le livre jaune que Lord Henry lui avait envoyé. Il se demanda ce que c'était. Il se dirigea vers le petit meuble octogonal de couleur gris perle qui lui avait toujours paru l'ouvrage de bizarres abeilles égyptiennes capables de travailler l'argent et, le volume à la main, il s'installa dans un fauteuil et commença à tourner les pages. Au bout de quelques minutes, il fut complètement absorbé. C'était le livre le plus étrange qu'il eût jamais lu. On eût dit que, revêtus d'habits exquis, les péchés du monde défilaient sous ses yeux, au son délicat des flûtes, en une suite de tableaux vivants. Des choses dont il avait rêvé confusément devenaient subitement réelles pour lui. Des choses dont il n'avait jamais rêvé lui étaient graduellement révélées.

C'était un roman sans intrigue, à un seul personnage[2], rien d'autre en fait que l'étude psychologique d'un jeune Parisien qui consacrait sa vie à essayer de

réaliser en plein xix^e siècle toutes les passions et tous
les modes de pensée qui s'étaient succédé au long de
tous les siècles précédents, de résumer pour ainsi
dire en lui-même les diverses mentalités par où était
passé l'esprit du monde, et qui aimait pour leur arti-
ficialité ces renonciations auxquelles les hommes
ont à tort donné le nom de vertu, tout autant que ces
révoltes naturelles que les sages appellent encore
péché. Il était écrit dans ce style curieusement orné,
à la fois éclatant et obscur, plein d'*argot* et
d'archaïsmes, d'expressions techniques et de péri-
phrases recherchées, qui caractérise les œuvres de
certains des meilleurs artistes de l'école *symboliste*
française. On y trouvait des métaphores aussi monstrueuses que des orchidées et de couleurs aussi subtiles. La vie des sens était décrite dans le langage de
la philosophie mystique. Par moments on ne savait
plus très bien si l'on était en train de lire les extases
spirituelles d'un saint du Moyen Age ou les confessions morbides d'un pécheur moderne. C'était un
livre vénéneux. On eût dit qu'un lourd parfum
d'encens s'accrochait à ses pages et vous montait au
cerveau. Rien que la cadence des phrases, la monotonie subtile de leur musique, si pleine de refrains
complexes et de mouvements répétés avec raffinement, produisaient dans l'esprit du jeune homme, à
mesure qu'il passait d'un chapitre à l'autre, une
forme de rêverie, une intoxication onirique, qui lui
fit perdre la conscience du déclin du jour et de
l'arrivée furtive des ténèbres.

Sans un nuage, éclairé par une étoile solitaire, un
ciel vert-de-gris brillait au travers des vitres. Il lut à sa
faible lumière jusqu'à ce que lire devînt impossible.

À ce moment-là, après que son valet lui eut plusieurs fois rappelé l'heure tardive, il se leva et, passant dans la pièce voisine, posa le livre sur la petite table florentine qui se trouvait en permanence au chevet de son lit, et commença à s'habiller pour le dîner.

Il était presque neuf heures quand il arriva au club, où il trouva Lord Henry assis tout seul dans le petit salon, l'air accablé d'ennui.

« Je suis désolé, Harry, s'écria-t-il, mais c'est entièrement votre faute. Le livre que vous m'avez envoyé m'a tellement fasciné que je n'ai pas vu le temps passer.

— Oui ; je me doutais qu'il vous plairait », répondit son hôte, en se levant de son fauteuil.

« Je n'ai pas dit qu'il me plaisait, Harry. J'ai dit qu'il me fascinait. C'est très différent.

— Ah, vous avez découvert cela ? » murmura Lord Henry. Et ils passèrent dans la salle à manger.

## 11

Pendant des années, Dorian Gray ne put se libérer de l'influence de ce livre. Ou peut-être serait-il plus exact de dire qu'il ne chercha jamais à s'en libérer. Il en fit venir de Paris jusqu'à neuf exemplaires sur grand papier de l'édition originale qu'il fit relier de couleurs différentes, afin qu'elles correspondent à ses humeurs diverses et aux caprices changeants d'une nature dont il semblait parfois avoir totalement perdu la maîtrise. Le héros, ce jeune Parisien extraordinaire en qui se mêlaient si étrangement les tempéraments scientifique et romantique, devint à ses yeux une sorte de préfiguration de lui-même. Et en vérité l'ouvrage tout entier lui semblait contenir l'histoire de sa propre vie, écrite avant qu'il l'eût vécue.

Il avait sur un point plus de chance que le héros imaginaire du roman. Il ne connut jamais — il n'eut jamais, à dire vrai, la moindre raison de la connaître — cette peur un peu grotesque des miroirs, des surfaces de métal poli et de l'eau dormante, qui très tôt dans sa vie s'empara du jeune Parisien, à la suite du déclin brutal d'une beauté qui avait apparemment été jusque-là remarquable. C'est avec une joie presque cruelle — et peut-être dans presque toute joie, comme assurément dans presque tout plaisir, la cruauté a-t-elle sa place — qu'il lisait la dernière partie de l'ouvrage et le récit véritablement tragique, quoiqu'un peu trop chargé, de la douleur et du désespoir d'un homme qui avait perdu lui-même ce que chez les autres et dans le monde il mettait au-dessus de tout.

Car cette beauté merveilleuse qui avait tant fasciné Basil Hallward, et bien d'autres avec lui, il parut ne jamais la perdre. Ceux-là même qui avaient entendu dire sur lui les choses les plus abominables — et de temps à autre de bizarres rumeurs touchant son mode de vie circulaient dans Londres et excitaient les commentaires des clubs — ne pouvaient, à sa vue, croire un mot de son infamie. Il gardait toujours l'apparence d'un homme qui se serait tenu à l'abri des souillures du monde. Quand Dorian Gray entrait dans une pièce, ceux qui étaient en train de parler avec grossièreté s'interrompaient. Il y avait dans la pureté de son visage quelque chose qui les rappelait à l'ordre. Sa simple présence semblait leur renvoyer le souvenir de l'innocence qu'ils avaient souillée. Ils se demandaient comment un être aussi charmant et aussi gracieux avait pu échapper aux flétrissures d'une époque à la fois sordide et sensuelle.

Souvent, rentrant chez lui après une de ces longues absences chargées de mystère qui faisaient naître de si étranges conjectures chez ceux qui étaient ses amis, ou croyaient l'être, il montait à pas de loup jusqu'à la chambre verrouillée, ouvrait la porte à l'aide de la clef qui, désormais, ne le quittait plus, et debout, un miroir à la main, face au portrait que Basil Hallward avait peint, il regardait alternativement le visage méchant et vieillissant fixé sur la toile, et le beau et jeune visage qui, du fond de la glace polie, lui souriait. La brutalité même du contraste avivait le plaisir qu'il ressentait. Il devint de plus en plus amoureux de sa beauté, de plus en plus intéressé par la corruption de son âme. Il examinait avec un soin minutieux, et parfois avec une volupté monstrueuse et terrible, les lignes hideuses qui marquaient comme au fer rouge le front ridé, ou qui encerclaient peu à peu la bouche lourde et sensuelle, en se demandant parfois lesquels étaient les plus horribles, des signes du péché ou des signes de l'âge. Il plaçait ses mains blanches à côté des mains grossières et bouffies du portrait, et souriait. Il raillait ce corps difforme et ces membres défaillants.

Il y avait même la nuit des moments où, allongé sans pouvoir s'endormir dans sa chambre aux senteurs délicates, ou dans la pièce sordide de la petite taverne mal famée proche des Docks[1] qu'il avait coutume, sous un faux nom et un déguisement, de fréquenter, il songeait à la déchéance à laquelle il avait conduit son âme avec une compassion d'autant plus aiguë qu'elle était purement égoïste. Mais de tels moments étaient rares. Sa curiosité de la vie, que Lord Henry avait pour la première fois excitée en lui le jour où ils étaient assis dans le jardin de leur ami commun, semblait croître à mesure qu'elle trouvait à se satisfaire. Plus il en savait, plus il désirait en savoir. Il avait des appétits furieux qui en s'assouvissant devenaient plus voraces encore.

Cependant il ne se laissait pas complètement aller, du moins dans ses rapports avec la bonne société. Une ou deux fois par mois durant l'hiver, et tous les mercredis soir pendant la saison, il ouvrait toutes grandes les portes de sa superbe maison et faisait venir les musiciens les plus célèbres du moment pour que les prodiges de leur talent charment ses invités. Ses petits dîners, à l'organisation desquels Lord Henry collaborait toujours, étaient réputés tout autant pour le choix et la distribution habiles des invités que pour le goût exquis déployé dans la décoration de la table, avec ses fleurs exotiques disposées selon de subtiles symphonies, son linge brodé, et sa vaisselle ancienne d'argent et d'or. En fait, surtout parmi les très jeunes gens, nombreux étaient ceux qui voyaient ou croyaient voir en Dorian Gray la réalisation effective d'un modèle dont ils avaient rêvé quand ils étaient à Eton ou Oxford, un modèle qui conjuguât un peu de la culture véritable de l'humaniste et toute la grâce, toute la distinction, toute la perfection de maintien d'un citoyen du monde. Il appartenait à leurs yeux à la cohorte de ceux que Dante décrit comme ayant cherché à « se rendre eux-mêmes parfaits par le culte qu'ils rendent à la beauté[1] ». Comme Gautier, il était quelqu'un pour qui « le monde visible existait[2] ».

Et il est certain que pour lui la Vie était le premier et le plus grand des arts, auxquels tous les autres ne semblaient être qu'une préparation. Bien entendu la mode, qui confère à ce qui est en réalité une fantaisie une valeur provisoirement universelle, et le dandysme qui, à sa façon, tente d'affirmer la modernité absolue de la beauté, le fascinaient. Sa façon de s'habiller et les styles particuliers qu'il affectait de temps à autre influaient fortement sur les jeunes élégants qu'on voyait aux bals de Mayfair ou derrière les croisées des clubs de Pall Mall ; ils copiaient tout ce qu'il faisait, et tentaient de reproduire le charme fortuit de ses gracieuses coquetteries de toilette, même si pour lui elles n'étaient qu'à demi sérieuses.

Car s'il n'était que trop disposé à accepter la position qui dès sa majorité lui fut offerte presque immédiatement, et trouvait même un plaisir subtil à l'idée de devenir vraiment, peut-être, pour le Londres de son temps ce qu'avait été jadis, pour la Rome de Néron, l'auteur du *Satiricon*[1], il désirait pourtant, au plus profond de son cœur, être plus qu'un simple *arbiter elegantiarum* qu'on consulterait sur la manière de porter un bijou, de nouer une cravate ou de manier une canne. Il cherchait à inventer un nouveau système de vie qui reposât sur une philosophie raisonnée et des principes bien organisés, et qui trouvât dans la spiritualisation des sens son plus haut accomplissement.

Le culte des sens a souvent été décrié, et à juste titre, car la nature de l'homme lui fait éprouver une terreur instinctive devant des passions et des sensations qui lui paraissent plus fortes que lui et qu'il a conscience de partager avec des êtres vivants moins supérieurement organisés. Mais Dorian Gray estimait que l'on n'avait jamais compris la vraie nature des sens, et qu'ils n'avaient conservé leur sauvagerie ou leur animalité que parce que le monde avait tenté de les soumettre par la faim ou de les tuer par la souffrance, au lieu de viser à en faire les éléments d'une spiritualité nouvelle, qui aurait pour trait dominant un sens instinctif et subtil de la beauté. À considérer le chemin parcouru par l'homme depuis les débuts de l'Histoire, il était obsédé par un sentiment de déperdition. Que de capitulations ! Et pour un si maigre résultat ! Il y avait eu des rejets insensés, obstinés, des mortifications, des macérations monstrueuses, nées de la peur, et qui débouchaient sur une dégradation infiniment plus atroce que cette dégradation imaginaire qu'ils avaient dans leur ignorance tenté de fuir, la Nature, par une admirable ironie, poussant l'anachorète à manger avec les bêtes sauvages du désert et donnant pour compagnons à l'ermite les animaux des champs.

Oui, comme Lord Henry l'avait prophétisé, un nouvel hédonisme allait advenir, qui recréerait la vie et la sauverait de ce puritanisme rude et sans attraits qui connaît à notre époque une bizarre renaissance. Il ferait certes appel aux services de l'intelligence ; mais il n'accepterait jamais nulle théorie, nul système impliquant le sacrifice de quelque forme d'expérience passionnée que ce fût. Son objectif, en vérité, serait d'être lui-même expérience, et non pas fruit de l'expérience, que celui-ci fût doux ou amer. De l'ascétisme qui étouffe les sens, comme du vulgaire dévergondage qui les émousse, il ne saurait rien. Mais il enseignerait à l'homme à se concentrer sur les instants de la vie, qui n'est elle-même qu'un instant.

Rares sont ceux d'entre nous qui ne se sont pas quelquefois éveillés avant l'aurore, au sortir soit d'une de ces nuits sans rêves qui nous font presque aimer la mort, soit d'une de ces nuits d'horreur et de joie monstrueuse où s'agitent dans les chambres du cerveau des fantômes plus terrifiants que la réalité elle-même, grouillant de cette vie intense insépa-rable de tout grotesque qui donne à l'art gothique son impérissable vitalité, tant cet art semble bien appartenir avant tout aux esprits tourmentés par la maladie de la rêverie. Des doigts blêmes surgissent peu à peu derrière les rideaux et semblent trembler. Sombres et fantastiques, des ombres silencieuses gagnent en rampant les recoins de la pièce et s'y tapissent. Dehors, on entend le mouvement des oiseaux dans les feuillages, les hommes partant pour le travail, ou les soupirs et les sanglots du vent qui descend de la montagne et qui erre autour de la maison silencieuse, comme s'il craignait d'éveiller les dormeurs et devait pourtant à tout prix tirer le sommeil de sa grotte empourprée. Voile après voile, la fine gaze du crépuscule se lève, et les choses récu-pèrent peu à peu forme et couleur, et nous voyons l'aurore redonner au monde son antique aspect. Les miroirs blafards retrouvent leur fausse vie. Les flam-beaux sans flammes se dressent là où nous les avions laissés, et à côté d'eux repose le livre aux pages à demi coupées que nous étions en train d'étudier, ou la fleur montée que nous portions au bal, ou la lettre que nous n'avions pas osé lire ou que nous avions lue trop de fois. Rien ne nous semble avoir changé. Du sein des ombres irréelles de la nuit resurgit la vie réelle telle que nous la connaissions. Il nous faut reprendre là où nous nous étions interrompus, et voilà que nous envahit un terrible sentiment, celui de devoir poursuivre avec vigueur ce même cycle las-sant d'habitudes stéréotypées, ou peut-être, parfois, le désir fou que nos paupières s'ouvrent un matin sur un monde qui aurait été durant la nuit remodelé pour nous plaire, un monde où les choses auraient une forme et des couleurs neuves, et seraient autres, ou bien auraient d'autres secrets, un monde où le passé tiendrait une place faible ou nulle, ou du moins survivrait sans forme consciente d'obligation ou de regret, car le souvenir d'une joie a lui-même son amertume, et le rappel d'un plaisir, sa douleur.

C'était la création de tels mondes qui paraissait à Dorian Gray le vrai but, ou du moins l'un des vrais buts de la vie ; et dans sa quête de sensations à la fois neuves et exquises, possédant toutes cet élément d'étrangeté indispensable au romanesque, il adoptait souvent des modes de pensée qu'il savait profondément étrangers à sa nature, s'abandonnait à leurs influences subtiles et puis, une fois imprégné pour ainsi dire de leur couleur et sa curiosité intellectuelle satisfaite, il y renonçait avec cette curieuse indifférence qui n'est nullement exclusive d'un tempérament vraiment ardent et qui même, à en croire certains psychologues modernes, en est fréquemment la condition.

Le bruit courut un jour de son ralliement prochain à l'Église catholique romaine ; et il est sûr que le rituel romain l'attira toujours fortement[1]. Le sacrifice quotidien, plus saisissant en vérité que tous les sacrifices du monde antique, le remuait autant par son rejet superbe du témoignage des sens que par la simplicité primitive de ses éléments et par le caractère éternellement poignant de la tragédie humaine qu'il s'efforçait de symboliser. Il adorait s'agenouiller sur le froid pavement de marbre et regarder le prêtre, revêtu de ses habits empesés semés de fleurs, écarter lentement de ses mains blanches le voile placé devant le tabernacle, ou lever haut l'ostensoir en forme de lanterne tout orné de joyaux, renfermant cette pâle hostie que parfois l'on aimerait être réellement le *panis coelestis*, le pain des anges ; ou encore, portant les ornements de la Passion du Christ, rompre l'hostie dans le calice et pour ses péchés se frapper la poitrine. Les encensoirs fumants que de jeunes garçons, graves sous la dentelle et la pourpre, balançaient en l'air comme de grandes fleurs dorées, exerçaient sur lui une subtile fascination. En sortant de l'église, il regardait avec étonnement les noirs confessionnaux, et eût aimé s'asseoir dans la pénombre de l'un d'entre eux pour écouter les hommes et les femmes chuchoter au travers des lattis usés l'histoire véritable de leur vie.

Mais il ne commit jamais l'erreur de bloquer son développement intellectuel en se ralliant formellement à une croyance ou à un système, ni en prenant pour une véritable demeure une auberge tout juste bonne à passer la nuit ou quelques heures d'une nuit sans étoiles où la lune est en gésine. Le mysticisme et son extraordinaire capacité à rendre étrange à nos yeux le banal, ainsi que le subtil antinomianisme[1] qui en semble toujours inséparable, l'émurent le temps d'une saison ; et le temps d'une saison, il pencha vers les doctrines matérialistes du mouvement darwiniste allemand[2] et prit un curieux plaisir à relier les pensées et les passions de l'homme à une cellule nacrée de son cerveau ou à un nerf blanchâtre de son corps, ravi par l'idée que l'esprit fût absolument dépendant de certaines conditions physiques, morbides ou saines, normales ou pathologiques. Cependant, comme il a déjà été dit, comparée à la vie elle-même, aucune théorie de la vie ne lui paraissait importante. Il avait une conscience aiguë de la stérilité de toute spéculation intellectuelle séparée de l'action et de l'expérience. Il savait que les sens, tout autant que l'âme, ont des mystères spirituels à révéler.

C'est ainsi qu'il s'adonna un temps à l'étude des parfums et des secrets de leur fabrication, distillant des huiles aux senteurs lourdes, et brûlant des gommes aromatiques venues d'Orient. Il s'aperçut qu'il n'y a pas d'état d'âme qui n'ait son pendant dans la vie des sens, et décida de découvrir leurs rapports véritables, se demandant pourquoi l'encens rend mystique, pourquoi l'ambre gris soulève les passions, pourquoi la violette réveille le souvenir d'amours mortes, pourquoi le musc trouble le cerveau et le champak l'imagination ; et maintes fois il tenta d'élaborer une véritable psychologie des parfums, d'évaluer les influences différentes des racines aux senteurs suaves, des fleurs embaumées chargées de pollen, des baumes aromatiques, des bois sombres et odorants, du nard indien qui donne la nausée, de l'hovenia qui affole les hommes, et de certains aloès qui peuvent, dit-on, chasser de l'âme la mélancolie.

À une autre époque il se consacra tout entier à la musique et, dans une longue pièce treillissée, au plafond rouge et or et aux murs laqués vert olive, il donnait de curieux concerts au cours desquels des tziganes déchaînés arrachaient à de petites cithares une musique sauvage ; où de graves Tunisiens enveloppés de châles jaunes pinçaient les cordes tendues

de luths monstrueux tandis que des Nègres grima-
çants frappaient, monotones, sur des tambours de
cuivre et que de minces Indiens enturbannés,
accroupis sur des nattes écarlates, soufflaient dans
de longs chalumeaux de roseau ou d'airain et charmaient, ou feignaient de charmer, de grands cobras
et d'affreux cérastes. Les intervalles heurtés et les
dissonances criardes de ces musiques barbares le
touchaient en des moments où la grâce de Schu-
bert, les belles souffrances de Chopin et les puis-
santes harmonies de Beethoven lui-même laissaient
son oreille insensible. Il rassembla de toutes les parties du monde les plus étranges instruments possibles, découverts dans les tombes de peuplades dis-
parues ou chez les rares tribus sauvages qui ont
survécu à leur rencontre avec la civilisation occiden-
tale, et il adorait les toucher et les essayer[1]. Il avait
le mystérieux *juruparis*[2] des Indiens du Rio Negro,
dont la vue est interdite aux femmes et que les
jeunes hommes eux-mêmes ne sont autorisés à
voir qu'après s'être soumis à des jeûnes et à des mortifications ; et ces jarres de terre cuite péruviennes
d'où l'on tire des cris aigus d'oiseaux ; et des flûtes
faites d'os humains comme celles qu'Alfonso de
Ovalle[3] entendit au Chili ; et les sonores jaspes
verts que l'on trouve près de Cuzco et qui produisent une note d'une douceur singulière. Il avait
des gourdes peintes remplies de cailloux qui crépi-
taient quand on les secouait ; le long *clarin*[4] des
Mexicains, dont on joue non en soufflant, mais en
inspirant l'air ; le rude *turé*[5] des tribus amazoniennes,
que font retentir les guetteurs installés des journées
entières dans de grands arbres et qui, assure-t-on,

s'entend à trois lieues ; le *teponaztli*[1], qui se compose
de deux lames de bois vibrantes et que l'on frappe
avec des baguettes enduites d'une gomme élastique
obtenue à partir du suc laiteux de certaines plantes ;
les cloches *yotl*[2] des Aztèques, assemblées comme des
grappes de raisin ; et un énorme tambour cylin-
drique, recouvert de grandes peaux de serpents,
semblable à celui que vit Bernal Diaz[3] lorsqu'il
pénétra avec Cortés dans le temple mexicain, et dont
il nous a décrit de façon si vivante le son plaintif. Le
caractère fantastique de ces instruments le fascinait
et il éprouvait un curieux plaisir à penser que l'Art,
comme la Nature, a ses monstres, des objets pourvus
d'une forme bestiale et d'une voix hideuse. Cependant, au bout d'un certain temps, il s'en lassait et
allait s'asseoir dans sa loge à l'Opéra, seul ou avec
Lord Henry, écoutant *Tannhäuser* avec ravissement,
et voyant dans le prélude de ce chef-d'œuvre une
interprétation de la tragédie de son âme.

Il choisit un jour de s'adonner à l'étude des bijoux
et il parut à un bal costumé en Anne de Joyeuse,
amiral de France[4], dans un habit recouvert de cinq
cent soixante perles. Ce goût le ravit pendant plusieurs années et l'on peut même dire qu'il ne le
perdit jamais. Il lui arrivait fréquemment de passer
une journée entière à disposer et redisposer dans
leur écrin les différentes pierres[5] qu'il avait collec-
tionnées, comme le chrysobéryl vert olive qui
devient rouge à la lueur d'une lampe, le cymophane
avec sa ligne d'argent semblable à un fil, le péridot
vert pistache, des topazes roses et d'autres jaunes
comme le vin, des escarboucles écarlates comme les
flammes dont les étoiles à quatre branches jettent

des rais tremblants, des grenats de Ceylan rouge feu, des spinelles orange et violettes, et des améthystes où alternent des couches de rubis et de saphirs. Il aimait l'or rouge de la pierre de soleil et la blancheur de perle de la pierre de lune, et l'arc-en-ciel brisé de l'opale laiteuse. Il fit venir d'Amsterdam trois émeraudes d'une taille et d'une richesse de couleur extraordinaires, et il avait une turquoise *de la vieille roche*[1] qui faisait l'envie de tous les connaisseurs.

Il découvrit également des histoires merveilleuses concernant les bijoux[2]. Dans sa *Clericalis Disciplina* Pierre d'Alphonse[3] mentionne un serpent dont les yeux sont en hyacinthe véritable, et dans la vie romancée d'Alexandre, il est dit que le conquérant d'Émathie[4] aurait trouvé dans la vallée du Jourdain des serpents « sur le dos desquels poussaient des colliers d'émeraudes véritables ». Il y a, nous dit Philostrate[5], une pierre précieuse dans le cerveau du dragon et, « en exhibant des lettres d'or et une robe écarlate », on peut plonger le monstre dans un sommeil magique et le tuer. Selon le grand alchimiste Pierre de Boniface, le diamant rend invisible, et l'agathe d'Inde rend éloquent. La cornaline apaise la colère, l'hyacinthe provoque le sommeil, l'améthyste dissipe les vapeurs de l'alcool. Le grenat chasse les démons, l'hydropite enlève à la lune sa couleur. Le sélénite croît et décroît avec la lune, et le meloceus, qui révèle les voleurs, ne peut être affecté que par du sang de chevreau. Leonardus Camillus a vu extraire du cerveau d'un crapaud fraîchement tué une pierre blanche qui est un antidote infaillible contre le poison. Le bezoard[6], que l'on trouve dans le cœur du cerf d'Arabie, est un charme qui peut guérir la peste.

Dans le nid des oiseaux d'Arabie se trouve l'aspilate qui, selon Démocrite[1], préserve ceux qui la portent de tout danger du feu.

Le roi de Ceylan, lors de son couronnement, traversa sa capitale à cheval, un gros rubis à la main. Les portes du palais du Prêtre Jean[2] étaient « faites de sardoine incrustée de corne de céraste, pour que personne ne pût y introduire de poison ». Au-dessus du gable se trouvaient « deux pommes d'or contenant deux escarboucles » afin que l'or brillât pendant le jour et les escarboucles la nuit. Dans l'étrange roman de Lodge, *Une marguerite d'Amérique*[3], il est dit qu'on pouvait contempler dans la chambre de la reine « toutes les chastes dames du monde dans des châsses d'argent, qui vous regardaient derrière de beaux miroirs de chrysolithe, d'escarboucles, de saphirs et de vertes émeraudes ». Marco Polo avait vu les habitants de Cipango[4] placer dans la bouche des morts des perles couleur de rose. Un monstre marin, amoureux de la perle que le plongeur avait portée au roi Peroz[5], avait tué le voleur, puis pleuré durant sept lunes la perle perdue. Quand les Huns réussirent à attirer le roi dans une grande fosse, il la jeta au loin — ainsi le relate Procope[6] — et jamais on ne la retrouva, bien que l'empereur Anastase[7] eût offert en récompense cinq cents quintaux de pièces d'or. Le roi de Malabar avait montré à certain Vénitien un chapelet de trois cent quatre perles, une pour chacun des dieux qu'il adorait.

Quand le duc de Valentinois, fils d'Alexandre VI[8], rendit visite à Louis XII de France, son cheval, nous dit Brantôme, était chargé de feuilles d'or, et sa toque portait deux rangées de rubis éblouissants.

Charles d'Angleterre, quand il montait à cheval, avait des éperons ornés de quatre cent vingt et un diamants. Richard II[1] avait un manteau évalué à trente mille marks[2], couvert de rubis balais. Hall[3] décrit Henry VIII, en route pour la Tour avant son couronnement, revêtu « d'une veste d'or frappé, le placard brodé de diamants et autres pierres magnifiques, et autour du cou un grand baudrier de gros rubis balais ». Les favoris de Jacques I[er 4] portaient des boucles d'oreilles faites d'émeraudes serties dans un filigrane d'or. Édouard II donna à Piers Gaveston[5] une armure d'or rouge piquée d'hyacinthes, un collier de roses d'or incrusté de turquoises, et une calotte *parsemée* de perles. Henry II[6] portait des gants ornés de joyaux et qui lui montaient jusqu'au coude, et il avait un gant de fauconnier dans lequel étaient cousus douze rubis et cinquante-deux grosses perles d'Orient. Le chapeau ducal de Charles le Téméraire, dernier duc de Bourgogne de sa lignée, laissait pendre des perles en forme de poires, et il était piqué de saphirs.

Comme la vie était exquise, autrefois ! Quelle magnificence dans sa pompe, dans son ornementation ! La simple lecture du luxe des morts vous émerveillait.

Puis il tourna son attention vers les broderies et les tapisseries[7] qui faisaient office de fresques dans les pièces froides des peuples du nord de l'Europe. À mesure qu'il approfondissait son sujet — et il eut toujours une capacité extraordinaire à se laisser entièrement absorber, dans l'instant, par tout sujet qu'il abordait — il se laissa presque gagner par la tristesse en songeant aux ravages que le Temps cause à tout ce qui est beau et extraordinaire. Lui, du moins, avait échappé à ce sort. Les étés se succédaient, les jonquilles jaunes fleurissaient et se fanaient bien des fois, les nuits d'horreur redisaient l'histoire de leur infamie, mais lui restait inchangé. Nul hiver n'abîmait son visage ni ne flétrissait son teint de fleur. Il en allait bien autrement pour les choses matérielles ! Où donc s'étaient-elles évanouies ? Où était donc la grande robe couleur de crocus que les dieux avaient disputée aux géants et que de brunes jeunes filles avaient tissée pour le plaisir d'Athéna ? Où était l'immense vélarium tendu par Néron au-dessus du Colisée de Rome, cet immense voile écarlate où l'on voyait représenté le ciel étoilé avec Apollon conduisant un char attelé de blancs coursiers aux rênes d'or ? Il aurait voulu voir les curieux napperons réalisés pour le Prêtre du Soleil[1], sur lesquels figuraient toutes les friandises et tous les mets délicats que l'on peut rassembler pour un festin ; le drap mortuaire du roi Chilpéric[2], avec ses trois cents abeilles d'or ; les robes extravagantes qui scandalisèrent l'évêque du Pont et où étaient représentés « des lions, des panthères, des ours, des chiens, des forêts, des rochers, des chasseurs — en fait, tout ce qu'un peintre peut copier dans la nature » ; et la veste qu'un jour porta Charles d'Orléans, sur les manches de laquelle étaient brodées les paroles d'une chanson commençant par *Madame, je suis tout joyeux*, tandis que la musique était faite au fil d'or, chaque note, de forme alors carrée, formée de quatre perles. Il lut la description de la salle que l'on prépara au palais de Reims à l'intention de la reine Jeanne de Bourgogne[3], et qui

était décorée de « mille trois cent vingt et un perroquets, réalisés en broderie, aux armes du roi, et de
cinq cent soixante et un papillons, dont les ailes portaient de même manière les armes de la reine, le tout
réalisé en or ». Catherine de Médicis s'était fait faire
un lit funèbre en velours noir saupoudré de crois-
sants et de soleils. Ses rideaux étaient de damas,
ornés de couronnes et de guirlandes de feuilles disposées sur un fond d'or et d'argent, les bords
décorés d'une frange de perles brodées, et il avait été
dressé dans une pièce où pendaient des rangées de
devises de la reine en velours noir ciselé sur une
étoffe d'argent. Louis XIV avait dans ses appartements des cariatides brodées d'or hautes de quinze
pieds. Le lit de parade de Sobieski, roi de Pologne[1],
était fait de brocart d'or de Smyrne où des turquoises dessinaient des versets du Coran. Les sup-
ports étaient en vermeil, admirablement ciselés, et
incrustés à profusion de médaillons garnis d'émaux
et de pierreries. Il avait été saisi dans le camp turc
installé devant Vienne, et l'étendard de Mahomet
avait flotté sous les dorures frémissantes de son
baldaquin.

Et c'est ainsi que, durant toute une année, il
s'efforça d'accumuler les plus merveilleux spécimens de tissus et de broderies : de délicates mousse-
lines de Delhi, finement ouvrées de palmettes en fil
d'or et piquées d'ailes de scarabées irisées ; des gazes
de Dacca, si diaphanes qu'on leur a donné en Orient
le nom d'« air tissé », d'« eau vive », et de « rosée du
soir » ; des tissus de Java aux motifs étranges ; des
tentures jaunes très raffinées venues de Chine ; des
livres reliés en satin fauve ou en belle soie bleue,

ornés de *fleurs de lys,* d'oiseaux, et d'images ; des
voiles de *lacis* travaillés au point de Hongrie ; des
brocarts siciliens et des velours espagnols empesés ;
des étoffes géorgiennes à sequins dorés, et des *foukousas*[1] japonais avec leurs ors aux reflets verts et
leurs oiseaux au magnifique plumage.

Il eut également une passion spéciale pour les
vêtements sacerdotaux, comme d'ailleurs pour tout
ce qui touchait au service de l'Église. Dans les longs
coffres de cèdre disposés le long de la galerie ouest
de sa demeure, il avait entreposé nombre de spécimens rares et superbes de ce qui est réellement la
parure de l'Épouse du Christ, car celle-ci doit porter
de la pourpre, des joyaux et le lin le plus fin pour
cacher son corps blême, mortifié, usé par la souffrance qu'elle recherche et blessé des douleurs
qu'elle s'inflige. Il possédait une somptueuse chape
de soie cramoisie damassée au fil d'or, illustrée de
grenades dorées qui répétaient un motif de fleurs
stylisées à six pétales, derrière lesquelles, de part et
d'autre, l'emblème de la pomme de pin était réalisé
en perles fines. Les orfrois[2] étaient divisés en panneaux représentant des scènes de la vie de la Vierge,
et le couronnement de la Vierge était brodé en soies
de couleur sur la capuche. C'était un travail italien
du XVe siècle. Une autre chape était en velours vert
brodé de groupes de feuilles d'acanthe en forme de
cœur, d'où s'élançaient des fleurs blanches à longue
tige, dont les détails étaient rendus en fil d'argent et
en cristaux de couleur. Le fermail portait une tête de
séraphin en plumetis de fil d'or. Les orfrois étaient
tissés dans une soie diaprée rouge et or, et ils étaient
constellés des médaillons de nombreux saints et

martyrs, parmi lesquels saint Sébastien. Il avait également des chasubles de soie couleur d'ambre, et de
soie bleue et de brocart d'or, et de soie damassée
jaune et de drap d'or, illustrées de représentations
de la Passion et de la Crucifixion du Christ, et brodées de lions, de paons et autres emblèmes ; des dal-
matiques de satin blanc et de soie damassée rose
décorée de tulipes, de dauphins et de *fleurs de lys* ;
des parements d'autel de velours cramoisi et de lin
bleu ; et nombre de corporaux, de voiles de calice et
de suaires. Dans l'usage mystique assigné à ces
objets, il y avait quelque chose qui excitait son imagination.

Car ces trésors, comme tout ce qu'il collectionnait
dans sa belle demeure, devaient être pour lui des
moyens d'oublier, une façon d'échapper, le temps
d'une saison, à la peur qui lui semblait parfois
presque trop intense pour pouvoir être supportée.
Au mur de la chambre isolée, verrouillée, où s'était
déroulée une si grande partie de son enfance, il avait
accroché de ses propres mains le terrible portrait,
dont les traits changeants lui montraient la dégradation véritable de sa vie, et il avait tendu devant lui,
comme un rideau, le drap pourpre et or. Durant des
semaines, il n'y pénétrait pas, oubliait la hideuse
chose peinte, et recouvrait un cœur léger, retrouvait
sa merveilleuse allégresse, se laissait absorber passionnément par la vie même. Puis une nuit, brusquement, il quittait furtivement sa maison, gagnait
quelque lieu abominable près de Blue Gate Fields[1],
et y restait, plusieurs jours d'affilée, jusqu'à ce qu'on
l'en chassât. À son retour, il s'asseyait en face du portrait, parfois le haïssant et se haïssant lui-même, mais

gagné d'autres fois par cet orgueilleux individualisme qui entre pour moitié dans la fascination du péché, et il raillait avec une joie secrète l'ombre difforme condamnée à porter le fardeau qui aurait dû être le sien.

Au bout de quelques années, il ne put supporter de rester longtemps hors d'Angleterre, et il renonça à la villa qu'il avait partagée à Trouville avec Lord Henry, ainsi qu'à la petite maison blanche d'Alger, tout enclose, où ils avaient plus d'une fois passé l'hiver. Il détestait être séparé de ce portrait qui représentait une part si importante de sa vie, et redoutait également qu'en son absence quelqu'un ne réussît à pénétrer dans la chambre, en dépit des verrous compliqués qu'il avait fait placer sur la porte.

Il se rendait parfaitement compte que le portrait ne serait parlant pour personne. Certes il conservait encore, sous la laideur et la noirceur du visage, une ressemblance marquée avec lui ; mais que pouvait-on en déduire ? Il tournerait tout sarcasme en ridicule. Ce n'était pas lui qui l'avait peint. Que lui importait qu'il parût vil et abject ? Et quand bien même il raconterait tout, le croirait-on ?

Pourtant, il avait peur. Parfois, quand il était dans sa grande maison du Nottinghamshire, où il recevait les jeunes élégants de son rang, qui constituaient le gros de ses compagnons, et ébahissait le comté par le luxe gratuit et la splendeur somptueuse de son style de vie, il quittait brusquement ses invités et regagnait précipitamment la capitale, pour vérifier que la porte n'avait pas été forcée, et que le portrait était toujours là. Et si on le volait ? Rien que d'y penser, il se sentait glacé d'horreur. Assurément, le monde connaîtrait alors son secret. Peut-être le monde le soupçonnait-il déjà.

Car s'il en fascinait beaucoup, ceux qui se défiaient de lui n'étaient pas rares. Il s'en fallut de très peu qu'il ne fût blackboulé dans un club du West End dont sa naissance et sa position sociale justifiaient pleinement qu'il devînt membre, et le bruit courut qu'un jour où un de ses amis l'introduisait dans le fumoir du Churchill, le duc de Berwick et un autre *gentleman* se levèrent ostensiblement et sortirent. On colporta, quand il eut dépassé vingt-cinq ans, de curieuses histoires sur son compte. La rumeur affirmait qu'on l'avait vu se quereller avec des marins étrangers dans un bouge infâme perdu au fond de Whitechapel, ou encore qu'il fréquentait voleurs et faux-monnayeurs et connaissait les mystères de leur profession. Ses absences inexpliquées devinrent notoires et lorsqu'il réapparaissait dans le monde, les gens chuchotaient dans les coins, ou ricanaient en passant à côté de lui, ou le dévisageaient d'un œil froidement inquisiteur, comme s'ils étaient décidés à découvrir son secret.

À ces insolences et à ces insultes calculées il ne prêtait évidemment nulle attention et, pour la plupart des gens, ses manières franches et enjouées, son sourire charmeur d'adolescent, la grâce infinie de cette jeunesse merveilleuse qui semblait ne l'avoir jamais quitté, étaient en eux-mêmes une réponse suffisante aux calomnies — car c'est ainsi qu'ils les appelaient — que l'on faisait circuler sur lui. On observa cependant que certaines des personnes avec lesquelles il avait eu les relations les plus intimes semblaient, au bout de quelque temps, l'éviter. On voyait des femmes qui lui avaient voué une adoration passionnée et qui avaient, pour lui, bravé la censure de la société et passé outre à toutes les conventions, blêmir de honte ou d'horreur si Dorian Gray entrait dans la pièce.

Pourtant ces scandales chuchotés ne faisaient qu'accroître, aux yeux de beaucoup, son charme étrange et dangereux. Jusqu'à un certain point sa grande fortune constituait une sécurité. La société, du moins la société civilisée, n'est jamais portée à rien croire de négatif sur le compte de gens riches et séduisants. Elle sent d'instinct que les manières comptent plus que la morale et pour elle la plus haute respectabilité vaut infiniment moins que la possession d'un bon *chef*. Et après tout, c'est une bien mince consolation que de savoir que l'homme qui vient de vous donner un mauvais dîner ou un vin médiocre est, dans sa vie privée, irréprochable. Les vertus cardinales elles-mêmes ne sauraient racheter des *entrées* tièdes, comme le fit un jour observer Lord Henry, dans une discussion sur ce thème ; et il y a sans doute d'excellentes raisons de soutenir ce point de vue. Car les canons de la bonne société sont, ou devraient être, les mêmes que les canons de l'art. La forme y est absolument essentielle. Elle doit avoir la dignité d'une cérémonie, tout autant que son irréalité, et combiner l'insincérité d'une comédie romanesque avec l'esprit et la beauté qui en font pour nous le charme. L'insincérité est-elle vraiment quelque chose d'abominable ? Je ne le crois pas. Ce n'est rien d'autre qu'une méthode qui nous permet de multiplier nos personnalités.

Telle était en tout cas l'opinion de Dorian Gray. Il

s'étonnait de la superficialité de ces psychologues pour qui le Moi est chose simple, permanente, fiable, et d'une essence unique. À ses yeux, l'homme était un être doté d'une myriade de vies et d'une myriade de sensations ; une créature complexe et multiforme portant en elle de curieux héritages de pensées et de passions, infectée dans sa chair même par les maladies monstrueuses des morts. Il aimait déambuler dans la haute et froide galerie de tableaux de sa maison de campagne et contempler les différents portraits de ceux dont le sang coulait dans ses veines. C'était ici Philip Herbert, dont Francis Osborne, dans ses *Mémoires des règnes de la Reine Élisabeth et du Roi Jacques*[1], nous dit qu'il était « bichonné par la Cour en raison de son beau visage, lequel ne lui tint pas fort longtemps compagnie ». Était-ce la vie du jeune Herbert qu'il lui arrivait de mener ? Un germe étrange et empoisonné était-il passé de corps en corps pour finalement atteindre le sien ? Était-ce le sentiment confus de cette grâce flétrie qui l'avait poussé si soudainement et presque sans raison à lancer, dans l'atelier de Basil Hallward, la prière insensée qui avait bouleversé sa vie ? Et là, portant pourpoint rouge brodé d'or, surcot orné de bijoux, manchettes et poignets à rebords dorés, Sir Anthony Sherard, son armure noir et argent à ses pieds. Qu'avait-il hérité de cet homme ? L'amant de Jeanne de Naples lui avait-il légué quelque péché, quelque infamie ? ses actions étaient-elles tout simplement les rêves que le mort n'avait pas osé réaliser ? Et là, sur la toile aux couleurs fanées, Lady Elizabeth Devereux, toute souriante, en capuche de gaze, corsage de perle, et manches à crevés roses. Sa

main droite tient une fleur et la gauche serre un collier émaillé de roses blanches de Damas. Sur une
table à côté d'elle sont posées une mandoline et une
pomme. Il y a de grandes rosettes vertes sur ses
petites chaussures à pointes. Il connaissait sa vie et
les curieuses histoires que l'on racontait sur ses
amants. Avait-il en lui un peu de son tempérament ?
Ces yeux ovales aux lourdes paupières semblaient
l'observer avec curiosité. Et George Willoughby,
avec ses cheveux poudrés et ses mouches extravagantes ? Quel air diabolique ! Le visage était
mélancolique et noiraud, et les lèvres sensuelles semblaient tordues par le mépris. De délicates manchettes de dentelle retombaient sur des mains mai-
gres et jaunes surchargées de bagues. Il avait été un
des macaroni[1] du xviiie siècle et l'ami, dans sa
jeunesse, de Lord Ferrars. Et le second Lord
Beckenham, qui fut compagnon du Prince Régent[2]
dans sa période la plus folle et l'un de ses témoins
quand il épousa secrètement Mrs Fitzherbert[3] ? Qu'il
était fier et beau, avec ses boucles châtain et sa pose
insolente ! Quelles passions lui avait-il léguées ? Le
monde l'avait tenu pour infâme. Il avait dirigé les
orgies de Carlton House. L'étoile de la Jarretière
brillait sur sa poitrine. À côté de lui était accroché le
portrait de son épouse, une femme pâle aux lèvres
minces, vêtue de noir. Son sang à elle coulait également dans ses veines. Comme tout cela était étrange !
Et sa mère, avec son visage à la Lady Hamilton[4] et ses
lèvres humides, humectées de vin — mais d'elle, il
savait ce qu'il tenait. Il tenait d'elle sa beauté, et sa
passion pour la beauté d'autrui. Elle riait à son intention, dans sa robe de Bacchante toute flottante. Il y

avait des feuilles de vigne dans sa chevelure. La pourpre débordait de la coupe qu'elle tenait. Les teintes chair de la peinture étaient passées, mais les yeux restaient encore merveilleux par la profondeur et l'éclat de leur couleur. Ils semblaient le suivre, où qu'il se dirigeât.

Mais en dehors de notre propre race, nous avons des ancêtres dans la littérature, dont beaucoup sont sans doute plus proches, par le type et le tempérament, et leur influence nous est nettement plus sensible. Parfois Dorian Gray avait l'impression que l'histoire entière n'était que la relation de sa vie, non pas telle qu'il l'avait vécue en action et dans le détail, mais telle que son imagination l'avait créée pour lui, telle qu'elle avait été dans son cerveau et dans ses passions. Il avait le sentiment de les avoir tous connus, ces personnages singuliers et terrifiants qui avaient traversé la scène du monde en rendant le péché si merveilleux et le mal si subtil. Il lui semblait que leur vie, mystérieusement, avait été la sienne.

Le héros de ce roman prodigieux qui avait exercé sur sa vie une telle influence avait lui-même éprouvé cette curieuse impression. Il raconte au chapitre VII comment, couronné de laurier pour éviter d'être frappé par la foudre, il avait été Tibère, lisant, dans un jardin de Capri, les ouvrages scandaleux d'Éléphantis[1], tandis que des nains et des paons paradaient autour de lui et que le flûtiste raillait le thuriféraire ; puis Caligula, faisant ripaille à l'écurie avec les palefreniers à casaque verte avant de souper dans une mangeoire d'ivoire à côté d'un cheval au front décoré de joyaux ; puis Domitien, errant dans un couloir garni de miroirs de marbre, cherchant de

ses yeux hagards le reflet du glaive qui devait mettre
fin à ses jours, et malade de cet *ennui*, ce terrible *taedium vitae*[1], lot commun de tous ceux à qui la vie ne
refuse rien ; il avait observé au travers d'une claire
émeraude les sanglants carnages du Cirque puis,
dans une litière de perle et de pourpre tirée par des
mules aux sabots d'argent, avait regagné par la rue
des Grenades une Maison Dorée, tandis que sur son
passage, les hommes acclamaient Néron César ; puis
Héliogabale, le visage peint à la couleur, filant la
quenouille au milieu des femmes, puis rapportant
de Carthage la Lune pour l'unir, en un mariage mystique, au Soleil.

Sans se lasser Dorian relisait ce chapitre fantastique et les deux chapitres suivants qui présentaient,
comme font certaines tapisseries singulières ou certains émaux étranges habilement ouvragés, les
formes effrayantes et splendides de ceux dont le
Vice, le Sang et l'Ennui avaient fait des monstres
ou des fous[2] : Filippo, duc de Milan, qui assassina
son épouse et déposa sur ses lèvres un poison écarlate afin que son amant bût la mort sur les lèvres
de la défunte ; Pietro Barbi, le Vénitien, connu sous
le nom de Paul II[3], qui, dans sa vanité, voulut
prendre le titre de Formosus et dont la tiare, estimée
deux cent mille florins, fut achetée au prix d'un
péché abominable ; Gian Maria Visconti, qui lançait
des meutes de chiens à la chasse aux hommes
vivants, et dont le corps assassiné fut recouvert de
roses par une prostituée qui l'avait aimé ; le Borgia
sur son coursier blanc, le Fratricide chevauchant à
ses côtés[4], son manteau taché du sang de Perotto ;
Pietro Riario[5], le jeune cardinal-archevêque de Flo-

rence, fils et amant de Sixte IV, dont la beauté
n'avait d'égale que la dépravation et qui reçut Leo-
nore d'Aragon dans un pavillon de soie blanche et
cramoisie rempli de nymphes et de centaures, et qui
recouvrit un jeune garçon d'or en feuille pour qu'il
pût servir, lors du festin, de Ganymède ou d'Hylas[1] ;
Ezzelin[2], dont seul le spectacle de la mort pouvait
guérir la mélancolie et qui avait une passion pour le
sang rouge, comme d'autres l'ont pour le vin rouge
— fils de l'Ennemi, disait-on, qui avait triché face à
son père dans une partie de dés dont son âme était
l'enjeu ; Giambattista Cibo[3] qui, par raillerie, prit le
nom d'Innocent, et dans les veines engourdies duquel
un médecin juif transfusa le sang de trois jeunes garçons ; Sigismond Malatesta[4], amant d'Isotta et seigneur de Rimini, qui fut à Rome brûlé en effigie
comme ennemi de Dieu et des hommes, qui étrangla
Polissena avec une serviette de table, donna à Ginevra
d'Este du poison dans une coupe d'émeraude, et,
pour honorer une passion honteuse, bâtit une église
païenne pour le culte chrétien ; Charles VI[5], qui
avait tant adoré la femme de son frère qu'un
lépreux lui avait prédit que la folie le guettait et qui,
quand son cerveau fut malade et dérangé, ne pouvait être apaisé que par des cartes sarrasines représentant les images de l'Amour, de la Mort et de la
Folie ; et aussi, portant pourpoint orné, toque
garnie de pierres précieuses et boucles en feuilles
d'acanthe, Grifonetto Baglioni[6], qui avait occis
Astorre avec sa fiancée, et Simonetto avec son page,
et dont la beauté était telle que, lorsqu'il se retrouva
à l'agonie, étendu sur la place jaune de Pérouse, ceux
qui l'avaient haï ne purent retenir leurs larmes et

qu'Atalanta, qui l'avait maudit, lui donna sa bénédiction.

Tous provoquaient en lui une horrible fascination. Il les voyait la nuit et, le jour, ils troublaient son imagination. La Renaissance avait recouru à de curieuses méthodes d'empoisonnement : un heaume et une torche enflammée, un gant brodé et un éventail garni de diamants, une pomme de senteur dorée et une chaîne d'ambre. Dorian Gray, lui, avait été empoisonné par un livre. Parfois le mal n'était plus à ses yeux qu'une méthode lui permettant de réaliser sa conception de la beauté.

## 12

Cela se passa, il se le rappela souvent par la suite, le neuf novembre, veille de son trente-huitième anniversaire.

Il était environ onze heures et il sortait de chez Lord Henry, où il avait dîné, pour rentrer chez lui, enveloppé dans un épais manteau de fourrure, car la nuit était froide et le brouillard régnait. Au coin de Grosvenor Square et de South Audley Street un homme le croisa dans la brume, marchant d'un pas rapide, le col de son ulster[1] gris relevé. Il avait un sac à la main. Dorian le reconnut. C'était Basil Hallward. Un étrange sentiment de peur, inexplicable, l'envahit. Il ne montra pas qu'il l'avait reconnu et poursuivit rapidement son chemin vers sa maison.

Mais Hallward l'avait vu. Dorian l'entendit d'abord s'immobiliser sur le trottoir, puis venir en hâte à sa rencontre. Au bout de quelques instants, la main de Hallward se posait sur son bras.

« Dorian ! Quelle chance extraordinaire ! Je t'attendais depuis neuf heures dans ta bibliothèque. J'ai fini par avoir pitié de la fatigue de ton domestique, et, quand il m'a reconduit jusqu'à la porte, je lui ai dit d'aller se coucher. Je pars pour Paris par le train de minuit, et je voulais absolument te voir avant mon départ. J'ai cru te reconnaître, ou plutôt ton manteau de fourrure, lorsque nous nous sommes croisés. Mais je n'en étais pas tout à fait sûr. Tu ne m'as donc pas reconnu ?

— Par un tel brouillard, mon cher Basil ? Ma foi, c'est à peine si je reconnais Grosvenor Square. Je crois que ma maison se trouve quelque part par là, mais je n'en suis pas du tout certain. Je suis navré que tu t'en ailles, car cela fait un temps infini que je ne t'avais vu. Mais je suppose que tu vas bientôt revenir ?

— Non, je vais rester six mois hors d'Angleterre. J'ai l'intention de prendre un atelier à Paris, et de m'y enfermer jusqu'à ce que j'aie achevé un grand tableau que j'ai dans la tête. Cela dit, ce n'est pas de moi que je voulais te parler. Nous voici à ta porte. Laisse-moi entrer un instant. J'ai quelque chose à te dire.

— J'en serai ravi. Mais ne vas-tu pas manquer ton train ? » dit Dorian Gray sans hâte, et il gravit les marches pour ouvrir la porte avec sa clef.

La lumière du réverbère s'efforçait de percer le brouillard, et Hallward consulta sa montre. « J'ai tout le temps qu'il faut, répondit-il. Le train ne part qu'à minuit quinze, et il est tout juste onze heures. En fait, quand je t'ai rencontré, je me dirigeais vers le club pour t'y chercher. Vois-tu, je ne perdrai pas de temps avec les bagages, car j'ai déjà expédié tous ceux qui pèsent lourd. Tout ce que j'emporte est dans ce sac, et je n'aurai aucune peine à être à Victoria en vingt minutes. »

Dorian le regarda et eut un sourire. « Quelle façon de voyager, pour un peintre célèbre ! Un sac Gladstone[1] et un ulster ! Entre donc, sinon c'est le brouillard qui va envahir la maison. Et je compte sur toi pour ne pas entamer de conversation sérieuse. Rien n'est sérieux de nos jours. Ou du moins, rien ne mérite de l'être. »

Hallward entra en secouant la tête et suivit Dorian dans la bibliothèque. Un feu de bois flambait dans la grande cheminée. Les lampes étaient allumées et un coffret à liqueurs hollandais en argent, grand ouvert, ainsi que des siphons d'eau de Seltz et de grands verres en cristal taillé étaient posés sur une petite table marquetée.

« Tu vois que ton domestique m'a fort bien traité, Dorian. Il m'a donné tout ce que je voulais, sans en exclure tes meilleures cigarettes à bout doré. C'est quelqu'un de très hospitalier. Il me plaît beaucoup plus que le Français que tu avais autrefois. Au fait, qu'est devenu ce Français ? »

Dorian haussa les épaules. « Je crois qu'il a épousé la bonne de Lady Radley et l'a installée à Paris comme couturière anglaise. L'*anglomanie* est très à la mode là-bas ces temps-ci, me dit-on. Ces Français sont un peu sots, ne crois-tu pas ? Mais sais-tu que ce n'était pas du tout un mauvais domestique ? Je ne l'ai jamais beaucoup aimé, mais je n'ai jamais rien eu à lui reprocher. On imagine souvent des choses parfaitement absurdes. Il m'était réellement très dévoué, et a paru tout à fait désolé de me quitter. Veux-tu un autre cognac ? Ou préfères-tu du vin du Rhin à l'eau de Seltz ? Je bois toujours du vin du Rhin à l'eau de Seltz. Il y en a sûrement dans la pièce à côté.

— Merci, je ne prendrai plus rien », dit le peintre, qui ôta sa casquette et son manteau et les jeta sur le sac qu'il avait posé dans un coin de la pièce. « Et maintenant, cher ami, il faut que je te parle sérieusement. Ne fronce pas le sourcil. Tu rends les choses tellement plus difficiles pour moi.

— De quoi s'agit-il donc ? » s'écria Dorian, avec sa pétulance habituelle, en se laissant tomber sur le canapé. « J'espère qu'il ne s'agit pas de moi. Ce soir je suis fatigué de moi. Je voudrais être quelqu'un d'autre.

— Il s'agit bien de toi, répondit Hallward de sa voix grave et profonde, et il faut que je te le dise. Je ne te retiendrai pas plus d'une demi-heure. »

Dorian eut un soupir et alluma une cigarette. « Une demi-heure ! » murmura-t-il.

« Je ne te demande pas grand-chose, Dorian, et c'est uniquement dans ton intérêt que je parle. Je crois qu'il faut que tu saches que les bruits les plus abominables courent dans Londres à ton sujet.

— Je ne veux rien en savoir. J'adore les médisances quand elles concernent les autres, mais les médisances qui me concernent ne m'intéressent pas. Elles n'ont pas le charme de la nouveauté.

— Il faut pourtant qu'elles t'intéressent, Dorian. Tout gentleman doit s'intéresser à sa réputation. Tu ne veux quand même pas que les gens parlent de toi comme de quelqu'un de vil et de dépravé. Certes tu as ta position, ta fortune, et cetera. Mais position et fortune ne sont pas tout. Note bien que je n'accorde aucun crédit à ces rumeurs. Ou plutôt, je ne peux en te voyant leur accorder aucun crédit. Le péché est quelque chose qui s'inscrit sur le visage d'un homme.

Impossible de le dissimuler. Les gens parlent parfois de vices cachés. Cela n'existe pas. Si un misérable a un vice, ce dernier se voit dans les rides de sa bouche, dans l'affaissement de ses paupières, et jusque dans la forme de ses mains. Quelqu'un — dont je tairai le nom, mais tu le connais — est venu me voir l'an passé pour que je fasse son portrait. Je ne l'avais jamais vu auparavant et je n'avais, à l'époque, rien entendu dire sur son compte, bien que j'en aie entendu beaucoup depuis. Il m'offrit une somme extravagante. Je refusai de le peindre. Il y avait dans la forme de ses doigts quelque chose que je détestais. Je sais aujourd'hui que j'avais entièrement raison dans ce que je m'imaginais sur son compte. Il mène une vie effroyable. Mais toi, Dorian, avec ton visage éclatant, pur, innocent, et ta prodigieuse jeunesse, que rien n'altère, il m'est impossible de rien croire contre toi. Et pourtant je te vois très rarement, tu ne viens plus jamais à l'atelier, et quand je suis loin de toi, et que j'entends les abominations que les gens chuchotent sur ton compte, je ne sais quoi dire. Comment se fait-il, Dorian, qu'au club un homme comme le duc de Berwick quitte la salle quand tu y entres ? Comment se fait-il que tant de *gentlemen* de Londres refusent aussi bien d'aller chez toi que de t'inviter chez eux ? Tu étais autrefois un ami de Lord Staveley. Je l'ai rencontré la semaine dernière lors d'un dîner. Ton nom est venu par hasard dans la conversation à propos des miniatures que tu as prêtées pour l'exposition de la Dudley[1]. Staveley eut une moue dédaigneuse et déclara que tu avais peut-être en matière d'art les goûts les plus raffinés du monde, mais que tu étais un homme tel qu'aucune jeune fille pure ne devrait être autorisée à te connaître, et aucune femme chaste à s'asseoir dans la même pièce que toi. Je lui rappelai que j'étais un de tes amis, et lui demandai ce qu'il voulait dire par là. Il me le dit. Il me le dit tout à trac devant tout le monde. Ce fut atroce ! Pourquoi ton amitié est-elle fatale aux jeunes gens ? Il y a eu ce malheureux jeune homme de la Garde qui s'est suicidé. Tu étais un de ses grands amis. Il y a eu Sir Henry Ashton, qui a été contraint de quitter l'Angleterre avec une réputation flétrie. Lui et toi étiez inséparables. Et Adrian Singleton, dont la fin fut horrible ? Et le fils unique de Lord Kent et sa carrière ? J'ai rencontré son père hier dans St. James's Street. Il paraissait brisé par la honte et la douleur. Et le jeune duc de Perth ? Quelle vie mène-t-il à présent ? Quel gentleman accepterait d'être vu en sa compagnie ?

— Cela suffit, Basil. Tu parles de choses que tu ne connais pas », dit Dorian Gray en se mordant les lèvres, la voix chargée d'un souverain mépris. « Tu me demandes pourquoi Berwick quitte une pièce quand j'y entre. Ce n'est pas parce qu'il sait quelque chose de ma vie, c'est parce que je sais tout de la sienne. Avec le sang qu'il a dans les veines, comment pourrait-il être sans tache ? Tu m'interroges sur Henry Ashton et le jeune Perth. Est-ce moi qui ai enseigné à l'un le vice, à l'autre la débauche ? Si ce jeune imbécile de Kent va chercher sa femme sur le trottoir, en quoi cela me concerne-t-il ? Si Adrian Singleton signe du nom d'un de ses amis une reconnaissance de dette, suis-je donc son gardien ? Je sais à quel point, en Angleterre, les gens aiment les ragots. Les bourgeois, quand ils se retrouvent dans leurs salles à manger vulgaires, étalent leurs préjugés moraux et parlent à voix basse de ce qu'ils appellent la dépravation des classes supérieures, tout cela pour essayer de faire croire qu'ils appartiennent à la bonne société et sont intimes avec les gens qu'ils calomnient. Dans ce pays il suffit qu'un homme ait de la distinction et de l'intelligence pour que toutes les langues vulgaires se déchaînent contre lui. Et quelle vie mènent-ils donc, tous ces gens qui affectent une telle moralité ? Mon cher ami, tu oublies que nous sommes au pays natal des hypocrites.

— Dorian, s'écria Hallward, là n'est pas le problème. L'Angleterre a des choses à se reprocher, je le sais, et la société anglaise va complètement de travers. C'est précisément pour cela que je veux que tu sois inattaquable. Tu ne l'as pas été. On a le droit de juger un homme par l'effet qu'il produit sur ses amis. Les tiens perdent tout sens de l'honneur, de la vertu, de la pureté. Tu les as animés d'une soif effrénée de plaisir. Ils ont plongé au fond du gouffre. C'est toi qui les y as conduits. Oui, tu les y as conduits, et pourtant tu es capable de sourire, comme tu le fais en ce moment. Et il y a plus. Je sais que Harry et toi êtes inséparables. Pour cette raison précisément, à défaut de toute autre, tu n'aurais pas dû permettre que sa sœur devienne la risée du monde.

— Prends garde, Basil. Tu vas trop loin.

— Il faut que je parle, et que tu écoutes. Et tu écouteras. Quand tu as fait la connaissance de Lady Gwendolen, il ne courait pas la moindre rumeur sur son compte. Y a-t-il à présent à Londres une seule femme convenable qui accepterait d'aller en voiture

avec elle dans le Parc ? En fait, ses enfants eux-
mêmes n'ont pas le droit de vivre avec elle. Et puis il
y a d'autres rumeurs — des rumeurs selon lesquelles
on t'a vu quitter furtivement au petit matin des maisons abominables, ou entrer en cachette, déguisé,
dans les repaires les plus infâmes de Londres. Sont-
elles véridiques ? Se peut-il qu'elles le soient ? La première fois que je les ai entendues, j'ai éclaté de rire.
Quand je les entends à présent, elles me font frissonner. Et ta maison de campagne, et la vie qui s'y
mène ? Dorian, tu ne sais pas ce que l'on dit de toi. Je
ne vais pas te dire que je refuse de te sermonner. Je
me rappelle avoir entendu Harry dire un jour que
tout homme qui assume pour un temps le rôle de
prêtre amateur commence toujours par dire cela,
puis s'empresse de violer sa promesse. Je veux en
effet te sermonner. Je veux que tu mènes une vie qui
t'assure le respect du monde. Je veux que tu aies une
réputation intacte et un dossier sans faille. Je veux
que tu te débarrasses de ces horribles individus que
tu fréquentes. Ne hausse pas ainsi les épaules. Ne
sois pas si indifférent. Tu exerces une influence
extraordinaire. Fais qu'elle serve le bien, non le mal.
On dit que tu corromps toute personne avec laquelle
tu te lies, et qu'il suffit littéralement que tu entres
dans une maison pour que, sous une forme ou sous
une autre, la honte suive tes pas. J'ignore si cela est
vrai ou non. Comment le saurais-je ? Mais c'est ce
que l'on dit de toi. On me raconte des choses qu'il
paraît impossible de mettre en doute. Lord Glou-
cester était à Oxford l'un de mes meilleurs amis. Il
m'a montré une lettre que sa femme lui avait écrite
quand elle était à l'agonie, seule dans sa villa de

Menton. Ton nom était impliqué dans la plus effrayante confession que j'aie jamais lue. Je lui ai dit que c'était absurde, que je te connaissais à fond, et que tu étais incapable d'une chose pareille. Te connaître ? Je me demande si je te connais ! Avant de pouvoir répondre à cette question, il me faudrait voir ton âme.

— Voir mon âme ! » murmura Dorian Gray, quittant le canapé d'un bond et devenant presque blanc de peur.

« Oui », répondit gravement Hallward, la voix chargée d'une profonde douleur, « voir ton âme. Mais cela, seul Dieu le peut. »

Un rire amer, sarcastique, jaillit des lèvres du plus jeune. « Tu vas la voir toi-même, et dès ce soir ! s'écria-t-il, en saisissant une lampe sur la table. Viens ; c'est ton œuvre. Pourquoi ne la verrais-tu pas ? Tu pourras ensuite en parler au monde entier, si tu le veux. Personne ne te croirait. Et si l'on te croyait, on m'en aimerait encore davantage. Je connais notre époque mieux que toi, bien que tu débites sur elle tant d'ennuyeuses banalités. Viens donc, je le répète. Tu as bien assez discouru sur la corruption. Tu vas à présent la voir en face. »

La folie de l'orgueil marquait chacune de ses paroles. Il frappait le sol du pied avec son insolence d'enfant. Il éprouvait une joie terrible à l'idée que quelqu'un d'autre allait partager son secret, et que l'homme qui avait peint ce portrait à l'origine de toute son infamie aurait à assumer pendant le restant de sa vie le hideux souvenir de son acte.

« Oui », poursuivit-il en se rapprochant de Hallward et en fixant sans ciller ses yeux sévères. « Je vais te montrer mon âme. Tu vas voir ce que tu t'imagines que Dieu seul peut contempler. »

Hallward eut un mouvement de recul. « Tu blasphèmes, Dorian ! s'écria-t-il. Il ne faut pas dire des choses pareilles. Elles sont abominables et n'ont aucun sens.

— Tu crois ? » Il rit à nouveau.

« Je le sais. Quant à ce que je t'ai dit ce soir, c'est pour ton bien que je l'ai dit. Tu sais que j'ai toujours été pour toi un ami fidèle.

— Ne cherche pas à me toucher. Achève ce que tu avais à me dire. »

La douleur crispa fugitivement le visage du peintre. Il garda le silence un instant, et un sentiment d'infinie compassion l'envahit. Après tout, de quel droit allait-il fouiller dans la vie de Dorian Gray ? S'il avait fait ne fût-ce que le dixième de ce que disait de lui la rumeur, comme il devait avoir souffert ! Puis il se redressa, se dirigea vers la cheminée et s'y arrêta, regardant flamber les bûches dont la cendre avait l'aspect du givre et le cœur était fait de flammes palpitantes.

« J'attends, Basil », dit le jeune homme, d'une voix claire et dure.

Il se retourna. « Ce que j'ai à dire est ceci, s'écriat-il. Face à ces accusations abominables lancées contre toi, il faut que tu me donnes une réponse. Si tu me dis qu'elles sont, d'un bout à l'autre, entièrement fausses, je te croirai. Nie-les, Dorian, nie-les ! Ne vois-tu pas ce que j'endure ? Grands dieux ! Ne me dis pas que tu es mauvais, corrompu, infâme. »

Dorian Gray eut un sourire. Un mouvement de mépris plissa ses lèvres. « Monte avec moi, Basil, dit-il calmement. Je tiens un journal de ma vie, et il ne quitte jamais la pièce où il est écrit. Je vais te le montrer si tu veux bien m'accompagner.

— Je t'accompagne, Dorian, si tu le souhaites. Je m'aperçois que j'ai manqué mon train. Cela n'a pas d'importance. Je pourrai partir demain. Mais ne me demande pas de lire quoi que ce soit ce soir. Tout ce que je te demande, c'est une réponse directe à ma question.

— Elle te sera donnée là-haut. Je ne pouvais pas te la donner ici. Tu n'auras pas besoin de lire longtemps. »

## 13

Il sortit de la pièce et commença l'ascension, suivi de près par Basil Hallward. Ils marchaient sans bruit, comme on le fait instinctivement la nuit. La lampe projetait sur le mur et sur l'escalier des ombres fantastiques. Le vent s'était levé, et faisait vibrer certaines des fenêtres.

Quand ils atteignirent le dernier étage, Dorian posa la lampe sur le sol, sortit la clef de sa poche et la fit tourner dans la serrure. « Tu tiens vraiment à savoir, Basil ? demanda-t-il à voix basse.

— Oui.

— Tu m'en vois ravi », répliqua-t-il en souriant. Puis il ajouta, avec une certaine brutalité : « Tu es le seul homme au monde qui ait le droit de tout savoir de moi. Tu es bien plus étroitement lié à ma vie que tu ne le crois » ; et, après avoir ramassé la lampe, il ouvrit la porte et entra dans la pièce. Un courant d'air froid les assaillit, et la lampe jeta un instant une flamme d'un orange fuligineux. Il frissonna. « Ferme la porte derrière toi », chuchota-t-il en posant la lampe sur la table.

Hallward porta les yeux autour de lui, l'air

intrigué. La pièce semblait être restée inhabitée pendant des années. Une tapisserie flamande aux couleurs passées, un tableau derrière un rideau, un vieux *cassone*[1] italien, et une bibliothèque presque vide : elle ne contenait apparemment rien de plus, si ce n'est une table et une chaise. Quand Dorian Gray eut allumé une bougie déjà à moitié consumée posée sur la tablette de la cheminée, il s'aperçut que la pièce entière était couverte de poussière, et le tapis plein de trous. Une souris courut se dissimuler derrière le lambris. On sentait une odeur de moisi et d'humidité.

« Ainsi tu crois que seul Dieu voit notre âme, Basil ? Tire ce rideau, et tu verras la mienne. »

La voix qui parlait était froide et cruelle. « Tu es fou, Dorian, ou bien tu joues la comédie, murmura Hallward en fronçant le sourcil.

— Tu ne veux pas ? En ce cas, c'est moi qui le ferai », dit le jeune homme ; et il arracha le rideau de sa tringle et le jeta par terre.

Une exclamation d'horreur jaillit des lèvres du peintre lorsqu'il vit sur le tableau, dans la pénombre, le visage hideux qui lui souriait. Quelque chose dans son expression l'emplissait de dégoût et d'aversion. Grands dieux ! Ce qu'il avait sous les yeux, c'était le visage même de Dorian Gray ! L'abomination mystérieuse n'avait pas encore détruit complètement cette beauté prodigieuse. Il restait encore quelques fils d'or dans la chevelure qui s'éclaircissait, et un peu de rouge sur la bouche sensuelle. Les yeux bouffis gardaient quelque chose du charme de leur éclat azuré, les courbes pleines de noblesse des narines ciselées et du cou modelé n'avaient pas encore complètement disparu. Oui, c'était bien Dorian. Mais qui l'avait peint ? Il croyait reconnaître son propre coup de pinceau, et le cadre avait bien été dessiné par lui. L'idée était monstrueuse, et pourtant il eut peur. Il saisit la bougie allumée et l'éleva devant le portrait. Dans le coin gauche il put lire son nom, tracé en longues lettres d'un vermillon éclatant.

C'était une parodie répugnante, une infâme, une ignoble caricature. Il n'avait jamais fait cela. Et pourtant, c'était bien son tableau ! Il le reconnaissait, et il eut l'impression que son sang était passé en un instant de l'état de feu à celui d'une glace inerte. Son tableau ! Qu'est-ce que cela signifiait ? Pourquoi s'était-il transformé ? Il se retourna et regarda Dorian Gray avec les yeux d'un homme au bord de la nausée. Sa bouche se contractait, et sa langue desséchée semblait incapable d'articuler une parole. Il se passa la main sur le front. Celui-ci était moite de sueur.

Le jeune homme était adossé à la cheminée et l'observait avec cette expression étrange que l'on voit sur le visage de ceux qui, au théâtre, sont absorbés par le jeu d'un grand acteur. On n'y lisait ni vraie douleur ni vraie joie. C'était simplement la passion du spectateur, avec peut-être dans les yeux une lueur de triomphe. Il avait ôté la fleur de la boutonnière de sa veste, et la humait, ou faisait semblant de la humer.

« Qu'est-ce que cela signifie ? » s'écria finalement Hallward. Sa voix lui parut aiguë, insolite.

« Il y a des années, quand j'étais encore un enfant, dit Dorian Gray en écrasant la fleur entre ses doigts, tu m'as rencontré, tu m'as flatté, tu m'as enseigné à être fier de ma beauté. Un jour tu m'as présenté à l'un de tes amis, qui m'a expliqué le miracle de la jeunesse, et tu as achevé le portrait de moi-même qui m'a révélé le miracle de la beauté. Dans un instant d'égarement, qu'en ce moment même je ne sais si je regrette ou non, j'ai fait un vœu, peut-être dirais-tu une prière...

— Je m'en souviens ! Ah, si je m'en souviens ! Mais non, c'est impossible ! La pièce est humide. La toile s'est imprégnée de moisissure. Les couleurs que j'ai utilisées contenaient par malheur quelque poison minéral. Je t'assure que c'est impossible.

— Bah ! qu'y a-t-il d'impossible ? » murmura le jeune homme, qui alla jusqu'à la fenêtre et appuya son front contre la vitre froide couverte de buée.

« Tu m'avais dit que tu l'avais détruit.

— J'avais tort. C'est lui qui m'a détruit.

— Je refuse de croire que c'est mon tableau.

— Ne peux-tu y voir ton idéal ? dit Dorian amèrement.

— Mon idéal, comme tu l'appelles...

— Comme tu l'appelais, toi.

— Il ne s'y trouvait rien de mauvais, rien d'ignoble. Tu as été pour moi un idéal comme je n'en rencontrerai jamais d'autre. Ceci est le visage d'un satyre.

— C'est le visage de mon âme.

— Par Jésus-Christ ! Quelle créature j'ai donc adorée ! Ses yeux sont d'un démon.

— Chacun d'entre nous contient en lui le Ciel et l'Enfer, Basil », s'écria Dorian, avec un grand geste de désespoir.

Hallward se tourna de nouveau vers le portrait, et

le contempla. « Mon Dieu ! Si ce que tu dis est vrai,
s'exclama-t-il, et si c'est là ce que tu as fait de ta vie,
alors tu dois être encore pire que ne l'imaginent
ceux qui disent du mal de toi ! » Il éleva à nouveau la
lampe à la hauteur de la toile, et examina celle-ci. La
surface semblait être restée telle qu'il l'avait laissée,
absolument intacte. C'était apparemment de l'intérieur qu'avaient surgi l'horreur et l'abomination. La
vie intérieure s'était mystérieusement animée et la
lèpre du péché dévorait lentement le portrait. Un
cadavre en décomposition dans une tombe pleine
d'eau n'eût pas été plus terrifiant.

Sa main trembla et la bougie, sortant de sa
bobèche, tomba par terre, et, grésillant, s'immobilisa. Il posa son pied sur elle et l'éteignit. Puis il
s'effondra sur la chaise bancale placée près de la
table et cacha son visage entre ses mains.

« Grands dieux, Dorian, quelle leçon ! Quelle terrible leçon ! » Il n'y eut pas de réponse, mais il
entendit le jeune homme qui sanglotait près de la
fenêtre. « Prie, Dorian, prie, murmura-t-il. Qu'est-ce
donc qu'on nous avait appris à dire quand nous
étions enfants ? " Ne nous soumets pas à la tentation.
Pardonne-nous nos péchés. Lave-nous de toutes nos
offenses. " Répétons-le ensemble. La prière que ton
orgueil avait lancée a été exaucée. La prière que lan-
cera ton repentir le sera également. Je t'ai trop
adoré. Nous sommes punis tous les deux. »

Dorian Gray se retourna lentement, et le regarda,
les yeux obscurcis par les larmes. « Il est trop tard,
Basil, balbutia-t-il.

— Il n'est jamais trop tard, Dorian. Mettons-nous
à genoux, et voyons si nous ne pouvons pas nous rap-

peler une prière. N'y a-t-il pas quelque part un verset qui dit : Quand vos péchés seraient comme l'écarlate, ils deviendront blancs comme la neige[1] ?

— Ces mots ne signifient plus rien pour moi.

— Silence ! Ne dis pas cela. Tu as suffisamment fait de mal dans ta vie. Mon Dieu ! Ne vois-tu pas cette maudite chose qui nous regarde en ricanant ? »

Dorian Gray jeta un coup d'œil au portrait, et brusquement un sentiment de haine pour Basil Hallward s'empara de lui, insurmontable, comme suggéré par l'image sur la toile, chuchoté à son oreille par ces lèvres grimaçantes. La passion sauvage d'une bête aux abois s'éveilla en lui, et il ressentit pour cet homme assis près de la table plus d'aversion qu'il n'en avait jamais éprouvé dans sa vie entière. Il jeta autour de lui des regards égarés. Quelque chose brillait en haut de la commode peinte qui lui faisait face. Ses yeux s'arrêtèrent sur l'objet. Il savait ce que c'était. C'était un couteau qu'il avait apporté quelques jours plus tôt pour couper un bout de ficelle, et qu'il avait oublié de remporter. Il se dirigea lentement vers lui, et passa, ce faisant, à côté de Hallward. Dès qu'il fut derrière lui, il saisit le couteau et se retourna. Hallward bougea sur sa chaise comme s'il allait se relever. Il se précipita sur lui et plongea le couteau dans la grosse veine qui se trouve derrière l'oreille, écrasant sa tête contre la table ; il frappa à coups redoublés.

Il y eut un gémissement étouffé, et le bruit horrible de quelqu'un que son propre sang étouffe. Par trois fois les bras tendus se dressèrent convulsivement, agitant en l'air des mains grotesques aux doigts raidis. Il le frappa deux fois encore, mais l'homme ne bougea plus. Quelque chose se mit à goutter sur le plancher. Il attendit un instant, continuant d'appuyer sur la tête. Puis il jeta le couteau sur la table, et prêta l'oreille.

Il n'entendait rien d'autre que les gouttes qui tombaient, tombaient, sur le tapis élimé. Il ouvrit la porte et sortit sur le palier. La maison était absolument silencieuse. Il n'y avait personne. Durant quelques secondes il resta penché au-dessus de la rampe, scrutant le noir puits d'ombre tourmenté. Puis il ôta la clef de la serrure et rentra dans la pièce, où il s'enferma.

La chose était toujours assise sur la chaise, étendue au-dessus de la table, la tête inclinée, le dos voûté, avec des bras d'une longueur incroyable. N'eût été l'entaille toute rouge dans le cou, et la flaque noire en train de se figer qui lentement s'élargissait sur la table, on aurait pu croire que l'homme était simplement endormi.

Qu'il avait suffi de peu de temps pour faire tout cela ! Il se sentait étrangement calme et il se dirigea vers la fenêtre, l'ouvrit et passa sur le balcon. Le vent avait chassé le brouillard, et le ciel ressemblait à une monstrueuse queue de paon constellée d'une myriade d'yeux dorés. Il abaissa son regard, et vit l'agent de police en train de faire sa ronde qui dirigeait le long rayon de sa lanterne sur les portes des maisons silencieuses. La tache rouge d'un fiacre en maraude brilla au coin de la rue, puis disparut. Une femme dont le châle s'agitait au vent avançait lentement, titubante, s'accrochant aux grilles. Elle s'arrêtait de temps à autre et jetait un regard en arrière. Une fois, elle commença à chanter d'une voix

éraillée. L'agent de police alla jusqu'à elle et lui dit
quelque chose. Elle se mit à rire et s'éloigna en trébu-
chant. Un violent coup de vent traversa le square. La
flamme des becs de gaz vacilla, bleuit, et les arbres
dénudés secouèrent de-ci, de-là, leurs branches
noires et métalliques. Il eut un frisson et rentra, fermant la fenêtre derrière lui.

Quand il atteignit la porte, il tourna la clef, et
l'ouvrit. Il ne jeta pas même un coup d'œil à
l'homme assassiné. Il sentait que, dans toute cette
affaire, le secret de la réussite résidait dans le refus
de concevoir la situation. L'ami qui avait peint le
portrait fatal auquel il devait tous ses malheurs était
sorti de sa vie. C'était tout.

Puis il se souvint de la lampe. C'était une lampe
assez curieuse, un travail mauresque, faite d'argent
mat incrusté d'arabesques d'acier poli, et piquée de
turquoises à peine taillées. Peut-être son domestique
en remarquerait-il l'absence et poserait-il des questions. Il hésita un instant, puis il fit demi-tour et la
prit sur la table. Il ne put éviter de voir la chose
morte. Comme elle était immobile ! Que les mains
paraissaient effroyablement blanches ! C'était
comme une terrifiante figure de cire.

Ayant fermé derrière lui à double tour, il descendit sans bruit l'escalier. Les lattes du plancher
craquèrent, comme si elles pleuraient de douleur. Il
s'arrêta plusieurs fois, et attendit. Non, tout était
silencieux. C'était simplement le bruit de ses pas.

Quand il atteignit la bibliothèque, il aperçut dans
un coin le sac de voyage et le manteau. Il fallait les
cacher quelque part. Il ouvrit un placard secret installé dans la boiserie, un placard où il conservait ses

curieux déguisements, et les y rangea. Il pourrait aisément, plus tard, les brûler. Puis il tira sa montre. Il était deux heures moins vingt.

Il s'assit et commença à réfléchir. Chaque année, chaque mois peut-être, on pendait des hommes en Angleterre pour un crime analogue à celui qu'il avait commis. Il y avait eu dans l'air comme une folie de meurtre. Quelque étoile rouge était passée trop près de la Terre... Et pourtant quelles preuves y avait-il contre lui ? Basil Hallward avait quitté la maison à onze heures. Personne ne l'avait vu revenir. La plupart des domestiques étaient à Selby Royal. Son valet était parti se coucher... Paris ! Oui. C'était à Paris qu'était parti Basil, et par le train de minuit, comme il l'avait prévu. Compte tenu de l'étrange réserve qui lui était habituelle, il faudrait des mois pour que le moindre soupçon se formât. Des mois ! Tout pourrait être détruit bien avant cette date.

Une idée lui traversa brusquement l'esprit. Il mit son manteau de fourrure et son chapeau, et passa dans le vestibule. En entendant sur le trottoir, dehors, le pas lourd et lent de l'agent de police, et en voyant, réfléchie dans la fenêtre, la lueur de la lanterne sourde, il fit une pause. Il attendit, retenant son souffle.

Au bout de quelques instants, il tira le verrou et se glissa à l'extérieur, fermant la porte très doucement derrière lui. Puis il se mit à actionner la sonnette. Au bout d'environ cinq minutes, son valet apparut, à demi habillé, l'air très endormi.

« Je suis navré d'avoir été obligé de vous réveiller, Francis, dit-il en franchissant le seuil ; mais j'avais oublié ma clef. Quelle heure est-il ?

— Deux heures dix, Monsieur », répondit l'homme en clignant des yeux en direction de la pendule.

« Deux heures dix ? Il est horriblement tard ! Il faudra que vous me réveilliez demain à neuf heures. J'ai du travail à faire.

— Très bien, Monsieur.

— Y a-t-il eu des visites ce soir ?

— M. Hallward, Monsieur. Il est resté jusqu'à onze heures, puis il est parti prendre son train.

— Oh, je suis désolé de l'avoir manqué. A-t-il laissé un message ?

— Non, Monsieur, si ce n'est qu'il vous écrirait de Paris s'il ne vous trouvait pas au club.

— Cela ira, Francis. N'oubliez pas de m'appeler à neuf heures.

— Entendu, Monsieur. »

L'homme s'éloigna dans le couloir, traînant les pieds dans ses pantoufles.

Dorian Gray jeta sur la table son chapeau et son manteau, et passa dans la bibliothèque. Durant un quart d'heure il arpenta la pièce, se mordant les lèvres et réfléchissant. Puis il prit le Bottin[1] sur l'une des étagères, et commença à en tourner les pages. « Alan Campbell, 152, Hertford Street, Mayfair. » Oui, c'était là l'homme dont il avait besoin.

## 14

Le lendemain matin à neuf heures son domestique entra, une tasse de chocolat posée sur un plateau, et ouvrit les volets. Dorian dormait tout à fait paisiblement, couché sur le côté droit, une main sous la joue. On aurait dit un adolescent épuisé par le jeu ou l'étude.

L'homme dut lui toucher deux fois l'épaule pour le réveiller, et quand il ouvrit les yeux un léger sourire passa sur ses lèvres, comme si on le tirait d'un rêve agréable. Pourtant il n'avait pas du tout rêvé. Aucune image, plaisante ou douloureuse, n'avait troublé sa nuit. Mais la jeunesse sourit sans motif. C'est un de ses plus grands charmes.

Il se retourna et, s'appuyant sur son coude, commença à déguster son chocolat. Le doux soleil de novembre tombait à flots dans la pièce. Le ciel était clair, et il y avait dans l'air une chaleur réconfortante. On se serait presque cru par un matin de mai.

Progressivement les événements de la nuit passée s'introduisirent dans son esprit, avançant à pas furtifs, les pieds souillés de sang, et reprirent forme avec une terrifiante netteté. Il tressaillit au souvenir de tout ce qu'il avait enduré et, durant quelques instants, il fut envahi par un bizarre sentiment de haine pour Basil Hallward, celui-là même qui l'avait poussé à le tuer tandis qu'il était assis sur la chaise, et il fut saisi d'une froide colère. Et puis le mort était encore assis au même endroit, au grand soleil à présent. C'était horrible ! Une vision aussi atroce était faite pour la nuit, non pour la lumière du jour.

Il sentit qu'à ressasser ce qu'il avait enduré, il tomberait malade ou deviendrait fou. Certains péchés fascinent plus par le souvenir qu'on en garde que par leur accomplissement ; d'étranges triomphes qui satisfont plus l'orgueil que les passions et donnent à l'esprit un sentiment de joie plus vif, plus intense que la joie qu'ils procurent ou pourraient jamais procurer aux sens. Mais celui-là n'appartenait pas à cette catégorie. C'était une chose qu'il fallait chasser de son esprit, endormir sous les pavots, étrangler de crainte d'être étranglé par elle.

Quand la demie sonna, il se passa la main sur le front, puis se leva en hâte, et s'habilla avec un soin plus grand encore qu'à l'accoutumée, accordant une grande attention au choix de sa cravate et de son épingle, et changeant plus d'une fois de bagues. Il consacra aussi beaucoup de temps à son petit déjeuner, goûta les différents plats, parla à son valet de nouvelles livrées qu'il songeait à faire faire pour les domestiques de Selby, et parcourut toute sa correspondance. Certaines lettres le firent sourire. Trois l'ennuyèrent. Il en relut une plusieurs fois, puis la déchira, tandis qu'une légère irritation se lisait sur son visage. « Quelle calamité qu'une mémoire de femme ! » comme l'avait un jour exprimé Lord Henry.

Après avoir bu sa tasse de café noir, il s'essuya lentement les lèvres avec une serviette, fit signe à son domestique d'attendre et se dirigea vers son bureau, où il s'assit et écrivit deux lettres. Il mit l'une dans sa poche, et tendit l'autre à son valet.

« Portez cela au 152, Hertford Street, Francis, et si M. Campbell a quitté Londres, demandez son adresse. »

Dès qu'il fut seul, il alluma une cigarette, et se mit à dessiner sur une feuille de papier, d'abord des fleurs, puis des détails d'architecture, et enfin des visages humains. Brusquement il remarqua que chaque visage qu'il dessinait donnait l'impression de ressembler de manière étrange à Basil Hallward. Il fronça les sourcils, se leva, et alla jusqu'à la bibliothèque où il prit un volume au hasard. Il était décidé à ne pas penser à ce qui s'était passé tant qu'il ne lui serait pas absolument nécessaire de le faire.

Quand il fut étendu sur le sofa, il regarda la page de titre. C'était *Émaux et Camées* de Gautier, dans l'édition sur papier Japon de Charpentier, avec une gravure de Jacquemart[1]. La reliure était en cuir vert citron, avec un motif treillissé doré, parsemé de grenades. Il lui avait été offert par Adrian Singleton. En tournant les pages, son regard fut attiré par le poème consacré à la main de Lacenaire[2], la main jaune et froide « *du supplice encore mal lavée* », avec son duvet de poils roux et ses « *doigts de faune* ». Il jeta un coup d'œil sur ses doigts à lui, blancs comme la cire, frissonnant légèrement malgré lui, et pour-

suivit, jusqu'à ce qu'il parvînt aux superbes strophes
consacrées à Venise :

> Sur une gamme chromatique,
>     Le sein de perles ruisselant,
> La Vénus de l'Adriatique
>     Sort de l'eau son corps rose et blanc.
>
> Les dômes, sur l'azur des ondes
>     Suivant la phrase au pur contour,
> S'enflent comme des gorges rondes
>     Que soulève un soupir d'amour.
>
> L'esquif aborde et me dépose,
>     Jetant son amarre au pilier,
> Devant une façade rose,
>     Sur le marbre d'un escalier.

Qu'elles étaient exquises ! En les lisant, on avait le
sentiment de flotter le long des verts canaux de la
cité rose et gris perle, assis dans une gondole noire à
la proue d'argent sous les rideaux à traîne. Les vers
eux-mêmes ressemblaient à ces lignes droites bleu
turquoise qui vous suivent lorsque vous voguez vers
le Lido. Les brusques éclairs de couleur lui rappe-
laient le miroitement des oiseaux à la gorge couleur
d'opale et d'iris qui volettent autour du haut campa-
nile alvéolé, ou marchent, déployant une grâce
royale, sous les arcades sombres couvertes de poussière. Se renversant en arrière, les yeux mi-clos, il ne
cessait de se répéter à lui-même :

> Devant une façade rose,
>     Sur le marbre d'un escalier.

Tout Venise était dans ces deux vers[1]. Il se rappela l'automne qu'il y avait passé, et un amour extraordinaire qui lui avait fait faire d'extravagantes, de délicieuses folies. Le romanesque est partout. Mais Venise, comme Oxford, a conservé le cadre qui convient au romanesque et, pour le vrai romantique, le cadre est tout, ou presque tout. Basil avait passé une partie du séjour avec lui, et s'était enflammé pour le Tintoret. Pauvre Basil ! Quelle mort horrible !

Il poussa un soupir, reprit le volume, et tenta d'oublier. Il lut les vers consacrés au petit café de Smyrne où les Hadjis restent assis à compter leurs grains d'ambre et les marchands enturbannés à fumer leur longue pipe à glands en échangeant de graves discours, tandis que les hirondelles entrent et sortent d'un coup d'aile[2] ; à l'obélisque de la place de la Concorde[3], qui pleure des larmes de granit dans son exil solitaire, loin du soleil, et rêve de retourner près du Nil brûlant couvert de lotus, là où l'on trouve des Sphinx, des ibis roses et rouges, des vautours blancs aux griffes dorées, et des crocodiles aux petits yeux de béryl, qui se traînent sur la boue verte et fumante ; il se mit à rêver sur les strophes qui, tirant une musique du marbre marqué de baisers, décrivent cette étrange statue que Gautier compare à une voix de contralto, ce « *monstre charmant*[4] » couché au Louvre dans la salle des porphyres. Mais au bout de quelque temps, le livre lui tomba des mains. L'agitation le gagna et un horrible accès de terreur s'empara de lui. Et si Alan Campbell n'était pas en Angleterre ? Des jours et des jours s'écouleraient avant son retour. Peut-être refuserait-il de venir. Que ferait-il alors ? Chaque minute comptait, de façon vitale. Ils avaient été grands amis autrefois, cinq ans plus tôt — et même presque inséparables. Puis leur intimité s'était brusquement terminée. Désormais, quand ils se rencontraient dans le monde, Dorian Gray était le seul à sourire ; jamais Alan Campbell ne le faisait.

C'était un jeune homme extrêmement intelligent, mais dépourvu de tout goût véritable pour les arts plastiques, et qui, s'il avait un peu le sens de la beauté en matière de poésie, le devait entièrement à Dorian Gray. Intellectuellement, sa passion dominante concernait la science. À Cambridge, il avait passé une grande partie de son temps à travailler en laboratoire, et avait obtenu un bon résultat à l'examen final de sciences naturelles. D'ailleurs il continuait à se consacrer à l'étude de la chimie, et il avait chez lui un laboratoire où fréquemment il s'enfermait la journée entière, à la grande irritation de sa mère, qui s'était fixé pour ambition de le voir briguer un siège au Parlement, et qui avait la vague impression qu'un chimiste est un individu qui exécute des ordonnances[1]. C'était pourtant aussi un excellent musicien, et il jouait du piano et du violon mieux que beaucoup d'amateurs. En fait, c'était la musique qui les avait tout d'abord rapprochés, Dorian Gray et lui — la musique et cette attirance indéfinissable que Dorian semblait capable de provoquer chaque fois qu'il le voulait, et provoquait même souvent sans en avoir conscience. Ils s'étaient rencontrés chez Lady Berkshire le soir où Rubinstein[2] s'y produisit, et après cela on les vit toujours ensemble à l'Opéra et partout où l'on donnait de la bonne musique. Leur intimité dura dix-huit mois. On voyait sans cesse Campbell à Selby Royal ou dans la maison de Grosvenor Square. Pour lui, comme pour bien d'autres, Dorian Gray représentait le modèle de tout ce qui, dans la vie, émerveille et fascine. S'étaient-ils querellés ? personne n'en savait rien. Mais subitement on s'aperçut que lorsqu'ils se rencontraient, c'est à peine s'ils se parlaient, et que Campbell semblait toujours quitter une réception de bonne heure dès l'instant que Dorian Gray s'y trouvait. Il avait d'ailleurs changé ; il était de temps à autre curieusement mélancolique, paraissait détester la musique et refusait de jouer lui-même, avançant pour excuse, quand on le sollicitait, que la science l'absorbait tellement qu'il n'avait plus le temps de s'exercer. Et c'était certainement vrai. Il semblait s'intéresser chaque jour davantage à la biologie, et son nom apparut une fois ou deux dans des périodiques scientifiques à propos de curieuses expériences.

Tel était l'homme qu'attendait Dorian Gray. Toutes les secondes son regard se tournait vers la pendule. À mesure que les minutes avançaient, son agitation devint effrayante. Il finit par se relever et se mit à arpenter la pièce, avec l'air d'une belle créature en cage. Il marchait à longues foulées furtives. Ses mains étaient étrangement froides.

L'attente devenait insupportable. On aurait dit que le temps avançait sur des semelles de plomb, tandis que lui, des vents monstrueux l'emportaient vers le rebord déchiqueté d'une crevasse noire, d'un précipice. Et là, il savait ce qui l'attendait ; et même il le voyait et, frissonnant, écrasait de ses mains moites ses paupières brûlantes comme s'il avait voulu ôter à son cerveau son pouvoir de vision et repousser ses yeux au fond de leur orbite. C'était inutile. Le cerveau avait sa propre nourriture et s'en engraissait, et l'imagination, rendue grotesque par la terreur, déformée et tordue comme un être vivant qu'on torture, dansait, tel un hideux pantin sur une scène, et grimaçait derrière des masques animés. Puis, brusquement, le Temps pour lui s'immobilisa. Oui, cette chose aveugle, au souffle lent, cessa de ramper et d'horribles pensées, le Temps une fois mort, s'élancèrent dans une course agile, tirèrent du tombeau où il gisait un avenir hideux, et le lui montrèrent. Il le regarda fixement. Son horreur même l'avait pétrifié.

Enfin la porte s'ouvrit, et son domestique entra. Il tourna vers lui des yeux vitreux.

« M. Campbell, Monsieur », dit l'homme.

Un soupir de soulagement s'échappa de ses lèvres desséchées, et ses joues reprirent leurs couleurs.

« Faites-le entrer sur-le-champ, Francis. » Il se sentait redevenu lui-même. Son accès de lâcheté s'était dissipé.

L'homme s'inclina et se retira. Quelques instants plus tard, Alan Campbell entra, l'air très sévère et fort pâle, d'une pâleur accentuée par des cheveux noirs comme le charbon et des sourcils très sombres.

« Alan ! c'est gentil à toi. Je te remercie d'être venu.

— J'avais décidé de ne plus jamais mettre le pied chez toi, Gray. Mais tu m'indiques que c'est une question de vie ou de mort. » Sa voix était dure et froide. Il parlait avec une lenteur étudiée. Il y avait un air de mépris dans le regard posé dont il scrutait le visage de Dorian. Il avait gardé les mains dans les poches de son manteau d'astrakan, et parut ne pas avoir remarqué le geste qui l'avait accueilli.

« Oui, c'est une question de vie ou de mort, Alan, et pas pour une seule personne. Assieds-toi. »

Campbell prit une chaise près de la table, et Dorian s'assit en face de lui. Les regards des deux hommes se rencontrèrent. Dans ceux de Dorian il y avait une compassion infinie. Il savait que ce qu'il s'apprêtait à faire était horrible.

Après un moment de silence tendu, il se pencha en avant et dit, très calmement, mais en observant l'effet de chaque mot sur le visage de celui qu'il avait envoyé chercher : « Alan, dans une pièce fermée à clef située en haut de cette maison, une pièce à laquelle personne d'autre que moi n'a accès, un homme mort est assis à une table. Il est mort depuis maintenant dix heures. Ne bouge pas, et ne me regarde pas ainsi. Qui est cet homme, pourquoi il est mort, comment il est mort, sont des questions qui ne te concernent pas. Ce qu'il te faut faire, c'est...

— Ne va pas plus loin, Gray. Je ne veux pas en savoir davantage. Ce que tu viens de me dire est peut être vrai, peut-être faux, mais ne me concerne pas. Je refuse catégoriquement d'être mêlé à ta vie. Garde pour toi tes horribles secrets. Ils ne m'intéressent plus.

— Il faudra bien, Alan, qu'ils t'intéressent. Il faudra bien que celui-ci t'intéresse. Je suis vraiment navré pour toi, Alan. Mais je n'y peux rien. Tu es le seul homme qui puisse me sauver. Je suis contraint de te mêler à cette affaire. Je n'ai pas le choix. Alan, tu es un homme de science. Tu connais la chimie et tout ce genre de choses. Tu as fait des expériences.

Ce qu'il faut que tu fasses, c'est détruire la chose qui est là-haut — la détruire de telle façon qu'il n'en subsiste pas un seul vestige. Personne n'a vu cet individu entrer dans la maison. En fait, à l'heure où je te parle, on le suppose à Paris. Il s'écoulera des mois avant qu'on s'aperçoive de son absence. Quand cela se produira, il ne faudra pas qu'il reste ici la moindre trace de lui. C'est à toi, Alan, de le changer, lui et tout ce qui lui appartient, en une poignée de cendres que je puisse disperser dans l'air.

— Tu es fou, Dorian.

— Ah ! j'attendais que tu m'appelles Dorian.

— Tu es fou, je le répète — fou d'imaginer que je puisse lever le petit doigt pour t'aider, fou de m'avoir fait cet aveu monstrueux. Je refuse d'avoir rien à voir avec ce problème, quel qu'il soit. Crois-tu que je vais risquer ma réputation pour toi ? Que m'importent les activités diaboliques auxquelles tu te livres ?

— C'était un suicide, Alan.

— Tant mieux. Mais qui l'y a poussé ? Toi, j'imagine.

— Refuses-tu toujours de faire cela pour moi ?

— Bien entendu, je refuse. Je refuse catégoriquement d'avoir quoi que ce soit à voir avec cela. Peu m'importe l'opprobre qui en résultera pour toi. Tu le mérites à tous égards. Je ne serais pas navré de te voir déshonoré, déshonoré publiquement. Comment oses-tu me demander à moi, à moi tout particulièrement, de m'impliquer dans cette abomination ? Je t'aurais supposé meilleur juge des hommes. Ton ami Lord Henry Wotton, quoi qu'il ait pu t'enseigner par ailleurs, ne t'a visiblement pas appris grand-chose en matière de psychologie. Rien ne pourra m'inciter à lever le petit doigt pour t'aider. Tu t'es trompé de partenaire. Va trouver certains de tes amis. Ne viens pas me trouver.

— Alan, c'était un meurtre. Je l'ai tué. Tu ne sais pas ce qu'il m'a fait endurer. Quoi qu'on puisse penser de ma vie, il a plus à voir avec son déroulement et sa dégradation que ce pauvre Harry. Peut-être ne le voulait-il pas, mais le résultat en a été le même.

— Un meurtre ! Grands dieux, Dorian, tu en es donc arrivé là ? Je ne te dénoncerai pas. Ce n'est pas mon métier. D'ailleurs tu te feras arrêter à coup sûr sans que j'aie besoin de m'en mêler. Il n'est pas de criminel qui ne finisse par faire une bêtise. Mais je refuse d'avoir quoi que ce soit à y voir.

— Tu ne peux pas ne pas avoir quelque chose à y voir. Attends, attends un instant ; écoute-moi. Contente-toi d'écouter, Alan. Tout ce que je te demande, c'est de réaliser une certaine expérience scientifique. Tu vas dans des hôpitaux et des morgues, et les horreurs que tu y commets te laissent indifférent. Si, dans une de ces affreuses salles de dissection ou dans un de ces laboratoires immondes, tu voyais cet homme allongé sur une table de plomb creusée de rainures rouges pour permettre au sang de s'écouler, tu te contenterais de le considérer comme un sujet en or. Tu ne sourcillerais pas. Tu refuserais de te croire en train de faire quelque chose de mal. Au contraire, tu aurais vraisemblablement le sentiment de servir l'humanité, ou d'accroître la somme des connaissances humaines, ou de satisfaire une curiosité intellectuelle, ou quelque chose de ce genre. Ce que j'attends de toi, c'est simplement de faire ce que tu as souvent déjà fait. Au reste, détruire un cadavre est sûrement beaucoup moins horrible que ce que tu fais habituellement. Et rappelle-toi que c'est la seule preuve qui existe contre moi. Si on la découvre, je suis perdu ; et si tu ne m'aides pas, on la découvrira à coup sûr.

— Je n'ai aucune envie de t'aider. Voilà ce que tu oublies. Je suis tout simplement indifférent à toute cette affaire. Je n'ai rien à y voir.

— Alan, je te le demande instamment. Pense à la position dans laquelle je me trouve. Juste avant ton arrivée, j'ai failli m'évanouir de terreur. Peut-être un jour connaîtras-tu la terreur. Non ! ne pense pas à cela. Considère le problème d'un point de vue purement scientifique. Tu ne cherches pas à savoir d'où viennent les choses mortes sur lesquelles tu fais tes expériences. Ne cherche pas à le savoir aujourd'hui. Je t'en ai déjà trop dit. Mais je te supplie de le faire. Nous avons été amis autrefois, Alan.

— Ne parle pas de cette époque, Dorian ; elle est morte.

— Il arrive aux morts de s'attarder. L'homme qui est là-haut ne va pas s'en aller. Il est assis devant la table, la tête inclinée, les bras tendus. Alan ! Alan ! si tu ne viens pas à mon aide, c'en est fait de moi. Qui sait si l'on ne me pendra pas, Alan ! Ne comprends-tu pas ? On me pendra pour ce que j'ai fait.

— Il est inutile de prolonger cette scène. Je refuse catégoriquement de faire quoi que ce soit dans cette affaire. Il est ridicule de ta part de me le demander.

— Tu refuses ?

— Oui.

— Je te le demande en grâce, Alan.

— C'est inutile. »

Les yeux de Dorian Gray s'emplirent du même regard de compassion qu'un peu plus tôt. Puis il tendit la main, prit un bout de papier et y écrivit quelque chose. Il le relut deux fois, le plia soigneusement, et le poussa de l'autre côté de la table. Cela fait, il se leva, et se dirigea vers la fenêtre.

Campbell le regarda d'un air surpris, puis ramassa le morceau de papier et l'ouvrit. Pendant qu'il le lisait, son visage devint affreusement pâle, et il se laissa retomber sur sa chaise. Un horrible sentiment de nausée l'envahit. Il avait l'impression que son cœur battait à en mourir dans un gouffre sans fond.

Au bout de deux ou trois minutes d'un silence effrayant, Dorian se retourna et se plaça derrière lui, lui mettant la main sur l'épaule.

« Je suis vraiment désolé pour toi, Alan, murmura-t-il, mais tu ne me laisses pas le choix. J'ai une lettre déjà toute rédigée. La voici. Tu vois l'adresse. Si tu ne m'aides pas, je serai obligé de l'expédier. Tu en connais le résultat d'avance. Mais tu vas m'aider. Il t'est désormais impossible de refuser. J'ai essayé de t'épargner. Tu me rendras cette justice d'en convenir. Tu t'es montré sévère, brutal, agressif. Tu m'as traité comme aucun homme n'a jamais osé me traiter — aucun homme vivant, du moins. J'ai tout supporté. C'est maintenant à moi de dicter mes conditions. »

Campbell enfouit son visage entre ses mains et fut saisi d'un frisson.

« Oui, c'est à mon tour de dicter mes conditions, Alan. Tu les connais. La chose est toute simple.

Allons, ne te rends pas malade. La chose doit être faite. Regarde la situation en face, et fais-la. »

Un gémissement jaillit des lèvres de Campbell, et il trembla de tous ses membres. Il avait l'impression que le tic-tac de la pendule, sur la cheminée, divisait le temps en autant de particules de souffrance, dont chacune était trop terrible pour pouvoir être supportée. Il croyait sentir un cercle de fer se resserrer lentement autour de son front, comme si le déshonneur dont il était menacé l'avait déjà atteint. La main posée sur son épaule pesait aussi lourd qu'une main de plomb. C'était intolérable. Elle semblait l'écraser.

« Allons, Alan, il faut te décider tout de suite.

— Je ne peux pas le faire », dit-il machinalement, comme si des mots pouvaient modifier des faits.

« Il le faut. Tu n'as pas le choix. Ne tarde pas. »

Il hésita un instant. « Y a-t-il du feu là-haut dans la chambre ?

— Oui, il y a un radiateur à gaz avec de l'amiante.

— Il va falloir que je rentre chez moi pour prendre quelques objets au laboratoire.

— Non, Alan, il n'est pas question que tu quittes cette maison. Écris sur une feuille de papier ce dont tu as besoin, et mon domestique prendra un fiacre et te rapportera les objets en question. »

Campbell griffonna quelques lignes, les sécha, et inscrivit sur l'enveloppe le nom de son assistant. Dorian prit la note et la lut soigneusement. Puis il sonna, et la donna à son valet, avec l'ordre de rapporter les articles le plus rapidement possible.

Quand la porte d'entrée se referma, Campbell sursauta nerveusement et, quittant sa chaise, alla jusqu'à la cheminée. Il frissonnait comme s'il avait la fièvre. Pendant vingt minutes environ, aucun des deux hommes ne prononça une parole. Une mouche tournait dans la pièce, bourdonnant bruyamment, et le tic-tac de la pendule ressemblait à des coups de marteau.

Quand le carillon sonna une heure, Campbell se retourna et, regardant Dorian Gray, il s'aperçut que ses yeux étaient remplis de larmes. Il y avait dans la pureté et l'élégance de ce visage affligé quelque chose qui parut le mettre en fureur. « Tu es infâme, absolument infâme ! marmonna-t-il.

— Tais-toi, Alan, tu m'as sauvé la vie, dit Dorian.

— Ta vie ? Grands dieux ! Quelle belle vie en vérité ! Tu es allé de corruption en corruption, pour atteindre maintenant ton apogée : le crime. En faisant ce que je m'apprête à faire, ce que tu me contrains de faire, ce n'est pas à ta vie que je songe.

— Ah, Alan, murmura Dorian avec un soupir, je voudrais bien que tu aies pour moi le millième de la pitié que j'ai pour toi. » Disant ces mots il se détourna et resta debout à regarder le jardin. Campbell ne répondit rien.

Au bout de dix minutes environ, on entendit frapper à la porte, et le domestique entra, portant un grand coffre d'acajou plein de produits chimiques, avec un long rouleau de fil d'acier et de platine et deux pinces de fer de forme très curieuse.

« Dois-je laisser ces objets ici, Monsieur ? demanda-t-il à Campbell.

— Oui, dit Dorian. Et malheureusement, Francis, j'ai une autre course à vous faire faire. Quel est le nom de l'homme de Richmond qui fournit Selby en orchidées ?

— Harden, Monsieur.

— Oui, Harden, c'est cela. Il faut que vous partiez sur-le-champ pour Richmond, que vous voyiez Harden personnellement, et que vous lui disiez d'envoyer deux fois plus d'orchidées que je n'en ai demandé, et d'en mettre le moins possible de blanches. En fait, je n'en veux pas de blanches du tout. Il fait très beau, Francis, et Richmond est une jolie ville, sinon je ne vous dérangerais pas pour cela.

— Aucun problème, Monsieur. À quelle heure dois-je rentrer ? »

Dorian regarda Campbell. « Combien de temps ton expérience va-t-elle prendre, Alan ? » demanda-t-il d'une voix calme et indifférente. La présence d'un tiers dans la pièce semblait lui donner un courage extraordinaire.

Campbell fronça les sourcils et se mordit les lèvres. « Elle prendra environ cinq heures, répondit-il.

— Si donc vous rentrez à sept heures et demie, Francis, ce sera bien assez tôt. Ou plutôt, un instant : préparez simplement mes affaires pour que je puisse sortir. Vous pouvez prendre votre soirée. Je ne dîne pas ici, et je n'aurai donc pas besoin de vous.

— Merci, Monsieur, dit le domestique en quittant la pièce.

— À présent, Alan, il n'y a pas une minute à perdre. Que ce coffre est lourd ! Je vais le porter pour toi. Porte le reste. » Il parlait rapidement, sur un ton autoritaire. Campbell se sentait dominé par lui. Ils quittèrent la pièce ensemble.

Lorsqu'ils atteignirent le dernier étage, Dorian sortit la clef, et la tourna dans la serrure. Puis il s'arrêta, et un regard troublé passa dans ses yeux. Il frissonna. « Je ne crois pas que je puisse entrer, Alan, murmura-t-il.

— Cela m'est égal. Je n'ai pas besoin de toi », dit Campbell d'un ton glacial.

Dorian entrouvrit la porte. Ce faisant, il vit le visage de son portrait qui le regardait, narquois, dans la lumière du soleil. Sur le sol, devant lui, gisait le rideau déchiré. Il se rappela que la nuit précédente, pour la première fois de sa vie, il avait oublié de dissimuler le fatal portrait, et il allait se précipiter, quand il recula en tremblant.

Qu'était-ce donc que cette répugnante rosée rouge qui perlait, humide et luisante, sur l'une des mains, comme si la toile avait sué du sang ? C'était horrible ! plus horrible, lui sembla-t-il un instant, que la chose silencieuse qu'il savait être étendue sur la table, la chose dont l'ombre grotesque et difforme projetée sur le tapis souillé lui montrait qu'elle n'avait pas bougé, mais se trouvait toujours là comme il l'avait laissée.

Il prit une profonde inspiration, ouvrit la porte un peu plus largement et, fermant les yeux à demi et détournant la tête, il entra rapidement, décidé à ne pas regarder une seule fois l'homme mort. Puis, se baissant et ramassant la tenture rouge et or, il la remit en place sur le tableau.

Puis il s'arrêta, redoutant de se retourner, et son regard se fixa sur les entrelacs du motif qu'il avait sous les yeux. Il entendit Campbell apporter le coffre pesant, les fers, et les autres objets qu'il avait demandés pour son horrible travail. Il se mit à se demander si Basil Hallward et lui s'étaient jamais rencontrés et, dans ce cas, ce qu'ils avaient pensé l'un de l'autre.

« Maintenant, laisse-moi », dit une voix sombre derrière lui.

Il fit demi-tour et sortit en hâte, prenant simplement conscience que le mort avait été repoussé dans sa chaise, et que Campbell avait les yeux fixés sur un visage jaune qui luisait. En descendant l'escalier, il entendit la clef tourner dans la serrure.

Il était bien plus de sept heures quand Campbell revint dans la bibliothèque. Il était pâle, mais parfaitement calme. « J'ai fait ce que tu m'as demandé de faire, murmura-t-il. Et maintenant, adieu. Nous ne nous reverrons jamais.

— Tu m'as sauvé du désastre, Alan. Je ne pourrai l'oublier », dit simplement Dorian.

Dès que Campbell fut parti, il monta en haut. Il y avait dans la pièce une affreuse odeur d'acide nitrique. Mais la chose qui était auparavant assise devant la table avait disparu.

## 15

Ce même soir à huit heures trente, habillé à ravir et arborant une grosse boutonnière de violettes de Parme, Dorian Gray fut introduit dans le salon de Lady Narborough par des domestiques faisant force courbettes. Ses nerfs à vif palpitaient sous son front, et il se sentait pris d'une folle excitation, mais quand il s'inclina pour baiser la main de son hôtesse, ses manières avaient autant de grâce et d'aisance qu'à l'accoutumée. Peut-être ne paraît-on jamais autant à l'aise que lorsqu'on doit jouer un rôle. Personne assurément, à voir Dorian Gray ce soir-là, n'aurait pu se douter qu'il venait de vivre une tragédie aussi effrayante que toutes celles que peut connaître notre époque. Impossible que ces doigts aux formes si délicates eussent jamais pu saisir un couteau dans une intention pécheresse, que ces lèvres souriantes eussent jamais pu insulter Dieu et le bien. Lui-même ne pouvait s'empêcher de s'étonner de son propre calme, et pendant quelque temps il ressentit avec acuité la terrible jouissance de qui mène une double vie.

La compagnie était réduite, rassemblée un peu dans la précipitation par Lady Narborough, une

femme très intelligente qui portait, selon la description qu'en donnait Lord Henry, les restes d'une laideur vraiment remarquable. Elle avait été une excellente épouse pour l'un de nos ambassadeurs les plus
assommants, et, une fois qu'elle eut enterré son mari
comme il convenait dans un mausolée de marbre
qu'elle avait elle-même dessiné, et marié ses filles à
des hommes riches et assez âgés, elle se consacra aux
joies du roman français, de la cuisine française et de
l'*esprit* français lorsqu'il lui arrivait de mettre la
main dessus.

Dorian était l'un de ses favoris, et elle ne cessait de
lui répéter combien elle était heureuse de ne pas
l'avoir connu plus tôt dans la vie. « Je sais, mon cher,
que je serais tombée follement amoureuse de vous,
avait-elle coutume de dire, et que j'aurais pour vous
jeté mon bonnet par-dessus les moulins. C'est une
grande chance que vous ne fussiez même pas conçu à
l'époque. En ce temps-là, nos bonnets étaient si peu
seyants, et les moulins si occupés à tenter de faire se
lever le vent, que je n'ai connu d'amourette avec personne. Il n'empêche, tout cela est la faute de Narborough. Il était horriblement myope, et on ne tire
aucun plaisir à tromper un époux qui ne voit rien. »

Ses invités ce soir-là étaient fort ennuyeux. La
vérité, expliqua-t-elle à Dorian en se cachant derrière un éventail très fatigué, c'était que l'une de ses
filles mariées était arrivée à l'improviste chez elle et
qu'aggravant les choses, elle avait été jusqu'à amener
son mari. « Je trouve, mon cher, que ce n'est vraiment pas très gentil de sa part, chuchota-t-elle. Bien
entendu, je vais chez eux chaque été en rentrant de
Homburg[1], mais c'est qu'une vieille femme comme

moi a besoin d'un peu d'air frais de temps à autre, et du reste, je les réveille vraiment. Vous n'imaginez pas l'existence qu'ils mènent là-bas. C'est la vie à la campagne pure et sans mélange. Ils se lèvent tôt parce qu'ils ont beaucoup de choses à faire, et vont se coucher tôt parce qu'ils ont très peu de choses à quoi penser. Il n'y a pas eu de scandale dans les environs depuis l'époque de la reine Élisabeth, si bien qu'ils s'endorment tous après le dîner. Il n'est pas question que vous soyez assis à côté de l'un ou de l'autre. Vous vous assiérez à côté de moi, et vous me distrairez. »

Dorian murmura une formule polie et promena son regard autour de la pièce. Oui, c'était indubitablement une compagnie ennuyeuse. Deux des invités lui étaient totalement inconnus, et les autres consistaient en Ernest Harrowden, l'un de ces médiocres entre deux âges si nombreux dans les clubs londoniens, qui n'ont pas d'ennemis, mais que leurs amis détestent cordialement ; Lady Ruxton, une femme de quarante-sept ans au nez busqué, trop parée, qui essayait constamment de se placer dans des situations compromettantes, mais qui était si extraordinairement dépourvue d'attraits qu'à sa grande déception, personne ne voulait jamais croire du mal d'elle ; Mme Erlynne, une énergique personne de rien, pourvue d'un délicieux zézaiement et de cheveux blond vénitien ; Lady Alice Chapman, la fille de son hôtesse, une jeune personne sans élégance, affligée d'un de ces visages britanniques caractéristiques que l'on oublie pour toujours une fois qu'on les a vus ; et son mari, un être aux joues rubicondes et aux favoris blancs qui, comme tant d'individus de sa classe, croyait qu'une jovialité excessive peut racheter un total manque d'idées.

Il regrettait fort d'être venu, jusqu'au moment où Lady Narborough, regardant la grande pendule en or moulu[1] qui déroulait ses courbes fastueuses sur le manteau de la cheminée drapé de mauve, s'écria : « C'est vraiment odieux de la part d'Henry Wotton d'être à ce point en retard ! J'ai envoyé quelqu'un chez lui ce matin, à tout hasard, et il m'a promis formellement de ne pas me décevoir. »

Il était consolant de savoir que Harry devait venir, et quand la porte s'ouvrit et qu'il entendit sa voix lente et mélodieuse, qui rendait charmantes des excuses dépourvues de sincérité, son ennui disparut.

Mais durant le dîner, il ne put rien manger. Les plats repartirent l'un après l'autre sans qu'il y ait touché. Lady Narborough ne cessait de le réprimander pour ce qu'elle appelait « une insulte envers ce pauvre Adolphe, qui a inventé le *menu* tout exprès pour vous », et de temps à autre Lord Henry, étonné de son silence et de son allure pensive, lui lançait un regard. Quand le maître d'hôtel remplissait sa coupe de champagne, il buvait avidement, et sa soif paraissait s'accroître.

« Dorian », finit par dire Lord Henry tandis qu'on passait le *chaud-froid*[2], « qu'avez-vous donc ce soir ? Vous n'êtes pas du tout dans votre assiette.

— Je crois qu'il est amoureux, s'écria Lady Narborough, et qu'il a peur de me le dire, de crainte que je ne sois jalouse. Il a tout à fait raison. Je le serais.

— Chère Lady Narborough, murmura Dorian en souriant, cela fait une semaine entière que je n'ai pas été amoureux — en fait depuis que Mme de Ferrol a quitté Londres.

— Comment des hommes peuvent-ils tomber amoureux de cette femme ! s'exclama la vieille dame. Vraiment, je ne le comprends pas.

— C'est uniquement parce qu'elle se souvient de l'époque où vous n'étiez qu'une fillette, Lady Narborough, dit Lord Henry. Elle est l'unique lien entre nous et vos robes courtes.

— Elle ne se rappelle pas du tout mes robes courtes, Lord Henry. Mais moi je me la rappelle fort bien à Vienne, il y a trente ans, et combien elle était alors *décolletée*.

— Elle est toujours *décolletée*, » répondit-il tandis que ses longs doigts s'emparaient d'une olive ; « et quand elle porte une robe très chic, on croirait l'*édition de luxe* d'un mauvais roman français. Elle est réellement merveilleuse, et pleine de surprises. Elle a un sens des attachements familiaux absolument extraordinaire. À la mort de son troisième mari, ses cheveux devinrent absolument dorés de douleur.

— Harry, comment osez-vous ? s'écria Dorian.

— Voilà une explication très romantique, dit leur hôtesse en riant. Mais son troisième mari, Lord Henry ! Voulez-vous dire que Ferrol est le quatrième ?

— Assurément, Lady Narborough.

— Je n'en crois pas un mot.

— Eh bien, demandez à M. Gray. C'est l'un de ses amis les plus intimes.

— Est-ce vrai, M. Gray ?

— C'est ce qu'elle m'assure, Lady Narborough, dit

Dorian. Je lui ai demandé si, comme Marguerite de Navarre[1], elle avait fait embaumer leur cœur pour l'accrocher à sa ceinture. Elle m'a dit que non, car aucun d'eux n'en avait.

— Quatre maris ! Ma parole, c'est *trop de zèle*.

— *Trop d'audace*, lui ai-je dit, répliqua Dorian.

— Oh ! elle a de l'audace en quantité, pour tout et n'importe quoi, mon cher. Et à quoi Ferrol ressemble-t-il ? Je ne le connais pas.

— Les époux des très belles femmes appartiennent aux classes criminelles », dit Lord Henry en dégustant son vin.

Lady Narborough lui donna un coup d'éventail. « Lord Henry, je ne suis pas du tout surprise que le monde dise que vous êtes extrêmement méchant.

— Mais quel monde dit cela ? demanda Lord Henry en haussant les sourcils. Ce ne peut être que le monde à venir. Ce monde-ci et moi entretenons les meilleures relations.

— Toutes les personnes que je connais disent que vous êtes très méchant », s'écria la vieille dame en secouant la tête.

Lord Henry prit un instant l'air sérieux. « La façon dont les gens agissent aujourd'hui, dit-il enfin, est absolument monstrueuse : ils disent contre vous, derrière votre dos, des choses qui sont absolument et totalement vraies.

— N'est-il pas incorrigible ? » s'écria Dorian, en se penchant en avant sur sa chaise.

« Je l'espère, dit son hôtesse en riant. Mais en vérité, si vous adorez tous Mme de Ferrol de cette façon ridicule, il va falloir que je me remarie très vite pour être à la mode. »

Lord Henry intervint. « Vous ne vous remarierez jamais, Lady Narborough, déclara-t-il. Vous avez été bien trop heureuse. Quand une femme se remarie, c'est qu'elle détestait son premier mari. Quand un homme se remarie, c'est qu'il adorait sa première femme. Les femmes courent leur chance ; les hommes risquent la leur.

— Narborough n'était pas parfait », s'écria la vieille dame.

À quoi il fut répliqué : « S'il l'avait été, chère madame, vous ne l'auriez pas aimé. Les femmes nous aiment pour nos défauts. Si nous en avons suffisamment, elles nous pardonnent tout, même notre esprit. J'ai bien peur que vous ne m'invitiez plus jamais à dîner, Lady Narborough, maintenant que je vous ai dit cela, mais c'est entièrement vrai.

— Bien sûr, cela est vrai, Lord Henry. Si nous autres femmes, nous ne vous aimions pas pour vos défauts, que deviendriez-vous, tous autant que vous êtes ? Aucun d'entre vous ne se serait jamais marié. Vous seriez un groupe d'infortunés célibataires. Ce n'est pas à dire que cela vous changerait beaucoup. De nos jours, tous les hommes mariés vivent comme des célibataires, et tous les célibataires comme des hommes mariés.

— *Fin de siècle*, murmura Lord Henry.

— *Fin du globe*, répliqua son hôtesse.

— Comme je voudrais que ce fût *fin du globe*, soupira Dorian. La vie est bien décevante.

— Ah, mon cher, s'écria Lady Narborough en mettant ses gants, ne me dites pas que vous avez épuisé les charmes de la vie. Quand un homme dit cela, on sait que c'est la vie qui l'a épuisé. Lord Henry est très méchant, et je regrette parfois de ne pas l'avoir été ; mais vous, vous êtes fait pour être bon — vous avez l'air si bon. Il faut que je vous trouve une gentille épouse. Lord Henry, ne pensez-vous pas que M. Gray devrait se marier ?

— C'est ce que je lui dis sans cesse, Lady Narborough, dit Lord Henry en s'inclinant.

— Eh bien, il nous faut chercher un parti convenable pour lui. Je vais consulter soigneusement le Debrett[1] ce soir, et dresser la liste de toutes les jeunes personnes éligibles.

— En précisant leur âge, Lady Narborough ? demanda Dorian.

— Bien sûr, en précisant leur âge, fût-ce au prix de quelques corrections. Mais il n'est pas question de se presser. Je veux que ce soit ce que *The Morning Post*[2] appelle une alliance comme il faut, et je veux que vous soyez heureux tous les deux.

— Que de sottises l'on prononce chaque fois qu'on parle de mariages heureux ! s'exclama Lord Henry. Un homme peut être heureux avec n'importe quelle femme, dès l'instant qu'il ne l'aime pas.

— Ah ! quel cynique vous faites ! » s'écria la vieille dame, en repoussant sa chaise et en faisant un signe de tête à l'intention de Lady Ruxton. « Il faut absolument que vous reveniez bientôt dîner avec moi. Vous êtes vraiment un remontant admirable, bien supérieur à celui que Sir Andrew me prescrit. Il faut cependant que vous me disiez quelles personnes vous aimeriez rencontrer. Je tiens à ce que ce soit une soirée délicieuse.

— J'aime les hommes qui ont un avenir, et les

femmes qui ont un passé, répondit-il. À moins que
vous n'estimiez que cela ferait une soirée jupons ?

— Je le crains fort », dit-elle en riant, et elle se
leva. « Mille pardons, ma chère Lady Ruxton, ajouta-
t-elle. Je n'avais pas vu que vous n'aviez pas terminé
votre cigarette.

— Ce n'est rien, Lady Narborough. Je fume beaucoup trop. À l'avenir, je compte me restreindre.

— Surtout n'en faites rien, Lady Ruxton, dit Lord
Henry. La modération est une attitude fatale. Assez
est aussi mauvais qu'un repas. Trop est aussi bon
qu'un festin. »

Lady Ruxton lui jeta un regard plein de curiosité.
« Il faut que vous veniez un après-midi m'expliquer
cela, Lord Henry. Voilà une théorie qui me paraît
passionnante, murmura-t-elle, en quittant majestueusement la pièce.

— Surtout, ne consacrez pas trop de temps à la
politique et à la médisance, s'écria Lady Narborough
depuis la porte. Sinon, nous sommes condamnées à
nous disputer là-haut. »

Les hommes éclatèrent de rire, et M. Çhapman
quitta solennellement le bas de la table pour en
gagner le sommet. Dorian Gray changea de place et
alla s'asseoir à côté de Lord Henry. M. Chapman
commença à parler très fort de la situation à la
Chambre des Communes. Il se gaussait de ses adversaires. Le mot *doctrinaire* — terrifiant pour un esprit
britannique — surgissait de temps à autre entre ses
explosions. Un préfixe allitératif servait d'ornement
à son éloquence. Il hissait l'Union Jack sur les
sommets de la Pensée. La stupidité innée de la race
— ce qu'il appelait avec jovialité le gros bon sens

anglais — était présentée comme le rempart dont avait besoin la Société.

Un sourire se dessina sur les lèvres de Lord Henry, et il se détourna pour regarder Dorian.

« Allez-vous mieux, mon cher ami ? demanda-t-il. Vous paraissiez fort mal en point durant le repas.

— Je vais très bien, Harry. Je suis fatigué. C'est tout.

— Vous étiez délicieux hier soir. La petite duchesse vous est totalement dévouée. Elle me dit qu'elle va se rendre à Selby.

— Elle a promis de venir le vingt.

— Monmouth y sera-t-il aussi ?

— Bien sûr, Harry.

— Il m'ennuie affreusement, presque autant qu'il l'ennuie, elle. Elle est très intelligente, trop intelligente pour une femme. Elle manque de ce charme indéfinissable que donne la faiblesse. Ce sont les pieds d'argile qui donnent leur prix à l'or de la statue[1]. Ses pieds à elle sont très jolis, mais ce ne sont pas des pieds d'argile. Des pieds de porcelaine blanche, si vous préférez. Ils ont subi l'épreuve du feu, et ce que le feu ne détruit pas, il le renforce. Elle a connu des expériences.

— Depuis combien de temps est-elle mariée ? demanda Dorian.

— Une éternité, à ce qu'elle me dit. Je crois, si l'on peut se fier au Nobiliaire, qu'il s'agit de dix ans, mais dix ans avec Monmouth ont dû représenter une éternité, et même avec une rallonge. Qui d'autre sera là ?

— Oh, les Willoughby, Lord Rugby et sa femme, notre hôtesse, Geoffrey Clouston, les gens habituels. J'ai invité Lord Grotrian.

— Je l'aime bien, dit Lord Henry. Beaucoup de gens ne sont pas de mon avis, mais je le trouve charmant. Il rachète sa tenue parfois trop recherchée par une culture toujours résolument excessive. C'est un type d'homme très moderne.

— Je ne sais pas s'il pourra venir, Harry. Il se peut qu'il doive accompagner son père à Monte-Carlo.

— Ah ! que les familles sont exaspérantes ! Essayez de le faire venir. À propos, Dorian, vous vous êtes éclipsé très tôt hier soir. Vous êtes parti avant onze heures. Qu'avez-vous fait ensuite ? Êtes-vous rentré directement chez vous ? »

Dorian lui jeta un regard rapide et se rembrunit. « Non, Harry, finit-il par dire. Je ne suis pas rentré avant trois heures ou presque.

— Êtes-vous allé au club ?

— Oui », répondit-il. Puis il se mordit les lèvres. « Non, ce n'est pas ce que je veux dire. Je ne suis pas allé au club. J'ai marché. Je ne me rappelle plus ce que j'ai fait... Que vous êtes curieux, Harry ! Vous voulez toujours savoir ce que l'on a fait. Moi, je veux toujours oublier ce que j'ai fait. Je suis rentré à deux heures et demie, si vous voulez connaître l'heure exacte. J'avais laissé ma clef à la maison, et mon domestique a dû m'ouvrir la porte. Si vous avez besoin d'une confirmation de ce point, vous pouvez l'interroger. »

Lord Henry haussa les épaules. « Mon cher ami, comme si je m'en souciais ! Allons au salon. Pas de sherry, merci, M. Chapman. Il vous est arrivé quelque chose, Dorian. Dites-moi ce que c'est. Vous n'êtes pas vous-même ce soir.

— Ne m'en veuillez pas, Harry. Je suis irritable et

de mauvaise humeur. J'irai vous voir demain ou après-demain. Présentez mes excuses à Lady Narborough. Je ne vais pas la rejoindre là-haut. Je vais rentrer. Il faut que je rentre.

— Entendu, Dorian. Je suppose que je vous verrai demain à l'heure du thé. La duchesse doit venir.

— J'essaierai d'y être, Harry », dit-il en quittant la pièce. Tandis que sa voiture le ramenait chez lui, il se rendit compte que le sentiment de terreur qu'il croyait avoir étouffé l'avait repris. Les questions banales de Lord Henry lui avaient fait perdre son calme durant quelques instants, et il avait besoin de garder son calme. Des objets dangereux devaient être détruits. Son visage se crispa. La seule pensée d'avoir à les toucher lui faisait horreur.

Il fallait pourtant le faire. Il en était bien conscient et quand il eut fermé à clef la porte de sa bibliothèque, il ouvrit le placard secret dans lequel il avait jeté le manteau et le sac de voyage de Basil Hallward. Un grand feu flambait dans la cheminée. Il y posa une autre bûche. L'odeur des vêtements et du cuir en train de brûler était affreuse. Il lui fallut trois quarts d'heure pour faire disparaître le tout. À la fin il se sentit faible et nauséeux et, après avoir allumé quelques pastilles algériennes[1] dans un brûle-parfum de cuivre ajouré, il baigna ses mains et son front d'un vinaigre frais aromatisé au musc.

Soudain il eut un sursaut. Ses yeux devinrent étrangement brillants, et il se mordilla nerveusement la lèvre. Entre deux fenêtres se dressait un grand cabinet florentin en bois d'ébène, incrusté d'ivoire et de lapis bleu. Il l'observa comme si c'était un objet doté du pouvoir de fasciner et d'effrayer, comme s'il contenait quelque chose qu'il désirait ardemment et que cependant il haïssait presque. Sa respiration s'accéléra. Un désir furieux s'empara de lui. Il alluma une cigarette, puis la rejeta. Ses paupières s'abaissèrent et ses longs cils effilés frôlèrent presque sa joue. Mais il continuait de fixer le cabinet. Finalement il quitta le sofa sur lequel il était étendu, alla jusqu'au cabinet et, après avoir actionné la serrure, appuya sur un ressort caché. Un tiroir triangulaire se dégagea lentement. Ses doigts se dirigèrent instinctivement vers lui, plongèrent, et se refermèrent sur quelque chose. C'était une petite boîte chinoise en laque noire recouverte de poussière d'or, très finement travaillée ; ses parois étaient décorées de sinueuses ondulations, et les cordonnets de soie, garnis de cristaux arrondis, se terminaient par des glands formés de tresses métalliques. Il l'ouvrit. Il y avait à l'intérieur une pâte verte qui avait l'éclat de la cire et dégageait une odeur curieuse, lourde et persistante.

Il hésita un instant, le visage éclairé par un sourire étrangement figé. Puis il frissonna, quoique l'atmosphère de la chambre fût torride, se redressa et jeta un coup d'œil à la pendule. Il était minuit moins vingt. Il replaça la boîte et ferma les portes du cabinet, puis passa dans sa chambre à coucher.

Tandis que minuit égrenait ses douze coups de bronze dans l'obscurité, Dorian Gray, vêtu d'habits communs, une écharpe autour du cou, sortit sans bruit de sa maison. Il trouva dans Bond Street un fiacre équipé d'un bon cheval. Il le héla et donna une adresse à voix basse au cocher[1].

L'homme secoua la tête. « C'est trop loin pour moi, marmonna-t-il.

— Voici un souverain[1], dit Dorian. Vous en aurez un autre si vous roulez vite.

— D'accord, Monsieur, répondit l'homme, vous y serez dans une heure » ; et quand son passager se fut installé, il fit tourner bride à son cheval et se dirigea rapidement vers le fleuve.

Une pluie froide se mit à tomber, et les réverbères aux contours flous prenaient dans la bruine une allure spectrale. C'était l'heure de la fermeture des bars et de petits groupes d'hommes et de femmes indistincts étaient massés devant leurs portes. De certains bars jaillissaient des rires horribles. Dans d'autres, des ivrognes se querellaient et hurlaient.

Renversé dans le fiacre, le chapeau sur le front, Dorian Gray observait avec des yeux indifférents la sordide abjection de la capitale, et de temps à autre il se répétait les paroles que Lord Henry lui avait dites le jour où ils avaient fait connaissance : « Guérir l'âme par les sens, et les sens par l'âme. » Oui, c'était là le secret. Il avait souvent essayé, et ce soir il essaierait à nouveau. Il y avait des fumeries d'opium où l'on pouvait acheter l'oubli, des repaires effrayants où l'on pouvait, dans la frénésie de péchés tout neufs, détruire le souvenir des péchés anciens.

La lune était basse dans le ciel et ressemblait à un crâne jaune. De temps en temps un gigantesque nuage difforme étendait sur elle un long bras et la dissimulait. Les becs de gaz s'espacèrent, les rues devinrent plus étroites et plus sombres. À un certain moment le cocher s'égara et dut rebrousser chemin sur un demi-mille. Le cheval, quand il traversait les flaques d'eau, était tout enveloppé de vapeur. Les fenêtres latérales du fiacre étaient encrassées d'un brouillard semblable à de la flanelle grise.

« Guérir l'âme par les sens, et les sens par l'âme ! » Ces mots retentissaient à ses oreilles, et avec quelle force ! Son âme, incontestablement, était malade à en mourir. Les sens pouvaient-ils vraiment la guérir ? Un sang innocent avait été versé. Comment racheter cela ? Ah ! cela ne se rachetait point, mais si le pardon était impossible, l'oubli, lui, restait possible, et il était décidé à oublier, à étouffer la chose, à l'écraser comme on écrase une vipère qui vient de mordre. D'ailleurs de quel droit Basil lui avait-il parlé comme il l'avait fait ? Qui lui avait donné le droit de juger autrui ? Il avait dit des choses horribles, abominables, intolérables.

Le fiacre poursuivait lourdement sa route et son allure lui semblait se ralentir sans cesse. Il releva la trappe de communication et demanda au cocher de rouler plus vite. L'affreuse soif d'opium commençait à le ronger. Sa gorge était en feu, et ses mains délicates se crispaient nerveusement. Il fit pleuvoir sur le cheval de furieux coups de canne. Le cocher se mit à rire, et fouetta sa bête. Il rit à son tour, et l'homme redevint silencieux.

Le trajet semblait interminable, et les rues ressemblaient à la toile noire d'une énorme araignée. La monotonie devenait insupportable et, le brouillard s'épaississant, il eut peur.

Puis ils longèrent une zone de briqueteries

complètement déserte. Le brouillard y était plus léger, et il apercevait les étranges fours en forme de bouteilles avec leurs langues de feu orangé tournoyant comme des hélices. Un chien aboya sur leur passage et loin dans les ténèbres une mouette égarée cria. Le cheval trébucha sur une ornière, puis fit un écart et se mit au galop.

Au bout de quelque temps, ils quittèrent la route argileuse et roulèrent à nouveau bruyamment sur des rues grossièrement empierrées. La plupart des fenêtres étaient dans l'obscurité, mais de temps à autre des ombres fantastiques se profilaient derrière un rideau qu'éclairait une lampe. Il les observait avec curiosité. Elles se déplaçaient comme de monstrueuses marionnettes, et faisaient des gestes de créatures vivantes. Il les détestait. Son cœur était plein d'une rage maussade. À un coin de rue, une femme, sur le pas de sa porte, hurla quelque chose dans leur direction, et deux hommes suivirent le fiacre en courant sur une centaine de mètres. Le cocher les frappa à coups de fouet.

On dit que la passion enferme la pensée dans un cercle. Et il est bien vrai que ces lèvres que Dorian Gray ne cessait de mordre formaient et reformaient, en une hideuse répétition, la formule subtile qui parlait de l'âme et des sens, jusqu'à ce qu'il eût découvert en elle l'expression pour ainsi dire parfaite de son état d'âme et justifié, en leur donnant l'accord de son intelligence, des passions qui, sans une telle justification, auraient continué à le dominer. Cette pensée unique s'empara de son cerveau, cellule après cellule ; et le désir forcené de vivre — le plus terrifiant des appétits de l'homme — redonna sa vigueur

à chaque muscle, à chaque nerf frémissant. La laideur, qui lui avait été jadis odieuse parce qu'elle rendait les choses réelles, lui devint chère pour cette
raison même. La laideur était l'unique réalité. La
querelle vulgaire, le bouge répugnant, la violence
brutale d'une vie désordonnée, jusqu'à la vilenie du
voleur et du hors-la-loi, créaient une impression de
réalité plus intense et plus nette que toutes les
formes gracieuses de l'Art, que toutes les ombres lan-
goureuses du Chant. C'était ce dont il avait besoin
pour oublier. Dans trois jours il serait libre.

Brusquement, l'homme s'arrêta d'un mouvement
sec en haut d'une petite rue sombre. Par-dessus les
toits bas et les maisons hérissées de cheminées s'élevaient de sombres mâtures de bateaux. Des volutes
de brume blanche s'accrochaient aux vergues telles
des voiles fantomatiques.

« C'est à peu près par ici, non, Monsieur ? »
demanda-il d'une voix enrouée à travers la trappe.

Dorian sursauta, et scruta les alentours. « Cela
ira », répondit-il et, après être sorti en hâte et avoir
donné au cocher le supplément promis, il se dirigea
rapidement vers le quai. Çà et là une lanterne brillait
à la proue d'un gigantesque navire marchand. La
lumière tremblait, se brisant en éclats dans les
flaques. Un vapeur sur le départ, en train de char-
bonner, projetait une lueur rouge. Le pavé visqueux
ressemblait à un imperméable mouillé.

Il se dirigea rapidement vers la gauche, jetant de
temps en temps un regard en arrière pour voir s'il
était suivi. Au bout de sept à huit minutes, il atteignit
une petite maison d'aspect miteux coincée entre
deux hautes fabriques. Sur l'une des fenêtres supé-

rieures une lampe était posée. Il s'arrêta et frappa d'une façon particulière.

Un instant après, il entendit des pas dans le couloir, et la chaîne fut décrochée. La porte s'ouvrit silencieusement, et il entra sans dire un mot à la silhouette trapue et difforme qui s'aplatit dans l'ombre à son passage. À l'extrémité du vestibule pendait un rideau vert tout déchiré, que le coup de vent qui l'avait suivi depuis la rue secoua et fit osciller. Il l'écarta, et pénétra dans une longue salle basse de plafond, qui dans des temps antérieurs avait dû être un dancing de troisième ordre. Sur les murs étaient disposés des becs de gaz qui brûlaient en sifflant et dont les miroirs couverts de chiures de mouches qui leur faisaient face donnaient une image ternie et déformée. Les réflecteurs graisseux en tôle ondulée fixés derrière eux les transformaient en disques de lumière tremblotants. Le plancher était recouvert d'une sciure ocre qui, à force d'être piétinée, s'était çà et là transformée en boue, et il était taché de sombres auréoles d'alcool répandu. Quelques Malais jouant aux osselets étaient accroupis près d'un petit poêle à charbon de bois et lorsqu'ils bavardaient, ils montraient leurs dents blanches. Dans un coin, la tête cachée entre ses bras, un marin était affalé sur une table, et près du bar orné de peintures criardes qui prenait tout un côté de la pièce, se tenaient deux femmes blêmes en train de se moquer d'un vieillard qui brossait avec une expression de dégoût les manches de sa veste. « Il croit qu'il a des fourmis rouges sur lui », dit l'une d'elles en riant au passage de Dorian. L'homme la regarda d'un air terrifié et se mit à pleurnicher.

Il y avait au bout de la salle un petit escalier qui conduisait à une chambre obscure. Tandis que Dorian en gravissait rapidement les trois marches branlantes, le lourd parfum de l'opium l'assaillit. Il inspira profondément et ses narines frémirent de plaisir. Quand il entra, un jeune homme aux cheveux blonds et lisses qui, penché sur une lampe, était en train d'allumer une pipe longue et mince, leva les yeux vers lui et le salua avec une certaine hésitation.

« Toi ici, Adrian ? murmura Dorian.

— Où donc pourrais-je être, sinon ici ? répondit-il avec indifférence. Aucun de mes amis n'accepte plus de me parler.

— Je croyais que tu avais quitté l'Angleterre.

— Darlington ne fera rien. Mon frère a fini par régler la facture. George ne me parle pas non plus... Je m'en moque, ajouta-t-il en soupirant. Tant qu'on a ce produit-ci, on n'a pas besoin d'amis. Je crois que j'ai eu trop d'amis. »

Le visage de Dorian se crispa, et il parcourut du regard les créatures grotesques qui étaient allongées dans des positions invraisemblables sur les matelas en loques. Les membres contorsionnés, les bouches béantes, les yeux fixes et éteints, tout le fascinait. Il savait dans quels étranges paradis ils étaient en train de souffrir, et quels tristes enfers leur enseignaient le secret de nouvelles joies. Ils s'en tiraient mieux que lui. Il était prisonnier de ses pensées. La mémoire, telle une horrible maladie, lui dévorait l'âme. De temps à autre il croyait voir les yeux de Basil Hallward fixés sur lui. Pourtant il sentait qu'il ne pouvait rester. La présence d'Adrian Singleton le dérangeait. Il voulait être en un lieu où personne ne sût qui il était. Il voulait échapper à lui-même.

« Je vais dans l'autre endroit, dit-il après un silence.

— Sur le quai ?

— Oui.

— Cette tigresse y est à coup sûr. On ne veut plus d'elle ici désormais. »

Dorian haussa les épaules. « Je suis écœuré de ces femmes qui nous aiment. Les femmes qui nous haïssent sont bien plus intéressantes. En outre, la marchandise y est meilleure.

— Ça se vaut.

— Je la préfère. Viens boire quelque chose. Il faut que je prenne un verre.

— Je ne veux rien, murmura le jeune homme.

— Ça ne fait rien. »

Adrian Singleton se leva d'un air las, et suivit Dorian jusqu'au bar. Un métis, portant un turban en lambeaux et un ulster miteux, les acccueillit d'une grimace hideuse et posa brutalement devant eux une bouteille de brandy et deux verres. Les femmes se glissèrent jusqu'à eux et se mirent à bavarder. Dorian leur tourna le dos et dit quelque chose à voix basse à Adrian Singleton.

Le visage de l'une des femmes se tordit en un sourire recourbé, pareil à un kriss malais.

« On est bien fier ce soir, ricana-t-elle.

— Par Dieu, ne m'adressez pas la parole, s'écria Dorian en tapant du pied. Que voulez-vous ? De l'argent ? En voici. Ne m'adressez plus jamais la parole. »

Deux rouges étincelles s'allumèrent un instant

dans les yeux bouffis de la femme, puis s'éteignirent, et les yeux redevinrent morts et vitreux. Elle hocha la tête, et ramassa de ses doigts avides les pièces jetées sur le comptoir. Sa compagne l'observait avec envie.

« Cela ne sert à rien, soupira Adrian Singleton. Je n'ai pas envie de rentrer. Quelle importance ? Je suis très bien ici.

— Tu m'écriras si tu as besoin de quelque chose, d'accord ? dit Dorian après un silence.

— Peut-être.

— Eh bien, bonne nuit.

— Bonne nuit », dit le jeune homme, et il monta les marches en essuyant de son mouchoir sa bouche desséchée.

Dorian gagna la porte, une expression de douleur sur le visage. Au moment où il tirait le rideau, un rire affreux jaillit des lèvres peintes de la femme qui avait pris son argent. « Voilà le partenaire du diable qui s'en va ! » fit-elle dans un hoquet, d'une voix éraillée.

« Malédiction ! répliqua-t-il, ne m'appelle pas ainsi. »

Elle claqua des doigts. « C'est Prince Charmant que tu préfères qu'on t'appelle, pas vrai ? » lui jeta-t-elle tandis qu'il s'éloignait.

Le marin assoupi, en l'entendant, bondit sur ses pieds, et jeta autour de lui un regard égaré. Le bruit de la porte d'entrée qui se refermait frappa son oreille. Il sortit précipitamment comme s'il poursuivait quelqu'un.

Dorian Gray marchait rapidement le long du quai dans la pluie qui tombait en crachin. Sa rencontre avec Adrian Singleton l'avait curieusement ému, et il se demanda si la destruction de cette jeune vie devait vraiment lui être imputée, comme Basil Hallward le lui avait dit de façon si outrageante, si infâme. Il se mordit les lèvres et, durant quelques secondes, ses yeux furent envahis de tristesse. Et pourtant, en fin de compte, en quoi cela lui importait-il ? La vie était trop courte pour qu'on prît le temps d'assumer les erreurs d'autrui. Chaque homme vivait sa vie, et l'ayant vécue, payait sa note. Tout au plus pouvait-on regretter qu'il fallût payer si souvent pour une même faute. Car il fallait payer et encore payer, payer sans cesse. Quand elle traite avec l'homme, la Destinée n'arrête jamais les comptes.

Il y a des moments, nous disent les psychologues, où la passion du péché, ou de ce que le monde appelle péché, gouverne à tel point la personnalité que chaque muscle du corps, chaque cellule du cerveau, paraît la proie d'impulsions redoutables. Dans ces moments-là, hommes et femmes perdent tout libre arbitre. Ils se dirigent vers leur terrible objectif comme des automates. Toute capacité de choix leur est ôtée, et soit leur conscience est anéantie, soit, si elle survit, elle ne sert qu'à donner à la révolte son attrait et à la désobéissance son charme. Car tous les péchés, comme les théologiens ne se lassent pas de nous le répéter, sont des péchés de désobéissance. Lorsque ce grand esprit, cette étoile du matin du mal, tomba du ciel, c'est en rebelle qu'il tomba.

Implacable, tendu vers le mal, l'aspect souillé, l'âme avide de rébellion, Dorian Gray se hâtait, accélérant graduellement son allure, mais au moment où il faisait un écart rapide pour pénétrer dans un passage obscur qui lui avait souvent servi de raccourci

jusqu'au lieu infâme vers lequel il se dirigeait, il se
sentit soudain saisi par-derrière, et, avant d'avoir eu
le temps de se défendre, il fut plaqué contre le mur,
tandis qu'une main lui serrait brutalement la gorge.

Il lutta comme un fou et, au prix d'un effort terrible, parvint à desserrer l'étreinte des doigts. L'instant d'après, il entendit le bruit sec d'un revolver et
vit l'éclat d'un canon d'acier poli pointé contre sa
tête, et la forme indistincte d'un homme petit et
trapu qui lui faisait face.

« Que voulez-vous ? demanda-t-il en haletant.

— Reste tranquille, dit l'homme. Si tu bouges, je
te descends.

— Vous êtes fou. Que vous ai-je fait ?

— Tu as brisé la vie de Sibyl Vane, reçut-il pour
réponse, et Sibyl Vane était ma sœur. Elle s'est tuée.
Je le sais. Sa mort, c'est toi qui en es responsable.
J'avais juré de te tuer pour cela. Pendant des années
je t'ai cherché. Je n'avais aucun indice, aucune trace.
Les deux personnes qui auraient pu te décrire
étaient mortes. Je ne savais rien de toi excepté le
petit nom qu'elle te donnait. Je l'ai entendu ce soir
par hasard. Mets-toi en règle avec Dieu, car c'est ce
soir que tu vas mourir. »

Dorian Gray se sentit malade de peur. « Je ne l'ai
jamais connue, balbutia-t-il. Je n'ai jamais entendu
parler d'elle. Vous êtes fou.

— Tu ferais mieux de confesser ton péché, car
aussi sûrement que je m'appelle James Vane, tu vas
mourir. » Il y eut un moment horrible. Dorian ne
savait que dire ni que faire. « À genoux ! gronda
l'homme. Je te donne une minute pour faire ta paix
avec Dieu, pas une de plus. Je m'embarque pour

l'Inde cette nuit, et il faut d'abord que j'exécute mon travail. Une minute, c'est tout. »

Les bras de Dorian retombèrent le long de son corps. Paralysé de terreur, il ne savait que faire. Brusquement un espoir fou passa dans sa tête. « Attendez, s'écria-t-il. Depuis combien de temps votre sœur est-elle morte ? Vite, répondez-moi.

— Dix-huit ans, dit l'autre. Pourquoi poses-tu la question ? En quoi est-ce que le nombre des années change quelque chose ?

— Dix-huit ans », dit Dorian Gray en riant, et il y avait dans sa voix une note de triomphe. « Dix-huit ans ! Placez-moi sous le réverbère, et regardez mon visage ! »

James Vane hésita un instant, ne comprenant pas ce dont il s'agissait. Puis il saisit Dorian Gray et le tira hors du passage.

Bien que, sous la violence du vent, la lumière fût faible et tremblotante, elle lui permit pourtant de voir l'erreur abominable dans laquelle, semblait-il, il était tombé, car le visage de l'homme qu'il avait voulu tuer avait toute la fraîcheur de l'adolescence, toute la pureté immaculée de la jeunesse. Il avait l'air à peine plus âgé qu'un garçon de vingt printemps, à peine plus âgé, si même il l'était, que sa sœur quand elle et lui s'étaient quittés tant d'années auparavant. Il était évident que ce n'était pas là l'homme qui avait détruit la vie de Sibyl.

Il relâcha son étreinte, et recula en titubant. « Mon Dieu ! mon Dieu ! s'écria-t-il, et dire que j'ai failli vous tuer ! »

Dorian Gray prit une profonde inspiration. « Vous étiez sur le point de commettre un crime horrible, mon brave, dit-il, en le fixant d'un air sévère. Que cela vous serve de leçon : il ne faut jamais chercher à se venger soi-même.

— Pardonnez-moi, monsieur, , marmonna James Vane. Je me suis trompé. Un mot entendu par hasard dans ce maudit bouge m'a mis sur une mauvaise piste.

— Vous feriez mieux de rentrer chez vous et de ranger ce pistolet, sinon vous risquez des ennuis », dit Dorian en tournant les talons, et il descendit lentement la rue.

James Vane restait figé sur le trottoir, rempli d'épouvante. Il tremblait de tous ses membres. Au bout d'un moment, une ombre noire qui avait longé sans bruit le mur suintant apparut dans la lumière et s'approcha de lui à pas de loup. Il sentit une main posée sur son bras et se retourna en sursautant. C'était l'une des femmes qui buvaient au bar.

« Pourquoi ne l'as-tu pas tué ? » fit-elle d'une voix sifflante, mettant son visage blême tout contre le sien. « Je savais que tu courais après lui quand tu as quitté Daly à toute vitesse. Pauvre imbécile ! Tu aurais dû le tuer. Il a plein d'argent, et il est aussi pourri qu'on peut l'être.

— Ce n'est pas l'homme que je cherchais, répondit-il, et je ne veux l'argent de personne. L'homme que je recherche doit avoir à peu près quarante ans. Celui-ci n'est guère plus qu'un adolescent. Dieu merci, je n'ai pas son sang sur les mains. »

La femme eut un rire amer. « Guère plus qu'un adolescent ! ricana-t-elle. Mon pauvre, ça fait près de dix-huit ans que Prince Charmant a fait de moi ce que je suis.

— Tu mens ! » s'écria James Vane.

Elle leva la main vers le ciel. « Devant Dieu, je dis la vérité.

— Devant Dieu ?

— Que je perde la parole si ce n'est pas vrai. C'est le pire de tous ceux qui viennent ici. On dit qu'il s'est vendu au diable pour garder son joli minois. Ça fait près de dix-huit ans que j'ai fait sa connaissance. Il n'a guère changé depuis. Moi, si », ajouta-t-elle avec une affreuse grimace.

« Tu me jures que c'est vrai ? »

De la bouche épatée jaillit en écho un « Je le jure » éraillé. « Mais ne me dénonce pas à lui, pleurnicha-t-elle ; j'ai peur de lui. Donne-moi un peu d'argent pour dormir cette nuit. »

Il la quitta en poussant un juron, et se précipita vers le coin de la rue, mais Dorian Gray avait disparu. Quand il se retourna, la femme avait disparu elle aussi.

## 17

Une semaine plus tard, Dorian Gray était assis dans la serre de Selby Royal et causait avec la jolie duchesse de Monmouth qui, accompagnée de son mari, un sexagénaire à l'air fatigué, était de ses invités. C'était l'heure du thé, et la lumière douce de la grosse lampe recouverte de dentelle posée sur la table éclairait la porcelaine délicate et l'argent martelé du service dont la duchesse faisait les honneurs. Ses mains blanches se déplaçaient délicatement parmi les tasses, et ses lèvres vermeilles et charnues souriaient à des paroles que Dorian venait de lui chuchoter. Lord Henry était renversé sur un fauteuil de rotin tendu de soie, et les regardait. Assise sur un divan de couleur pêche, Lady Narborough faisait semblant d'écouter le duc lui décrire le dernier scarabée brésilien qu'il avait ajouté à sa collection. Trois jeunes gens vêtus d'élégants smokings proposaient des gâteaux aux dames. Les invités formaient un groupe de douze personnes, et d'autres devaient arriver le lendemain.

« De quoi parlez-vous donc tous les deux ? » demanda Lord Henry, se dirigeant sans hâte vers la table pour y poser sa tasse. « J'espère, Gladys, que Dorian vous a parlé de mon plan visant à tout rebaptiser. C'est une idée charmante.

— Mais je ne veux pas être rebaptisée, Harry », répliqua la duchesse, le regardant de ses yeux merveilleux. « Je suis tout à fait satisfaite du nom que je porte, et je suis sûre que M. Gray devrait être satisfait du sien.

— Ma chère Gladys, pour rien au monde je ne changerais votre nom ni le sien. Ils sont tous deux parfaits. Je songeais surtout aux fleurs. Hier, j'ai coupé une orchidée pour garnir ma boutonnière. C'était une petite merveille tachetée, aussi impressionnante que les sept péchés capitaux. Dans un moment d'égarement, je demandai à l'un des jardiniers comment elle s'appelait. Il me dit que c'était un beau spécimen de *Robinsoniana*, ou quelque horrible nom de ce genre. C'est une vérité triste à dire : nous ne savons plus donner aux choses de jolis noms. Les noms comptent plus que tout. Avec les actions, je n'ai jamais aucune querelle. Ma seule querelle, je l'ai avec les mots. C'est pour cela que je déteste le réalisme vulgaire en littérature. Tout homme capable d'appeler un chat, un chat, devrait être obligé d'en élever un[1]. Il n'est bon qu'à cela.

— En ce cas, comment faut-il vous appeler, Harry ? demanda-t-elle.

— Son nom est Prince du Paradoxe, dit Dorian.

— Je le reconnais sur-le-champ, s'écria la duchesse.

— Il n'en est pas question », dit Lord Henry dans un éclat de rire en se laissant tomber dans un fauteuil. « Impossible d'échapper à une étiquette ! Je refuse le titre.

— Les souverains n'abdiquent pas » : tel fut l'avertissement que lancèrent les jolies lèvres.

« Vous souhaitez donc que je défende mon trône ?

— Oui.

— Je fournis les vérités de demain.

— Je préfère les erreurs d'aujourd'hui, répondit-elle.

— Gladys, vous me désarmez », s'écria-t-il, se laissant gagner par son humeur combative.

« De votre bouclier, Harry, non de votre lance.

— Jamais je ne joute contre la beauté », dit-il en faisant un geste de la main.

« C'est là votre tort, Harry, croyez-moi. Vous accordez beaucoup trop de valeur à la beauté.

— Comment pouvez-vous dire une chose pareille ? Je confesse qu'à mes yeux il vaut mieux être beau que bon. Mais, en revanche, personne n'est plus disposé que moi à reconnaître qu'il vaut mieux être bon que laid.

— La laideur est donc un des sept péchés capitaux ? s'écria la duchesse. Que faites-vous de votre métaphore de l'orchidée ?

— La laideur est une des sept vertus capitales, Gladys. Vous qui êtes une bonne *tory*, vous n'avez pas le droit de les sous-estimer. La bière, la Bible et les sept vertus capitales ont fait de notre Angleterre ce qu'elle est.

— Vous n'aimez donc pas notre pays ? demanda-t-elle.

— J'y vis.

— Pour pouvoir mieux le critiquer.

— Vous préféreriez que j'accepte le verdict que porte sur lui l'Europe ? demanda-t-il.

— Que dit-on de nous là-bas ?

— Que Tartuffe a émigré en Angleterre pour y tenir boutique.

— La formule est-elle de vous, Harry ?

— Je vous l'offre.

— Je ne pourrais pas m'en servir. Elle est trop vraie.

— Vous n'avez rien à craindre. Nos compatriotes sont incapables de reconnaître une description.

— Ce sont des esprits pratiques.

— Ils sont plus rusés que pratiques. Quand ils font leur bilan, ils équilibrent la stupidité par la fortune, et le vice par l'hypocrisie.

— N'empêche, nous avons accompli de grandes choses.

— De grandes choses nous ont été imposées, Gladys.

— Nous les avons assumées.

— Jusqu'à la Bourse, mais pas au-delà. »

Elle secoua la tête. « J'ai foi en notre race, s'écria-t-elle.

— Elle représente le triomphe des arrivistes.

— Elle connaît le progrès.

— Le déclin me fascine davantage.

— Et l'Art ? demanda-t-elle.

— C'est une maladie.

— L'amour ?

— Une illusion.

— La religion ?

— Le succédané élégant de la conviction.

— Vous êtes un sceptique.

— Jamais de la vie ! Le scepticisme est le début de la foi.

— Qu'êtes-vous donc ?

— Définir, c'est limiter.

— Je perds le fil, donnez-moi un indice.

— Les fils se cassent. Vous vous perdriez dans le labyrinthe.

— Vous me déroutez. Parlons d'autre chose.

— Notre hôte constitue un sujet de conversation délicieux. Il y a des années de cela, on l'avait baptisé Prince Charmant.

— Ah ! ne me rappelez pas cette époque, s'écria Dorian Gray.

— Notre hôte est particulièrement agressif ce soir », répondit la duchesse, qui rougit légèrement. « Je crois qu'il pense que si Monmouth m'a épousée, c'est au nom de principes scientifiques rigoureux, me considérant comme le meilleur spécimen de papillon moderne qu'il pourrait jamais trouver.

— Eh bien, duchesse, j'espère qu'il ne va pas vous mettre des épingles dans le corps, dit Dorian en riant.

— Oh, M. Gray, ma bonne le fait déjà quand je l'irrite.

— Et que faites-vous pour l'irriter, duchesse ?

— Les choses les plus banales qui soient, M. Gray, je vous assure. En général j'arrive à neuf heures moins dix et lui déclare qu'il faut que je sois habillée pour huit heures et demie.

— C'est fort déraisonnable de sa part ! Vous devriez lui signifier son congé.

— Je n'ose pas, M. Gray. Que voulez-vous, elle

invente pour moi des chapeaux. Vous vous rappelez celui que je portais à la garden-party de Lady Hilstone ? Vous ne vous le rappelez pas, mais c'est gentil à vous de faire semblant. Eh bien, elle me l'a fait à partir de rien. Tous les bons chapeaux sont faits à partir de rien. »

Lord Henry s'interposa. « Comme toutes les bonnes réputations, Gladys. Chaque fois que l'on produit un effet, on se fait un ennemi. Pour être populaire, soyez médiocre.

— Pas avec les femmes, dit la duchesse en secouant la tête ; et ce sont les femmes qui mènent le monde. Je vous assure que nous ne supportons pas les médiocres. Nous autres femmes, comme l'a dit quelqu'un, nous aimons avec les oreilles, tandis que vous autres hommes, vous aimez avec les yeux, pour autant que vous aimiez jamais.

— Il me semble que nous ne faisons jamais rien d'autre, murmura Dorian.

— Ah ! en ce cas, vous n'aimez jamais vraiment, M. Gray, répliqua la duchesse en feignant la tristesse.

— Ma chère Gladys ! s'écria Lord Henry. Comment pouvez-vous dire une chose pareille ? Le sentiment romantique vit de répétition, et la répétition fait de l'appétit un art. D'ailleurs, chaque expérience de l'amour est l'unique expérience de l'amour qu'on ait jamais faite. Le changement d'objet ne modifie pas le caractère unique de la passion. Il ne fait que l'intensifier. On ne peut éprouver au cours de sa vie qu'une seule grande expérience, et le secret de la vie consiste à la reproduire le plus souvent possible.

— Même quand elle vous a blessé, Harry ? demanda la duchesse après un léger silence.

— Surtout quand elle nous a blessé », répondit Lord Henry.

La duchesse détourna les yeux et regarda Dorian Gray avec une expression curieuse. « Que dites-vous de cela, M. Gray ? » demanda-t-elle.

Dorian eut un instant d'hésitation. Puis il rejeta la tête en arrière et se mit à rire. « Je suis toujours d'accord avec Harry, duchesse.

— Même quand il a tort ?

— Harry n'a jamais tort, duchesse.

— Et sa philosophie vous rend-elle heureux ?

— Je n'ai jamais recherché le bonheur. Qui désire le bonheur ? J'ai recherché le plaisir.

— Et vous l'avez trouvé, M. Gray ?

— Souvent. Trop souvent. »

La duchesse poussa un soupir. « Moi, je recherche la paix, dit-elle, et si je ne pars pas m'habiller, je n'en aurai pas de toute la soirée.

— Permettez-moi de vous rapporter quelques orchidées, duchesse », s'écria Dorian, qui se leva d'un bond et se dirigea vers le fond de la serre.

« Vous êtes en train de flirter avec lui outrageusement, dit Lord Henry à sa cousine. Je vous conseille d'être prudente. Il est extrêmement séduisant.

— S'il ne l'était pas, il n'y aurait pas de bataille.

— C'est donc la rencontre de deux Grecs[1] ?

— Je suis du côté des Troyens. Ils combattaient pour une femme.

— Ils ont été vaincus.

— Il y a des sorts pires que la captivité, répliqua-t-elle.

— Vous vous lancez au galop tout en lâchant les rênes.

— La vitesse, c'est la vie, riposta-t-elle.

— Je vais le noter ce soir dans mon journal.

— Quoi donc ?

— Que l'enfant qui s'est brûlé les doigts adore le feu.

— Je ne suis même pas roussie. Mes ailes sont intactes.

— Elles peuvent vous servir à tout, sauf à prendre votre envol.

— Le courage est passé des hommes aux femmes. C'est pour nous une expérience nouvelle.

— Vous avez une rivale.

— Qui donc ? »

Il se mit à rire. « Lady Narborough, chuchota-t-il. Elle l'adore sans réserve.

— Vous m'emplissez d'appréhension. La séduction de l'Antiquité nous est fatale, à nous autres romantiques.

— Romantiques ! vous qui recourez à toutes les méthodes scientifiques !

— Les hommes nous ont instruites.

— Mais non pas expliquées. »

Elle lui lança un défi. « Décrivez-nous en tant que sexe.

— Des sphinges sans secret. »

Elle le regarda en souriant. « Qu'il faut de temps à M. Gray ! dit-elle. Allons l'aider. Je ne lui ai pas encore indiqué la couleur de ma robe.

— Ah ! Gladys, il vous faut adapter votre robe à ses fleurs.

— Ce serait une capitulation prématurée.

— L'Art romantique commence par son apogée.

— Je dois me réserver une possibilité de retraite.

— À la façon des Parthes[1] ?

— Ils ont trouvé leur salut dans le désert. J'en serais incapable.

— Les femmes n'ont pas toujours le choix », répondit-il, mais à peine avait-il achevé sa phrase qu'un gémissement étouffé se fit entendre à l'autre bout de la serre, suivi du bruit sourd d'une lourde chute. Tout le monde sursauta. La duchesse s'immobilisa, horrifiée. Et Lord Henry, dans les yeux duquel se lisait la peur, se mit à courir, écartant les feuilles de palmiers qui battaient, et trouva Dorian Gray étendu face contre terre sur le sol carrelé, évanoui, comme mort.

On le transporta aussitôt dans le salon bleu, et on le posa sur l'un des sofas. Au bout d'un court moment il revint à lui, et promena alentour un regard hébété.

« Que s'est-il passé ? demanda-t-il. Ah ! oui, je me rappelle. Suis-je en sûreté ici, Harry ? » Il se mit à trembler.

« Mon cher Dorian, répondit Lord Henry, vous vous êtes simplement évanoui. Rien de plus. Vous avez dû vous surmener. Vous feriez mieux de ne pas descendre dîner. Je prendrai votre place.

— Non, je vais descendre, dit-il en se remettant debout avec peine. Je préfère descendre. Il ne faut pas que je reste seul. »

Il se rendit dans sa chambre et s'habilla. Quand il prit place à table, il y avait dans ses manières une gaieté insouciante et débridée, mais de temps à autre un frisson de terreur le secouait, quand il se rappelait avoir vu, pressé contre la vitre de la serre, tel un mouchoir blanc, le visage de James Vane en train de l'observer.

## 18

Le jour suivant il ne quitta pas la maison et passa même l'essentiel de son temps dans sa chambre, en proie à une folle terreur de la mort, indifférent pourtant à la vie elle-même. La conscience d'être poursuivi, traqué, pris au piège, avait commencé à exercer sur lui son empire. Si le vent agitait la tapisserie d'un léger frémissement, il tremblait. Les feuilles mortes poussées contre les vitraux le renvoyaient à ses résolutions abandonnées et à ses vains regrets. Quand il fermait les yeux, il revoyait le visage du marin l'observant à travers la vitre embuée, et il croyait sentir à nouveau sur son cœur la main de l'épouvante.

Mais peut-être était-ce seulement son imagination qui de la nuit avait fait surgir la vengeance, et présenté à ses yeux la figure hideuse du châtiment. La vie réelle n'est que chaos, mais l'imagination a quelque chose d'effroyablement logique. C'est l'imagination qui pousse le remords à s'attacher aux pas du péché. C'est l'imagination qui donne à chaque crime sa monstrueuse progéniture. Dans l'univers ordinaire, dans l'univers des faits, les méchants ne sont pas punis, ni les bons récompensés. Le succès va aux forts, l'échec frappe le juste. C'est tout. D'ailleurs, si un étranger avait rôdé autour de la maison, les domestiques ou les gardiens l'auraient vu. Si l'on avait repéré des traces de pas sur les plates-bandes, les jardiniers l'auraient rapporté. Oui, tout cela n'avait été qu'imagination. Le frère de Sibyl Vane n'était pas revenu pour le tuer. Il s'était embarqué sur son bateau pour finalement sombrer dans quelque mer hivernale. De lui, en tout cas, il n'avait rien à craindre. D'ailleurs cet homme ne connaissait pas son identité, ne pouvait la connaître. Le masque de la jeunesse l'avait sauvé.

Et pourtant si ce n'avait été qu'une illusion, quelle horreur de penser que la conscience puisse faire surgir des fantômes aussi effrayants, leur donner forme visible, et les faire s'agiter sous nos yeux ! À quelle vie était-il désormais condamné si, jour et nuit, les ombres de son crime devaient, depuis des recoins silencieux, l'observer, depuis des lieux secrets le railler, chuchoter à son oreille au milieu des banquets, le tirer du sommeil de leurs doigts glacés ! Lorsque cette idée envahit son esprit, il blêmit de terreur, et l'air lui sembla s'être soudain refroidi. Ah ! ce moment de folie furieuse où il avait tué son ami ! Quelle horreur dans le simple souvenir de ce crime ! Il revoyait toute la scène. Chaque détail hideux lui revenait, plus épouvantable encore. Des noires cavernes du Temps, terrifiante et drapée d'écarlate, surgissait l'image de son péché. Quand Lord Henry vint le voir à six heures, il le trouva en pleurs, comme quelqu'un dont le cœur est sur le point de se briser.

Ce n'est que le troisième jour qu'il se risqua à

sortir. Il y avait quelque chose dans l'air limpide de ce matin d'hiver où flottait la senteur des pins, qui lui rendit presque allégresse et joie de vivre. Mais les conditions extérieures n'étaient pas seules à avoir provoqué ce changement. Sa propre nature s'était insurgée contre l'excès d'angoisse qui avait tenté d'altérer, de mutiler, sa parfaite sérénité. Il en est toujours ainsi des natures subtiles et délicates. Chez elles les passions fortes ne peuvent que blesser ou céder. Soit elles tuent, soit elles meurent. Les douleurs superficielles et les amours superficielles ont la vie longue. Les grandes douleurs et les grandes amours sont détruites par leur plénitude même. Du reste, il s'était convaincu d'avoir été victime d'une imagination terrorisée et regardait désormais ses craintes de naguère avec un peu de pitié et une bonne dose de mépris.

Après le petit déjeuner, il fit avec la duchesse une promenade d'une heure dans le jardin, puis se fit conduire à travers le parc pour rejoindre la chasse. La gelée matinale recouvrait l'herbe comme une couche de sel. Le ciel était une coupe renversée de métal bleuté. Une fine pellicule de glace bordait le lac immobile où poussaient des roseaux.

Au coin du bois de pins, il aperçut le frère de la duchesse, Sir Geoffrey Clouston, en train d'éjecter deux cartouches de son fusil. Il sauta à bas de sa voiture et, après avoir dit au palefrenier de reconduire la jument, il se fraya un chemin à travers la fougère desséchée et le sous-bois broussailleux pour rejoindre son invité.

« Avez-vous fait bonne chasse, Geoffrey ? demanda-t-il.

— Pas très bonne, Dorian. Je crois que la plupart des oiseaux ont gagné les champs. Les choses iront sûrement mieux après le déjeuner, quand nous serons en terrain nouveau. »

Dorian marchait lentement à ses côtés. L'air vif plein de senteurs, les lueurs rouges et brunes qui apparaissaient fugitivement dans le bois, les cris rauques des rabatteurs qui résonnaient de temps en temps, et que suivait le bruit sec des détonations, tout cela le fascinait, et l'emplissait d'un délicieux sentiment de liberté. L'insouciance du bonheur, la suprême indifférence de la joie, régnaient sur lui.

Soudain, d'une grosse touffe d'herbe jaunie, à près de vingt mètres d'eux, dressant ses oreilles à bout noir, bondissant sur ses longues pattes arrière, jaillit un lièvre. Il fonça vers un bosquet d'aulnes. Sir Geoffrey épaula, mais il y avait dans le mouvement gracieux de l'animal quelque chose qui séduisit curieusement Dorian Gray, et il s'écria aussitôt : « Ne tirez pas, Geoffrey. Laissez-le vivre.

— Vous plaisantez, Dorian ! » dit en riant son compagnon et, au moment où le lièvre entrait d'un bond dans le fourré, il fit feu. Deux cris se firent entendre, le cri de douleur d'un lièvre, qui est affreux, et le cri d'un homme en pleine souffrance, qui est pire.

« Grands dieux ! J'ai touché un rabatteur ! s'exclama Sir Geoffrey. Quel imbécile d'aller se fourrer en avant des fusils ! Halte au feu, là-bas ! cria-t-il de toutes ses forces. Il y a un blessé. »

Le garde-chasse arriva en courant, tenant un bâton à la main.

« Où donc, monsieur ? Où est-il ? » cria-t-il. Au même moment, le feu cessa sur toute la ligne.

« Ici », répondit Sir Geoffrey d'une voix irritée, et il se dirigea en hâte vers le bosquet. « Pourquoi diable ne retenez-vous pas vos hommes ? Voilà toute une journée de chasse que vous m'avez gâchée... »

Dorian les regarda plonger au sein du boqueteau d'aulnes, écartant les branches souples et flexibles. Au bout de quelques instants ils réapparurent, tirant un corps qu'ils amenèrent au grand soleil. Il se détourna, horrifié. Il lui semblait que le malheur, où qu'il allât, le poursuivait. Il entendit Sir Geoffrey demander si l'homme était réellement mort, puis la réponse affirmative du garde-chasse. Le bois lui sembla s'être subitement peuplé de visages. Il entendait le piétinement de milliers de pieds et un bourdonnement confus de voix. Un grand faisan à la gorge couleur de cuivre passa dans un battement d'ailes au-dessus des frondaisons.

Au bout de quelques instants qui, pour son esprit agité, furent comme des heures de souffrance interminables, il sentit une main posée sur son épaule. Il sursauta et se retourna.

« Dorian, dit Lord Henry, il vaudrait mieux que j'annonce que la chasse est terminée pour aujourd'hui. Ce ne serait pas convenable de continuer.

— Je voudrais que ce fût terminé pour toujours, Harry, répondit-il avec amertume. Tout cela est cruel et hideux. L'homme est-il... ? »

Il fut incapable de finir sa phrase.

« J'en ai peur, répondit Lord Henry. Il a reçu toute la charge en pleine poitrine. Il a dû mourir instantanément. Venez, rentrons. »

Ils se dirigèrent vers l'allée, côte à côte, et firent près de cinquante mètres sans dire un mot. Puis Dorian regarda Lord Henry et dit, en poussant un profond soupir : « C'est un mauvais présage, Harry, un très mauvais présage.

— Quoi donc ? demanda Lord Henry. Ah, cet accident, je suppose. Mon cher ami, nous n'y pouvons rien. Il en est seul reponsable. Pourquoi s'être placé devant les fusils ? De toute façon, cela ne nous concerne pas. Bien sûr, c'est assez embarrassant pour Geoffrey. Cela ne se fait pas de mitrailler les rabatteurs. Les gens vous prennent pour un mauvais chasseur. Et ce n'est pas le cas de Geoffrey ; il tire juste. Mais à quoi bon parler de cela ? »

Dorian secoua la tête. « C'est un mauvais présage, Harry. J'ai l'impression qu'il va arriver des choses horribles à certains d'entre nous. À moi, peut-être », ajouta-t-il en se passant la main sur les yeux, dans un geste de souffrance.

Son aîné se mit à rire. « La seule chose horrible au monde, Dorian, c'est l'*ennui*. C'est le seul péché pour lequel il n'y ait pas de miséricorde. Mais nous ne risquons pas d'en souffrir, sauf si nos amis continuent à discourir de l'événement au cours du dîner. Il faut que je leur dise que le sujet est tabou. Quant aux présages, ils n'existent pas. Le destin ne nous envoie pas de hérauts. Il est trop sage ou trop cruel pour cela. Du reste, Dorian, que diable pourrait-il vous arriver ? Vous possédez tout ce qu'un homme peut souhaiter. Je ne connais personne qui ne fût ravi de changer de place avec vous.

— Je ne connais personne avec qui je refuserais de changer de place, Harry. Ne riez pas ainsi. Je vous dis la vérité. Le malheureux paysan qui vient de mourir est mieux loti que moi. Je n'ai nulle terreur de la Mort. C'est l'approche de la Mort qui m'épouvante. J'ai l'impression de sentir ses ailes monstrueuses battre l'air accablant, tout autour de moi. Grands dieux ! ne voyez-vous pas un homme se déplacer derrière les arbres, là-bas, qui m'observe, qui me guette ? »

Lord Henry regarda dans la direction que désignait la main gantée toute tremblante. « Si, dit-il en souriant, je vois le jardinier qui vous attend. Sans doute veut-il vous demander quelles fleurs vous souhaitez voir sur la table ce soir. Vous êtes vraiment d'une nervosité déraisonnable, mon cher ami ! Il faudra que vous alliez voir mon médecin lorsque nous serons de retour à Londres. »

Dorian poussa un soupir de soulagement en voyant approcher le jardinier. L'homme porta la main à son chapeau, jeta un coup d'œil à Lord Henry, l'air hésitant, puis sortit une lettre qu'il tendit à son maître. « Sa Grâce m'a dit d'attendre la réponse », murmura-t-il.

Dorian mit la lettre dans sa poche. « Dites à Sa Grâce que j'arrive », répondit-il froidement. L'homme fit demi-tour et se dirigea rapidement vers la maison.

« Comme les femmes adorent faire des choses dangereuses ! dit Lord Henry en riant. C'est une des qualités que j'admire le plus chez elles. Une femme est prête à flirter avec n'importe qui pourvu qu'il y ait des témoins.

— Comme vous adorez dire des choses dangereuses, Harry ! Dans le cas présent, vous vous méprenez complètement. J'aime beaucoup la duchesse, mais je ne suis pas amoureux d'elle.

— Et la duchesse est très amoureuse de vous, mais elle vous aime moins, d'où il résulte que vous êtes merveilleusement assortis.

— Ce sont là des médisances, Harry, et jamais une médisance n'a de fondement.

— Le fondement de toute médisance est une certitude immorale », dit Lord Henry en allumant une cigarette.

« Vous sacrifieriez n'importe qui, Harry, pour une épigramme. »

À quoi il lui fut répondu : « C'est de son propre gré que le monde marche à l'autel.

— J'aimerais pouvoir être amoureux », s'écria Dorian Gray, dont la voix était empreinte d'une émotion profonde. « Mais je crois avoir perdu toute passion et oublié tout désir. Je me concentre trop sur moi-même. Ma personnalité m'est devenue un fardeau. J'ai besoin de m'échapper, de partir, d'oublier. J'ai eu tort de venir ici. Je crois que je vais télégraphier à Harvey d'apprêter le yacht. Sur un yacht, on est à l'abri.

— À l'abri de quoi, Dorian ? Vous êtes en difficulté. Pourquoi ne pas me dire ce dont il s'agit ? Vous savez que je ne demande qu'à vous aider.

— Je ne peux vous le dire, Harry, répondit-il avec tristesse. Et sans doute n'est-ce qu'une illusion de ma part. Ce malheureux accident m'a bouleversé. J'ai le pressentiment horrible qu'il pourrait m'arriver quelque chose du même genre.

— C'est absurde !

— Je l'espère, mais j'en ai, malgré moi, le sentiment. Ah ! voici la duchesse, qui ressemble à Artémis portant une robe faite sur mesure. Vous voyez que nous sommes de retour, duchesse.

— J'ai tout appris, M. Gray, répondit-elle. Ce pauvre Geoffrey est terriblement bouleversé. Et apparemment vous lui aviez demandé de ne pas tirer ce lièvre. Comme c'est curieux !

— Oui, ce fut très curieux. Je ne sais pas ce qui m'y a poussé. Un caprice, je suppose. C'était un petit animal absolument adorable. Mais je regrette qu'on vous ait parlé de l'homme. C'est un sujet horrible.

— C'est un sujet irritant, coupa Lord Henry. Il n'a pas la moindre valeur psychologique. En revanche, si Geoffrey l'avait fait exprès, il deviendrait vraiment intéressant ! J'aimerais connaître quelqu'un qui ait commis un vrai meurtre.

— Harry, c'est abominable ! s'écria la duchesse. N'est-ce pas, M. Gray ? Harry, voilà que M. Gray se trouve mal de nouveau. Il va s'évanouir. »

Dorian fit un effort pour se ressaisir et eut un sourire. « Ce n'est rien, duchesse, murmura-t-il ; j'ai les nerfs dans un état terrible. C'est tout. J'ai bien peur d'avoir trop marché ce matin. Je n'ai pas entendu ce qu'a dit Harry. Était-ce très répréhensible ? Il faudra que vous me répétiez cela une autre fois. Je crois qu'il faut que j'aille m'allonger. Voulez-vous bien m'excuser ? »

Ils avaient atteint le grand escalier qui reliait la serre à la terrasse. Tandis que la porte de verre se refermait derrière Dorian, Lord Henry se retourna et regarda la duchesse de ses yeux alanguis. « Êtes-vous très amoureuse de lui ? » demanda-t-il.

Elle mit quelque temps à répondre, observant,

immobile, le paysage. « Je voudrais bien le savoir »,
fit-elle enfin.

Il secoua la tête. « La certitude serait fatale. C'est
l'incertitude qui crée le charme. La brume rend tout
merveilleux.

— On peut se tromper de chemin.

— Tous les chemins mènent au même point, ma
chère Gladys.

— C'est-à-dire ?

— La désillusion.

— Ce fut mon *début* dans la vie, soupira-t-elle.

— Elle est venue à vous portant la couronne.

— Je suis lasse des feuilles de fraisier[1].

— Elles vous vont à merveille.

— Seulement en public.

— Vous regretteriez leur absence, dit Lord
Henry.

— Je ne me séparerai pas d'un seul pétale.

— Monmouth a des oreilles.

— Les vieillards ont l'ouïe faible.

— N'a-t-il jamais été jaloux ?

— Plût au ciel qu'il l'eût été ! »

Il regarda autour de lui comme s'il cherchait
quelque chose. « Que cherchez-vous ? demanda-t-elle.

— La mouche de votre fleuret, répondit-il. Vous
l'avez laissé tomber. »

Elle se mit à rire. « J'ai conservé le masque.

— Il rend vos yeux encore plus beaux », fit-il en
guise de réponse.

Elle rit à nouveau. Ses dents brillaient comme des
graines blanches au sein d'un fruit écarlate.

En haut, dans sa chambre, Dorian Gray était
allongé sur un sofa, et la terreur faisait vibrer toutes

les fibres de son corps. La vie était brusquement devenue pour lui trop lourde à porter. La mort affreuse de l'infortuné rabatteur, tué dans le fourré comme une bête sauvage, lui semblait préfigurer en même temps sa propre mort. Il avait failli perdre connaissance devant la plaisanterie cynique que Lord Henry avait lancée par hasard.

À cinq heures, il sonna son domestique et lui donna l'ordre de boucler ses bagages pour le train de nuit à destination de Londres, et de faire préparer le coupé devant la porte pour huit heures et demie. Il était décidé à ne pas passer une nuit de plus à Selby Royal. C'était un lieu de mauvais augure, la Mort s'y promenait en plein jour. L'herbe de la forêt avait été tachée de sang.

Puis il écrivit un billet à Lord Henry, l'informant qu'il regagnait la capitale pour consulter son médecin, et lui demandant de s'occuper de ses invités en son absence. Tandis qu'il mettait la lettre dans une enveloppe, on frappa à la porte, et son valet l'informa le garde-chasse souhaitait le voir. Il se rembrunit et se mordit les lèvres. « Faites-le entrer », marmonna-t-il après quelques instants d'hésitation.

Dès que l'homme entra, Dorian tira d'un tiroir son carnet de chèques, et l'ouvrit devant lui.

« Vous venez sans doute à propos du malheureux accident de ce matin, Thornton ? dit-il en saisissant un porte-plume.

— Oui, Monsieur, répondit le garde-chasse.

— Le pauvre homme était-il marié ? Avait-il des personnes à charge ? demanda Dorian, avec l'air de s'ennuyer. Si c'est le cas, je ne voudrais pas qu'ils soient dans le besoin, et je leur enverrai la somme que vous jugerez nécessaire.

— Nous ne savons pas qui c'est, Monsieur. C'est pour cela que j'ai pris la liberté de venir vous voir.

— Vous ne savez pas qui c'est ? fit Dorian avec indifférence. Que voulez-vous dire ? N'était-ce pas un de vos hommes ?

— Non, Monsieur. Je ne l'avais jamais vu. On dirait un marin, Monsieur. »

La plume tomba des mains de Dorian Gray, et il eut l'impression que son cœur avait brusquement cessé de battre. « Un marin ? s'écria-t-il. Vous avez bien dit : un marin ?

— Oui, Monsieur. On dirait bien une sorte de marin ; avec des tatouages sur les deux bras, et tout ça.

— N'a-t-on rien trouvé sur lui ? » dit Dorian, qui se pencha en avant et fixa sur le garde des yeux frémissants. « Rien qui indique son nom ?

— Un peu d'argent, Monsieur — pas beaucoup — et un pistolet à six coups. Il n'y avait aucune indication de nom. Un homme à l'air convenable, Monsieur, mais un peu brutal d'allure. Une sorte de marin, à notre avis. »

Dorian se dressa d'un bond. Il sentit voltiger près de lui un espoir effrayant. Il le saisit au vol comme un fou. « Où est le corps ? s'exclama-t-il. Vite ! Il faut que je le voie sur-le-champ.

— Il est à la ferme, dans une écurie vide, Monsieur. Les gens n'aiment pas avoir ça chez eux. Ils disent que les cadavres portent malheur.

— À la ferme ! Allez-y immédiatement et attendez-moi là-bas. Dites à un des palefreniers de m'amener mon cheval. Non, cela ne fait rien. Je vais aller moi-même jusqu'aux écuries. Cela fera gagner du temps. »

Moins d'un quart d'heure plus tard, Dorian descendait l'allée au galop, du plus vite qu'il le pouvait. Il croyait voir les arbres défiler à ses côtés comme un cortège de fantômes, et des ombres se jeter furieusement en travers de son chemin. Une fois, la jument fit un écart devant un poteau blanc et manqua le jeter à terre. De sa cravache il lui cingla le cou. Elle fendait les ténèbres comme une flèche. Ses sabots faisaient voler les cailloux.

Enfin il atteignit la ferme. Deux hommes flânaient dans la cour. Il sauta au bas de sa selle et jeta les rênes à l'un d'eux. Dans l'écurie la plus éloignée une petite lueur brillait. Quelque chose semblait lui dire que c'était là que se trouvait le corps, et il se dirigea en hâte vers la porte, et posa la main sur le loquet.

Il s'immobilisa alors un instant, sentant que ce qu'il était sur le point de découvrir ferait renaître ou ruinerait sa vie. Puis il poussa la porte d'un seul coup, et entra.

Sur un tas de toile à sacs, dans le coin opposé, gisait le cadavre d'un homme vêtu d'une grosse chemise et d'un pantalon bleu. Un mouchoir taché avait été placé sur son visage. Une chandelle grossière, fichée dans une bouteille, crachotait à côté.

Dorian Gray frissonna. Il sentit qu'il était impossible que ce fût sa main qui ôtât le mouchoir, et il demanda à l'un des valets de ferme d'approcher.

« Enlevez cela de son visage. Je veux le voir », dit-il, s'agrippant à l'huisserie pour ne pas tomber.

Quand le valet l'eut fait, il s'avança. Un cri de joie
jaillit de ses lèvres. L'homme qui avait été tué dans le
fourré était James Vane.

Il resta quelques minutes immobile à fixer le
cadavre. Tandis qu'il rentrait chez lui à cheval, ses
yeux étaient pleins de larmes, car il savait qu'il était
sauvé.

## 19

« Inutile de me dire que vous allez être bon », s'écria Lord Henry en plongeant ses doigts blancs dans un bol de cuivre rouge plein d'eau de rose. « Vous êtes absolument parfait. Ne changez pas, je vous en prie. »

Dorian Gray secoua la tête. « Non, Harry, j'ai fait dans ma vie trop de choses affreuses. Je n'en ferai plus. J'ai commencé hier mes bonnes actions.

— Où étiez-vous hier ?

— À la campagne, Harry. J'étais tout seul dans une petite auberge.

— Mon cher enfant, dit Lord Henry en souriant, à la campagne, tout le monde peut être bon. Il ne s'y trouve point de tentations. C'est pour cette raison que les gens qui vivent loin des villes sont si radicalement barbares. La civilisation n'est pas, loin s'en faut, d'accès facile. Il n'existe que deux méthodes pour y accéder. La première consiste à se cultiver ; la deuxième, à se laisser corrompre. Les gens de la campagne n'ont aucune occasion de faire l'un ou l'autre, et en conséquence ils croupissent.

— La culture et la corruption, répéta Dorian en

écho. Je les ai connues l'une et l'autre. Je trouve aujourd'hui effrayant qu'elles puissent jamais être associées. Car j'ai un nouvel idéal, Harry. Je vais changer. Je crois avoir déjà changé.

— Vous ne m'avez pas encore dit en quoi a consisté votre bonne action. À moins que vous ne m'ayez dit en avoir fait plus d'une ? » demanda son compagnon, tandis qu'il versait dans son assiette une petite pyramide cramoisie de fraises piquetées, et répandait sur elles, au travers d'une cuillère perforée en forme de conque, une neige de sucre blanc.

« Je peux vous le dire, Harry. C'est une histoire que je ne pourrais raconter à personne d'autre. J'ai épargné quelqu'un. Cela paraît prétentieux, mais vous comprenez ce que je veux dire. Elle était très belle, et ressemblait extraordinairement à Sibyl Vane. Je crois que c'est cela qui m'a d'abord attiré vers elle. Vous vous souvenez de Sibyl, n'est-ce pas ? Comme tout cela semble lointain ! Bref, Hetty n'était pas de notre milieu, bien entendu. C'était simplement une jeune villageoise. Mais j'étais vraiment amoureux d'elle. Je suis tout à fait sûr que j'étais amoureux d'elle. Tout au long de ce délicieux mois de mai que nous venons d'avoir, j'ai couru deux ou trois fois par semaine pour lui rendre visite. Hier elle m'a attendu dans un petit verger. Les fleurs de pommier ne cessaient de tomber sur ses cheveux, et elle riait. Nous devions partir ensemble ce matin à l'aube. Soudain j'ai décidé de la laisser aussi liliale que je l'avais trouvée.

— Je suppose, Dorian, que la nouveauté du sentiment vous a procuré un frisson de plaisir authentique, fit Lord Henry en l'interrompant. Mais je

peux achever votre idylle à votre place. Vous lui avez
donné des conseils judicieux, et vous lui avez brisé le
cœur. Voilà comment vous avez commencé à vous
amender.

— Harry, vous êtes abominable ! Vous n'avez pas
le droit de dire de telles horreurs. Hetty n'a pas le
cœur brisé. Bien sûr, elle a pleuré, et ainsi de suite.
Mais elle n'est pas déshonorée. Elle peut vivre,
comme Perdita[1], dans son jardin planté de menthe
et de soucis.

— Et pleurer sur l'infidélité de Florizel », dit Lord
Henry en riant, tandis qu'il se renversait sur son fauteuil. « Mon cher Dorian, vous avez les humeurs les
plus puériles qui soient. Pensez-vous qu'à l'avenir
cette jeune fille se contentera jamais de quelqu'un de
son rang ? Sans doute épousera-t-elle un jour ou
l'autre un charretier mal dégrossi ou un laboureur
grimaçant. Eh bien, le fait de vous avoir connu, de
vous avoir aimé, lui enseignera à mépriser son mari,
et elle sera très malheureuse. D'un point de vue
moral, je ne peux pas dire que j'aie beaucoup
d'estime pour votre magnifique renonciation. Même
pour un début, c'est peu convaincant. D'ailleurs, qui
vous dit qu'elle n'est pas en ce moment même en
train de flotter sur un étang illuminé d'étoiles, tout
près d'un moulin, et entourée, comme Ophélie, de
ravissants nénuphars ?

— C'est insupportable, Harry ! Vous prenez tout
en plaisanterie, et ensuite vous suggérez les tragédies
les plus sérieuses. Je regrette de vous avoir raconté
cela. Je me moque de ce que vous me dites. Je sais que
j'ai eu raison d'agir comme je l'ai fait. Pauvre Hetty !
En passant à cheval devant la ferme ce matin, j'ai

aperçu son visage pâle à la fenêtre, comme un rameau de jasmin. N'en parlons plus, et n'essayez pas de me persuader que la première bonne action que j'aie accomplie depuis des années, le premier petit sacrifice que j'aie jamais fait, est en réalité une sorte de péché. Je veux m'améliorer. Je vais m'améliorer. Parlez-moi de vous. Que se passe-t-il en ville ? Cela fait des jours et des jours que je ne suis pas allé au club.

— On continue à commenter la disparition de Basil.

— J'aurais cru que, depuis le temps, on s'en serait lassé », dit Dorian en se versant du vin, le sourcil légèrement froncé.

« Mon cher enfant, cela ne fait que six semaines qu'on en parle, et l'opinion publique, en Grande-Bretagne, n'est pas vraiment capable de l'effort intellectuel qu'il faudrait faire pour avoir plus d'un sujet de conversation par période de trois mois. La chance ne lui a pourtant pas fait défaut ces derniers temps. Elle a eu mon propre divorce et le suicide d'Alan Campbell. Elle a maintenant la disparition mystérieuse d'un artiste. Scotland Yard maintient que l'homme vêtu d'un ulster gris qui est parti pour Paris par le train de minuit le 9 novembre était bien ce pauvre Basil, et la police française affirme que Basil n'est jamais arrivé à Paris. Sans doute apprendrons-nous d'ici quinze jours qu'il a été vu à San Francisco. C'est bizarre, mais de toute personne qui disparaît on affirme qu'elle a été vue à San Francisco. Ce doit être une ville délicieuse, qui possède tous les charmes du monde à venir.

— Que pensez-vous qu'il soit arrivé à Basil ? »

demanda Dorian, examinant son bourgogne à la lumière, et se demandant comment il parvenait à discuter ce sujet aussi calmement.

« Je n'en ai pas la moindre idée. Si Basil a décidé de se cacher, cela ne me regarde pas. S'il est mort, je ne veux pas penser à lui. La mort est la seule chose au monde qui me terrifie. Je la hais.

— Pourquoi donc ? demanda le jeune homme d'un ton las.

— Parce que », dit Lord Henry en promenant sous ses narines le treillis doré d'un flacon de sels, « on peut survivre à tout, sauf à cela. La mort et la vulgarité sont les deux seuls faits du XIXᵉ siècle qui défient l'explication. Allons prendre le café dans la salle de musique, Dorian. Il faut que vous me jouiez du Chopin. L'homme avec qui ma femme s'est enfuie jouait Chopin à ravir. Pauvre Victoria ! Je l'aimais beaucoup. La maison sans elle est bien déserte. Certes la vie conjugale n'est qu'une habitude, une mauvaise habitude. Mais on regrette toujours de perdre ses habitudes, même les pires. Peut-être est-ce celles-là qu'on regrette le plus. Elles sont une partie tellement essentielle de notre personnalité. »

Dorian ne dit rien, mais quitta la table et, passant dans la pièce voisine, s'assit au piano et laissa ses doigts se promener sur l'ivoire blanc et noir des touches. Quand le café eut été apporté, il s'arrêta et, tournant les yeux vers Lord Henry, lui dit : « Harry, l'idée vous est-elle jamais venue que Basil ait pu être assassiné ? »

Lord Henry bâilla. « Basil était très populaire, et portait toujours une montre de Waterbury[1]. Pour-

quoi l'aurait-on assassiné ? Il n'était pas assez brillant
pour avoir des ennemis. Bien sûr il avait en peinture
un génie extraordinaire. Mais un homme peut
peindre comme Vélasquez et être aussi terne qu'il est
permis. Basil était vraiment très terne. Il ne m'a intéressé qu'une fois : le jour où il me déclara, il y a des
années de cela, qu'il avait pour vous une adoration
folle et que vous étiez le motif dominant de son art.

— J'aimais beaucoup Basil », dit Dorian, dont la
voix fit entendre une note de tristesse. « Mais ne dit-
on pas qu'il a été assassiné ?

— Oh, certains journaux le disent. Cela me
semble très improbable. Je sais qu'il existe à Paris des
lieux abominables, mais Basil n'était pas le type
d'homme à s'y rendre. Il n'avait aucune curiosité.
C'était son principal défaut.

— Que diriez-vous, Harry, si je vous disais que j'ai
assassiné Basil ? » dit son jeune compagnon. Il
l'observa attentivement après avoir parlé.

« Je dirais, mon cher ami, que vous êtes en train
de jouer un rôle pour lequel vous n'êtes pas fait.
Tout crime est vulgaire, de même que toute vulgarité
est criminelle. Vous n'avez pas en vous, Dorian, de
quoi commettre un meurtre. Je suis désolé de blesser
votre vanité en disant cela, mais je vous assure que
c'est vrai. Le crime appartient exclusivement aux
classes inférieures. Je ne le leur reproche pas le
moins du monde. Je serais tenté de penser que le
crime est pour elles ce que l'art est pour nous, rien
d'autre qu'un moyen de se créer des sensations
extraordinaires.

— Un moyen de se créer des sensations ? Vous
pensez donc qu'un homme qui a commis un crime

une fois pourrait commettre à nouveau le même crime ? Ne me dites pas cela.

— Oh ! toute action qu'on accomplit trop souvent devient un plaisir, s'écria Lord Henry en riant. C'est l'un des secrets les plus importants de la vie. Il me semble pourtant que le meurtre est toujours une erreur. Il ne faut rien faire dont on ne puisse parler après souper. Mais oublions ce pauvre Basil. Je ne demanderais pas mieux que de croire qu'il a connu une fin aussi véritablement romanesque que celle que vous suggérez ; mais cela m'est impossible. Je suppose qu'il est tombé d'un omnibus dans la Seine, et que le receveur a étouffé le scandale. Oui, j'ai tendance à penser que c'est ainsi qu'il a fini. Je le vois à présent allongé sur le dos sous ces eaux vert mat, tandis que les lourdes péniches passent au-dessus de lui et que de longues herbes s'accrochent à ses cheveux. Vous savez, selon moi, il n'aurait plus guère fait de bons tableaux. Sa peinture avait vraiment décliné au cours des dix dernières années. »

Dorian poussa un soupir, et Lord Henry traversa la pièce sans hâte, puis se mit à caresser la tête d'un curieux perroquet de Java, un gros oiseau au plumage gris, à crête et à queue roses, qui se balançait sur un perchoir de bambou. Quand ses doigts effilés le touchèrent, il laissa tomber le squame blanc de ses paupières fripées sur des yeux noirs semblables à du verre, et se mit à se balancer d'avant en arrière.

« Oui », continua-t-il en se retournant, et en tirant son mouchoir de sa poche ; « sa peinture avait vraiment décliné. Elle me paraissait avoir perdu quelque chose. Elle avait perdu un idéal. Quand lui et vous cessâtes d'être amis, il cessa d'être un grand artiste.

Qu'est-ce donc qui vous a séparés ? Je suppose
qu'il vous ennuyait. Si c'est le cas, il ne vous a
jamais pardonné. C'est une habitude des raseurs.
Au fait, qu'est devenu cet admirable portrait qu'il
avait fait de vous ? Je ne crois pas l'avoir vu depuis
qu'il l'a achevé. Ah ! je me rappelle que vous
m'avez dit, il y a des années, que vous l'aviez expédié à Selby et qu'il s'était perdu ou fait voler en
route. Vous ne l'avez jamais récupéré ? Quel dommage ! C'était vraiment un chef-d'œuvre. Je me
rappelle que je voulais l'acheter. Je regrette à présent de ne pas l'avoir fait. Il appartenait à la
meilleure période de Basil. Après cela, son œuvre a
été ce mélange curieux de mauvaise peinture et de
bonnes intentions qui donne toujours droit à son
auteur d'être appelé "un artiste britannique repré-
sentatif". Avez-vous fait passer des annonces ? Vous
auriez dû.

— J'ai oublié, dit Dorian. Je suppose que oui.
Mais je ne l'ai jamais vraiment aimé. Je regrette
d'avoir posé pour ce tableau. Son souvenir m'est
odieux. Pourquoi m'en parlez-vous ? Il me rappelait
autrefois ces étranges vers d'une pièce de théâtre
— *Hamlet*, je crois —, quels sont-ils ?

> Une image de la douleur,
> Un masque sans cœur[1].

Oui : voilà à quoi il ressemblait. »
Lord Henry se mit à rire. « Si un homme traite la
vie en artiste, son cerveau devient son cœur »,
répondit-il, en se laissant tomber dans un fauteuil.
Dorian Gray secoua la tête et produisit au piano

quelques accords assourdis. « Une image de la douleur, répéta-t-il, un masque sans cœur. »

Son aîné, renversé en arrière, le regardait derrière ses paupières mi-closes. « À propos, Dorian,
dit-il après un silence, "que servirait à un homme
de gagner tout le monde et de " — quelle est la citation exacte ? — " se perdre soi-même ?[1] " »

La musique rendit un son discordant et Dorian
Gray sursauta, puis dévisagea son ami. « Pourquoi
me posez-vous cette question, Harry ?

— Mon cher ami, dit Lord Henry surpris en haussant les sourcils, je vous l'ai posée parce que je croyais
que vous pourriez me donner la réponse. C'est tout. Je
traversais le Parc dimanche dernier, et tout près de
Marble Arch une petite foule de gens à l'air miteux
était massée autour d'un vulgaire prédicateur de rues.
En passant à côté d'eux, j'entendis ce dernier hurler
cette question à l'adresse de son auditoire. Elle me
parut assez théâtrale. Londres est très riche en curieux
effets de ce genre. Un dimanche pluvieux, un chrétien
patibulaire en imperméable, un cercle de visages pâles
et maladifs sous un toit irrégulier de parapluies ruisselants, et une formule merveilleuse lancée d'une
voix suraiguë par des lèvres hystériques — en un
sens, c'était excellent, tout à fait suggestif. J'ai failli
dire au prophète que l'art avait une âme, mais que
l'homme n'en avait point. Je crains fort, cependant,
que, si je l'avais fait, il ne m'eût pas compris.

— Arrêtez, Harry. L'âme est terriblement réelle.
On peut l'acheter, la vendre, la troquer. On peut
l'empoisonner ou la rendre parfaite. Il y a une âme
en chacun de nous. Je le sais.

— En êtes-vous tout à fait sûr, Dorian ?

— Tout à fait.

— Ah bon ! En ce cas c'est nécessairement une illusion. Les choses dont on est absolument certain ne sont jamais vraies. Telle est la fatalité de la Foi, et la leçon du romanesque. Comme vous avez l'air grave ! Ne soyez pas si sérieux. Qu'avons-nous à voir, vous et moi, avec les superstitions de notre époque ? Non : nous avons rejeté toute croyance en l'âme. Jouez-moi quelque chose. Jouez-moi un nocturne, Dorian, et, en le jouant, dites-moi à voix basse comment vous avez conservé votre jeunesse. Vous devez avoir un secret. Je n'ai que dix ans de plus que vous, et je suis ridé, usé, jauni. Vous êtes vraiment admirable, Dorian. Vous n'avez jamais paru plus ensorcelant que ce soir. Vous me rappelez le premier jour où j'ai fait votre connaissance. Vous étiez plutôt impertinent, très timide, et absolument extraordinaire. Vous avez changé, bien sûr, mais pas d'apparence. J'aimerais que vous me révéliez votre secret. Pour recouvrer ma jeunesse je serais prêt à tout, sauf à faire de la culture physique, me lever de bonne heure ou devenir respectable. La jeunesse ! Il n'y a rien de tel. Rien n'est plus ridicule que de parler de l'ignorance de la jeunesse. Les seules personnes dont j'écoute aujourd'hui l'opinion avec un quelconque respect sont des personnes bien plus jeunes que moi. Elles me paraissent en avance sur moi. La vie leur a révélé ses plus récentes merveilles. Pour ce qui est des gens âgés, je contredis toujours les gens âgés. Je le fais par principe. Si vous leur demandez leur opinion sur un événement contemporain, ils vous donnent avec solennité une opinion courante en 1820, quand on portait des cols-cra-

vates, que l'on croyait à tout et que l'on ne savait
rigoureusement rien. Qu'il est beau ce morceau que
vous êtes en train de jouer ! Je me demande si
Chopin l'a composé à Majorque[1], tandis que la mer
pleurait autour de la villa et que les embruns salés
battaient les vitres ? Il est merveilleusement romantique. Quel bonheur que d'avoir conservé un art qui
ne soit pas imitatif ! Ne vous arrêtez pas. J'ai besoin
de musique ce soir. J'ai l'impression que vous êtes le
jeune Apollon, et que je suis Marsyas[2] en train de
vous écouter. J'ai mes souffrances à moi, Dorian,
dont même vous, vous ignorez tout. La tragédie de la
vieillesse, ce n'est pas d'être vieux, mais c'est d'être
jeune. Je suis parfois stupéfait par ma sincérité. Ah !
Dorian, l'heureux homme que vous êtes ! Quelle vie
délicieuse vous avez eue ! Vous avez bu à longs traits
de tous les breuvages. Vous avez écrasé les raisins
contre votre palais. Rien ne vous est resté caché. Et
tout cela n'a été pour vous que le son de la musique.
Vous n'en avez pas été gâté. Vous êtes toujours le
même.

— Je ne suis pas le même, Harry.

— Si, vous êtes le même. Je me demande à quoi va
ressembler le reste de votre vie. Ne le gâchez pas par
des renoncements. Pour l'instant, vous êtes la perfection même. Ne devenez pas volontairement incomplet. Vous êtes aujourd'hui absolument sans tache.
Inutile de secouer la tête : vous savez bien que c'est
vrai. Au reste, Dorian, ne vous illusionnez pas vous-
même. La vie n'est gouvernée ni par la volonté ni par
les intentions. La vie est une affaire de nerfs, de
fibres, et de cellules lentement élaborées où la
pensée se cache et où les passions poursuivent leurs

rêves. Vous pouvez vous croire à l'abri, et penser que vous êtes fort. Mais une nuance de couleur, par hasard, dans une pièce ou dans le ciel du matin, un parfum particulier que vous avez jadis aimé et qui fait renaître des souvenirs subtils, un vers d'un poème oublié que vous retrouvez, une cadence dans un morceau de musique que vous aviez cessé de jouer — je vous le dis, Dorian, c'est de détails de ce genre que dépend notre vie. Browning parle de cela quelque part[1] ; mais nos propres sensations imaginent tout cela pour nous. Il y a des instants où l'odeur du *lilas blanc* me traverse soudain, et où je suis contraint de revivre le mois le plus étrange de toute ma vie. Je voudrais bien changer de place avec vous, Dorian. Le monde s'est déchaîné contre nous deux, mais il vous a toujours adoré. Il vous adorera toujours. Vous êtes le type même de ce que cherche notre époque et qu'elle craint d'avoir trouvé. Je suis si heureux que vous n'ayez jamais rien créé, jamais sculpté une statue, ni peint un tableau ni produit quoi que ce soit hormis vous-même ! La vie a été votre art. Vous vous êtes mis vous-même en musique. Vos jours sont vos sonnets. »

Dorian se releva et quitta le piano, se passant la main dans les cheveux. « Oui, la vie a été exquise, murmura-t-il, mais je n'ai pas l'intention de continuer cette vie-là, Harry. Et je vous interdis de me dire ces choses extravagantes. Vous ne savez pas tout de moi. Je crois que si vous saviez tout, même vous, vous vous détourneriez de moi. Vous riez. Ne riez pas.

— Pourquoi avoir arrêté de jouer, Dorian ? Reprenez, et rejouez-moi ce nocturne. Regardez cette énorme lune couleur de miel suspendue dans l'air sombre. Elle attend que vous la charmiez, et si vous jouez elle se rapprochera de la terre. Vous ne voulez pas ? En ce cas, allons au club. La soirée a été charmante, et il nous faut la terminer de façon charmante. Il y a au White[1] quelqu'un qui souhaite ardemment faire votre connaissance, le jeune Lord Poole, le fils aîné de Bournemouth. Il a déjà copié vos cravates, et m'a supplié de le présenter à vous. Il est absolument délicieux, et me fait fortement penser à vous.

— J'espère que non, dit Dorian, les yeux emplis de tristesse. Mais je suis fatigué ce soir, Harry. Je n'irai pas au club. Il est presque onze heures, et je veux aller me coucher de bonne heure.

— Restez, je vous en prie. Jamais vous n'avez joué aussi bien que ce soir. Il y avait dans votre jeu quelque chose d'extraordinaire. Il avait plus d'expression qu'il n'en a jamais eu auparavant.

— C'est parce que j'ai décidé d'être bon, répondit-il en souriant. J'ai déjà un peu changé.

— Pour moi, vous ne pouvez pas changer, Dorian, dit Lord Henry. Vous et moi serons toujours amis.

— Pourtant vous m'avez jadis offert un livre empoisonné. Je ne devrais pas vous le pardonner. Harry, promettez-moi de ne plus jamais prêter ce livre à personne. Il fait du mal.

— Mon cher enfant, vous commencez vraiment à faire de la morale. Vous allez bientôt vous retrouver parmi les convertis et les repentis et mettre les gens en garde contre tous les péchés dont vous vous êtes lassé. Vous êtes bien trop adorable pour agir ainsi. D'ailleurs, cela ne sert à rien. Vous et moi sommes ce que nous sommes, et serons ce que nous serons.

Quant à être empoisonné par un livre, c'est tout à fait impossible. L'Art n'a aucune influence sur l'action. Il annihile tout désir d'agir. Il est superbement stérile. Les livres que le monde appelle immoraux sont des livres qui montrent au monde sa propre ignominie. C'est tout. Mais nous n'allons pas parler littérature. Venez me voir demain. Je dois monter à onze heures. Nous pourrions monter ensemble, et je vous emmènerai ensuite déjeuner avec Lady Branksome. C'est une femme charmante, et elle souhaite vous consulter sur des tapisseries qu'elle envisage d'acheter. N'oubliez pas de venir. Ou bien déjeunerons-nous avec notre petite duchesse ? Elle dit qu'elle ne vous voit plus jamais à présent. Peut-être êtes-vous las de Gladys ? Je me doutais que vous le seriez. Avec sa langue trop intelligente, elle finit par exaspérer. Bon, en tout cas, soyez là à onze heures.

— Faut-il vraiment que je vienne, Harry ?

— Assurément. Le Parc est merveilleux ces temps-ci. Je ne crois pas y avoir vu de pareils lilas depuis l'année où je vous ai rencontré.

— Très bien. J'y serai à onze heures, dit Dorian. Bonne nuit, Harry. » Quand il atteignit la porte, il hésita un instant, comme s'il avait encore quelque chose à dire. Puis il poussa un soupir et sortit.

## 20

La nuit était délicieuse, si tiède qu'il jeta son manteau sur son bras et ne noua même pas son écharpe de soie autour de son cou. Comme il regagnait sans hâte sa demeure en fumant une cigarette, deux jeunes gens en tenue de soirée le dépassèrent. Il entendit l'un d'eux chuchoter à son compagnon : « C'est Dorian Gray. » Il se rappela combien, jadis, il aimait qu'on le montre du doigt, qu'on le dévisage ou qu'on parle de lui. Il était las désormais d'entendre prononcer son nom. Le charme du petit village où il s'était récemment rendu si souvent venait pour une bonne part de ce que personne ne savait qui il était. Il avait souvent dit à la jeune fille qu'il avait séduite qu'il était pauvre, et elle l'avait cru. Il lui avait un jour dit qu'il était méchant, et elle lui avait ri au nez, répliquant que les gens méchants étaient toujours très vieux et très laids. Ah, le rire qu'elle avait ! il était comme le chant d'une grive. Et qu'elle était jolie avec ses robes de coton et ses grands chapeaux ! Elle ne savait rien, mais elle possédait tout ce qu'il avait perdu.

Quand il arriva chez lui, il trouva son domestique

qui l'attendait. Il l'envoya se coucher, et lui-même se
jeta sur le sofa de la bibliothèque, et se mit à réfléchir
à certains des propos que Lord Henry lui avait tenus.

Était-il réellement vrai que l'on ne pouvait jamais
changer ? Il éprouvait un désir fou de retrouver la
pureté immaculée de son enfance — son enfance
rose et blanche, comme Lord Henry l'avait un
jour appelée. Il savait qu'il s'était flétri, qu'il avait
gorgé son esprit de corruption, et nourri d'horreur
son imagination ; qu'il avait exercé sur autrui une
influence néfaste, et qu'il avait éprouvé, ce faisant,
une joie terrible ; et que, de toutes les vies qui
avaient croisé la sienne, c'était aux plus belles, à
celles qui contenaient les plus grandes promesses,
qu'il avait apporté le déshonneur. Mais tout cela
était-il irrémédiable ? N'y avait-il plus aucun espoir
pour lui ?

Ah ! quel instant monstrueux d'orgueilleuse passion que celui où il avait prié que le portrait portât
le fardeau de ses jours tandis que lui conserverait
éternellement intact l'éclat de la jeunesse ! Toute sa
faillite en découlait. Mieux eût valu pour lui que
chaque péché de sa vie eût entraîné sur-le-champ
sa punition nécessaire. La punition est une forme
de purification. Au lieu de « Pardonne-nous nos
péchés », c'est « Punis-nous de nos iniquités » qui
devrait être la prière des hommes à Dieu le juste.

Le curieux miroir sculpté que Lord Henry lui avait
donné, tant d'années auparavant, était posé sur la
table, et les cupidons aux membres blancs l'entouraient comme autrefois de leurs visages rieurs. Il le
saisit, comme il l'avait fait au cours de cette nuit
d'horreur où il avait pour la première fois remarqué

l'altération subie par le portrait fatal, et ses yeux égarés, obscurcis de larmes, regardèrent sa surface polie. Un jour, une personne qui avait pour lui une passion terrifiante lui avait envoyé une lettre insensée que terminait cette phrase idolâtre : « Le monde est changé, car tu es fait d'ivoire et d'or. Les courbes de tes lèvres récrivent l'histoire. » Les mots lui revenaient en mémoire, et il se les répéta de nombreuses fois. Puis sa beauté lui répugna, et, jetant le miroir par terre, il le piétina, et son talon le réduisit à des éclats d'argent. C'était sa beauté qui l'avait perdu, sa beauté et la jeunesse qu'il avait appelée de ses prières. Sans l'une et l'autre, sa vie eût peut-être été exempte de toute souillure. Sa beauté n'avait été pour lui qu'un masque, sa jeunesse qu'une imposture. Qu'était-ce donc, au mieux, que la jeunesse ? Une saison verte, immature, une saison d'humeurs superficielles et de pensées morbides. Pourquoi donc en avoir revêtu la livrée ? La jeunesse l'avait gâté.

Mieux valait ne pas songer au passé. Plus rien ne pouvait le modifier. C'était à lui-même, à son avenir, qu'il lui fallait songer. James Vane était enfoui dans une tombe anonyme dans le cimetière de Selby. Alan Campbell s'était tiré un coup de pistolet dans la tête, une nuit dans son laboratoire, sans avoir révélé le secret qu'il avait été contraint d'apprendre. L'émotion, ou ce qui en tenait lieu, provoquée par la disparition de Basil Hallward se dissiperait sous peu. Elle était déjà en train de décroître. De ce côté-là il n'avait absolument rien à redouter. Du reste, ce n'était pas la mort de Basil Hallward qui lui pesait le plus. Ce qui le perturbait, c'était la mort vivante de son âme. Basil avait peint le portrait qui avait abîmé sa vie. Il était incapable de le lui pardonner. C'était le portrait qui était la cause de tout. Basil lui avait dit des choses intolérables, qu'il avait pourtant supportées patiemment. Le meurtre n'avait été qu'un instant de folie. Quant à Alan Campbell, son suicide avait été une décision personnelle. Il avait choisi d'agir ainsi. Cela ne le concernait pas.

Une nouvelle vie ! Voilà ce dont il avait besoin. Voilà ce qu'il attendait. Nul doute qu'elle n'eût déjà commencé. Du moins avait-il épargné un être innocent. Jamais plus il ne soumettrait l'innocence à la tentation. Il serait bon.

En pensant à Hetty Merton, il commença à se demander si le portrait, dans la chambre fermée à clef, avait changé. Il n'était sûrement plus aussi horrible qu'auparavant. Peut-être, si sa vie devenait pure, parviendrait-il à éliminer du visage tous les signes de passion malfaisante. Peut-être les signes du mal s'étaient-ils déjà effacés. Il allait regarder.

Il prit la lampe et monta l'escalier à pas de loup. Tandis qu'il déverrouillait la porte, un sourire joyeux éclaira fugitivement son visage étrangement jeune d'aspect et s'attarda quelques instants sur ses lèvres. Oui, il serait bon, et l'horrible chose qu'il avait cachée ne lui inspirerait plus nulle terreur. Il eut l'impression d'être déjà soulagé de ce fardeau.

Il entra sans faire de bruit, fermant la porte à clef derrière lui comme à l'accoutumée, et retira la tenture pourpre accrochée au portrait. Un cri de douleur et d'indignation jaillit de ses lèvres. Il ne voyait aucun changement, si ce n'est dans les yeux un regard rusé, et autour de la bouche les rides sinueuses de l'hypocrisie. La chose était toujours répugnante — et même, s'il était possible, plus répugnante qu'auparavant — et la rosée écarlate qui tachait la main paraissait plus brillante, et ressemblait davantage à du sang fraîchement versé. Un frisson le saisit alors. Son unique bonne action n'était-elle due qu'à la seule vanité ? Ou bien au désir d'éprouver une sensation nouvelle, comme l'avait suggéré Lord Henry en éclatant de son rire railleur ? Ou encore à ce désir passionné de jouer un rôle qui nous fait parfois réaliser des choses plus belles que nous ne le sommes nous-mêmes ? Ou peut-être à tout cela à la fois ? Et pourquoi la tache rouge était-elle plus grande qu'autrefois ? Telle une terrible maladie, elle semblait avoir complètement recouvert les doigts ridés. Il y avait du sang sur les pieds du portrait, comme si la chose avait laissé goutter du sang, du sang même sur la main qui n'avait pas tenu le couteau. Un aveu ? Cela voulait-il dire qu'un aveu lui était demandé ? Fallait-il se livrer et être mis à mort ? Il se mit à rire. Il sentait que l'idée était monstrueuse. D'ailleurs, même s'il avouait, qui le croirait ? Il ne restait plus nulle part la moindre trace de l'homme assassiné. Tout ce qui lui appartenait avait été détruit. Lui-même avait brûlé les objets restés au rez-de-chaussée. Le monde se contenterait de dire qu'il était fou. S'il s'obstinait dans son récit, on le ferait taire de force... Il était pourtant de son devoir d'avouer, d'endurer publiquement la honte et d'expier publiquement. Il est un Dieu qui exige des hommes qu'ils confessent leurs péchés à la terre comme au ciel. Rien de ce qu'il pourrait faire ne le purifierait tant qu'il n'aurait pas révélé son péché.

Son péché ? Il haussa les épaules. La mort de Basil Hallward lui paraissait dérisoire. Il pensait à Hetty Merton. Car c'était un miroir injuste, que ce miroir de son âme dans lequel il était en train de se contempler. Vanité ? Curiosité ? Hypocrisie ? N'y avait-il rien eu d'autre que cela dans son renoncement ? Il y avait eu quelque chose de plus. Du moins il le croyait. Mais comment savoir ?... Non. Il n'y avait rien eu de plus. C'était par vanité qu'il l'avait épargnée. Agissant en hypocrite, il avait revêtu le masque de la vertu. Par curiosité il avait essayé l'abnégation. Il le reconnaissait à présent.

Mais ce meurtre allait-il le poursuivre toute la vie ? Allait-il devoir porter toujours le poids de son passé ? Devait-il véritablement avouer ? Jamais. Il ne restait plus contre lui qu'une seule preuve. Le portrait lui-même : voilà la preuve. Il le détruirait. Pourquoi l'avoir conservé si longtemps ? Jadis il avait éprouvé du plaisir à le voir se modifier, à le voir vieillir. Depuis quelque temps il n'éprouvait plus ce plaisir. Le portrait l'empêchait de dormir. Quand il était loin de Londres, la terreur s'emparait de lui à l'idée que d'autres yeux que les siens pussent le voir. Il avait teinté ses passions de mélancolie. Son souvenir avait suffi à gâter bien des moments de joie. Il avait été pour lui comme sa conscience. Oui, il avait été sa conscience. Il le détruirait.

Il promena son regard dans la pièce, et vit le couteau qui avait transpercé Basil Hallward. Il l'avait nettoyé à maintes reprises, jusqu'à ce qu'il ne portât plus la moindre tache. Il était luisant, il brillait. Tout comme il avait tué le peintre, il tuerait l'œuvre du peintre et tout ce qu'elle signifiait. Il tuerait le passé et une fois ce passé mort, lui-même serait libre. Il tuerait cette monstrueuse âme vivante et ainsi, délivré de ses horribles reproches, il serait en paix. Il saisit le couteau et le planta dans la toile.

Un cri se fit entendre, puis le bruit d'une chute. Le cri exprimait une souffrance si épouvantable que les domestiques se réveillèrent, pleins d'effroi, et sortirent sans bruit de leur chambre. Deux messieurs, dehors, qui passaient sur la place, s'immobilisèrent, et levèrent les yeux vers la grande maison. Ils poursuivirent leur chemin jusqu'à ce qu'ils rencontrassent un agent de police, et le ramenèrent avec eux. Ce dernier appuya plusieurs fois sur la sonnette, mais il n'y eut pas de réponse. À l'exception d'une lumière à l'une des fenêtres du dernier étage, la maison était dans l'obscurité la plus complète. Au bout d'un certain temps, il s'éloigna, s'arrêta sous un porche voisin, et attendit.

« Qui habite cette maison, brigadier ? demanda le plus âgé des deux hommes.

— M. Dorian Gray, monsieur », répondit l'agent de police.

Ils échangèrent un regard, et s'éloignèrent en ricanant. L'un d'eux était l'oncle de Sir Henry Ashton.

À l'intérieur, dans la partie de la maison où logeaient les domestiques, ces derniers, à demi vêtus, se parlaient à voix basse. La vieille Mme Leaf était en larmes, et se tordait les mains. Francis était pâle comme la mort.

Au bout d'un quart d'heure environ, il prit avec lui le cocher et l'un des valets de pied, et ils montèrent à pas de loup. Ils frappèrent à la porte, mais n'obtinrent pas de réponse. Ils appelèrent. Tout restait silencieux. Finalement, après avoir essayé en vain de forcer la serrure, ils montèrent sur le toit, et se laissèrent choir sur le balcon. La fenêtre céda aisément ; les loqueteaux étaient vieux.

Lorsqu'ils entrèrent, ils découvrirent, accroché au mur, un superbe portrait de leur maître tel qu'ils l'avaient vu pour la dernière fois, dans toute la splendeur de sa jeunesse et de sa beauté exquises. Étendu sur le plancher, gisait un homme mort, en habit de soirée, un couteau planté dans le cœur. Il était ridé, sa peau était desséchée et son visage repoussant. Ce n'est que lorsqu'ils eurent examiné ses bagues qu'ils le reconnurent.

DOSSIER

# CHRONOLOGIE

1854 : Naissance le 16 octobre à Dublin d'Oscar Fingal O'Fla-
hertie Wills Wilde, fils de William Ralph Wills Wilde, médecin,
anthropologue et historien de l'Irlande, et de Jane Francesca
Agnes Elgee. Les Wilde sont irlandais et catholiques. Oscar a un
frère aîné, William, et une sœur cadette, Isola, qui mourra en
1867.

1864-1871 : Oscar fait ses études secondaires dans la « *public-
school* » de Portora, à Enniskillen. Seule sa dernière année
révèle un élève brillant.

1871-1874 : Oscar entre à Trinity College, l'université « anglaise »
de Dublin, avec une bourse. Il y étudie les classiques, lit beaucoup, découvre Swinburne. Il remporte de nombreux prix ou
concours, notamment en grec en 1874. Il obtient en 1874 une
bourse pour Oxford, et s'inscrit à Magdalen College le
17 octobre 1874.

1874-1878 : À Oxford, Oscar prépare un diplôme d'études classiques, assiste aux cours de John Ruskin et de Walter Pater, qui
enseignent l'histoire de l'art, de Max Müller, professeur de phi-
lologie comparée. Durant l'été 1875, il visite l'Italie du Nord.
Le père d'Oscar tombe malade et meurt au printemps 1876.
Il réussit brillamment en grec, échoue en théologie, et prépare
son diplôme final (« *Greats* ») en humanités, tout en composant
des sonnets. Au printemps 1877 il va en Grèce via Corfou. Il
s'arrête à Rome sur le chemin du retour, va se recueillir sur la
tombe de Keats ; refusant d'abréger son séjour pour rentrer à
Oxford au début du semestre, il est renvoyé dans ses foyers par
les autorités du collège.

En 1878, il remporte un concours de poésie de l'université d'Oxford, puis réussit brillamment son examen final, et devient « *Bachelor of Arts* » en novembre 1878.

### 1879-1884 : les débuts londoniens
### et la première tournée américaine

En 1879, il s'installe à Londres. Il fréquente la société élégante et « intellectuelle », notamment le milieu théâtral ; il compose sa première tragédie, *Véra, ou les Nihilistes*, et fait la connaissance de Sarah Bernhardt. En 1880, il s'installe à Chelsea (dans Tite Street). Il devient un familier des expositions et se décrit comme « professeur d'esthétique et critique d'art ». Ses tenues vestimentaires lui gagnent une réputation d'« esthète » et en 1881 Gilbert et Sullivan lui font une sorte de triomphe dans leur opérette *Patience*, attaque en règle contre « le mouvement esthète ».

Il publie en 1881 un volume de poèmes. Invité à faire une tournée de conférences aux États-Unis, il y passera toute l'année 1882, présentant notamment sa conception de l'état de l'art en Grande-Bretagne et des arts décoratifs.

À peine rentré à Londres, Oscar part pour Paris, où il séjournera trois mois. Il y fait la connaissance de Hugo, Goncourt, Daudet, Bourget, Zola, Verlaine, mais aussi de Degas, Pissarro et Jacques-Émile Blanche. Sa pièce *Véra, ou les Nihilistes* est créée à New York : c'est un échec.

Fin 1883, Oscar retrouve à Dublin une amie d'autrefois, Constance Lloyd, qu'il épousera le 29 mai 1884. Le couple s'installe dans Tite Street.

### 1884-1890 : vers la gloire

À partir de 1885, Oscar — qui voit naître son premier fils, Cyril — devient critique pour un grand quotidien, *The Pall Mall Gazette*, et en 1887 rédacteur en chef d'un magazine pour dames, *The Lady's World*, dont il change le titre en *The Woman's World*. Il y reste jusqu'à la mi-89.

En 1886, Oscar fait la connaissance de Robert Ross, étudiant de 17 ans, vraisemblablement son premier amant.

Cette même année 1886 voit la naissance du second fils des Wilde, Vyvyan.

En 1888, paraît un premier recueil de contes, *Le Prince heureux et autres contes*.

L'année 1890 marque pour Wilde le début de la gloire avec la parution dans un périodique de la première version du *Portrait de Dorian Gray*.

L'année 1891 est d'abord marquée par de virulents échanges de lettres entre Wilde et plusieurs journaux très critiques à l'égard de *Dorian Gray*. L'ouvrage paraît en volume en juillet, suivi par deux recueils de contes, *Le Crime de Lord Arthur Savile et autres contes*, puis *Une maison de grenades*, ainsi que par un recueil d'essais critiques, *Intentions*. Un deuxième voyage à Paris permet à Wilde de faire la connaissance de Mallarmé, Pierre Louÿs, Marcel Schwob, Jean Moréas et André Gide. Il y achève, en français, *Salomé*.

En juillet 1891, Wilde fait la connaissance d'un jeune étudiant d'Oxford, Alfred Bruce Douglas. C'est le début d'une liaison qui ne se terminera qu'à la mort de Wilde.

### *1892-1895 : la gloire et la chute*

En 1892, *L'Éventail de Lady Windermere* est créé triomphalement, mais *Salomé*, que Sarah Bernhardt devait jouer en français à Londres, est interdit de représentation. Wilde commence *Une femme sans importance*.

La pièce est créée à Londres en 1893. Wilde publie *Salomé* en français à Paris.

*Salomé* paraît en 1894 à Londres, dans une traduction anglaise d'Alfred Douglas, illustrée de dessins d'Aubrey Beardsley.

Au début de 1895, *Un mari idéal* est créé à Londres.

*The Importance of Being Earnest* est créé le 14 février 1895, occasion que choisit le père de Douglas, Lord Queensberry, pour faire un scandale public autour de la liaison de son fils — qui le hait — et de Wilde, l'accusant de « poser au sodomite ». Wilde porte plainte en diffamation criminelle contre Queensberry, dont il demande l'arrestation immédiate.

Le 5 avril, un jury décide que Queensberry n'est pas coupable de diffamation, donc que la « sodomie » de Wilde est confirmée par les témoignages recueillis. Le ministère public décide de poursuivre Wilde pour ce qui constitue alors un crime. Wilde est arrêté le jour même. Son procès s'ouvre le 29 avril. Le 2 mai, le jury se déclare incapable de se mettre d'accord sur un verdict.

Un troisième procès s'ouvre le 22 mai. Le 24, le jury déclare Wilde coupable d'« actes indécents », verdict que le juge traduit en le condamnant à la peine maximale : deux ans de travaux forcés.

### 1895-1897 : la prison

Wilde séjourne successivement dans les prisons de Pentonville, de Wandsworth et finalement de Reading, d'où il sortira libre le 18 mai 1897. Peu après son incarcération, ne pouvant rembourser les frais de justice causés par son procès contre Queensberry, il est condamné pour banqueroute. Sa femme Constance se sépare de lui (sans divorcer), et donne aux deux enfants le nom de « Holland ». La mère de Wilde meurt en 1896.

Vers la fin de son séjour à Reading, Wilde écrit, à l'intention d'Alfred Douglas, la longue lettre intitulée par son exécuteur testamentaire *De Profundis*.

### 1897-1900 : l'exil et la mort

Wilde quitte Reading et s'embarque pour la France, il s'installe en Normandie sous le pseudonyme de Sebastian Melmoth, à Berneval, où il commence la *Ballade de la geôle de Reading*, qui paraît à Londres en février 1898. En août, il décide de rejoindre Douglas à Naples. Constance meurt en avril 1898.

Dans les deux dernières années de sa vie, Wilde séjourne pour l'essentiel à Paris (hôtel d'Alsace, rue des Beaux-Arts), vivant épisodiquement en compagnie d'Alfred Douglas, et buvant force absinthe. À la fin de 1900, un abcès dentaire se transforme en méningite. Il meurt le 30 novembre, après avoir, à sa demande, reçu l'absolution d'un prêtre catholique. Il est enterré provisoirement au cimetière de Bagneux, et en 1909 ses restes sont transférés au Père-Lachaise.

# BIBLIOGRAPHIE SELECTIVE

## 1. ŒUVRES D'OSCAR WILDE

1880 : *Vera, or the Nihilists.*
1881 : *Poems.*
1883 : *The Duchess of Padua.*
1888 : *The Happy Prince and other tales.*
1891 : *The Picture of Dorian Gray.*
1891 : *Intentions.*
1891 : *Lord Arthur Savile's Crime.*
1891 : *A House of Pomegranates.*
1893 : *Salomé* (version française).
1893 : *Lady Windermere's Fan.*
1894 : *The Sphinx.*
1894 : *Salomé* (traduction anglaise).
1894 : *A Woman of No Importance.*
1895 : *The Soul of Man under Socialism.*
1898 : *The Ballad of Reading Gaol.*
1899 : *The Importance of Being Earnest.*
1899 : *An Ideal Husband.*
1905 : *De Profundis* (version expurgée).
1913 : *The Suppressed Portion of De Profundis* (publié aux États-Unis).

1949 : *De Profundis* (édition incomplète, présentée par Vyvyan Holland).
1962 : *De Profundis* (édition intégrale dans *The Letters of Oscar Wilde,* présentées par Ruppert Hart-Davis), Londres.
1979 : *Selected Letters of Oscar Wilde* (Ruppert Hart-Davis), Oxford Univ. Press.

1985 : *More Letters of Oscar Wilde* (Ruppert Hart-Davis). Oxford
          Univ. Press.
1908 : *The Works of Oscar Wilde* (14 vol., Robert Ross), Methuen,
          Londres.
1948 : *Complete Works of Oscar Wilde* (Vyvyan Holland, mise à jour
          par Merlin Holland, 1994), Collins, Londres.

*The Picture of Dorian Gray* (Isabel Murray), Oxford University Press,
      1ʳᵉ édition, 1974.
*The Picture of Dorian Gray* (Donald Lawler), Norton & Co, 1988.

2. PRINCIPALES TRADUCTIONS FRANÇAISES

*Œuvres complètes*, t. I : « Fiction et théâtre », éd. Alain Delahaye,
      Mercure de France, 1992.
*Œuvres*, éd. Jean Gattégno, Gallimard, Bibl. de la Pléiade, 1996.
*Ballade de la geôle de Reading*, trad. Henry-D. Davray, Mercure de
      France, Paris, 1898.
*Ballade de la geôle de Reading*, trad. Daniel Mauroc, Éditions Brocé-
      liande, Strasbourg, 1960.
*Ballade de la geôle de Reading*, éd. et trad. Jean Besson, Lausanne,
      L'Âge d'homme, 1989.

*Contes et nouvelles*, trad. Jules Castier, Stock, Paris, 1945.
*Le Crime de Lord Arthur Savile* et autres contes, trad. Léo Lack,
      Mercure de France, 1939.
*Une maison de grenades*, trad. Léo Lack, Mercure de France, 1948.
*Le Prince heureux et autres contes*, trad. Léo Lack, Mercure de France,
      1938.

*Intentions*, trad. J. Joseph-Renaud, Stock, 1905.
*Intentions*, trad. Philippe Neel, Stock, 1928.

*Le Portrait de Dorian Gray* (pas de nom de traducteur), Albert
      Savine, Paris, 1895.
*Le Portrait de Dorian Gray*, trad. Edmond Jaloux et Félix Frapereau,
      Stock, 1924.
*Le Portrait de Dorian Gray*, trad. Anne-Marie Hertz, Éditions de la
      Bibliothèque mondiale, Paris, 1961.
*Le Portrait de Dorian Gray*, trad. Richard Crevier, introduction et
      notes de Pascal Aquien, Garnier-Flammarion, 1995.

*L'Âme de l'homme*, trad. Paul Grosfils, A. Herbert, Bruges, 1906.
*L'Âme de l'homme sous le socialisme*, trad. Isabelle Drouin, Éditions Avatar, Paris, 1990.

*Théâtre* (les quatre grandes comédies), trad. Albert Savine, Stock, 1910-1911.
*Théâtre*, trad. Guillot de Saix, Denoël, 1954.
*Véra, ou les Nihilistes*, trad. Daniel Mauroc, Nouville, Paris, 1977.

*De Profundis* (version 1905), trad. Henry-D. Davray, Mercure de France, 1905.
*De Profundis* (version intégrale), trad. Léo Lack, Stock, 1975.
*De Profundis* (version intégrale), trad. Jean Gattégno, Folio essais, Gallimard, 1992.

*Lettres d'Oscar Wilde*, traduction de l'édition de Ruppert Hart-Davis, par Henriette de Boissard, 2 volumes, Gallimard, 1966.
*Lettres d'Oscar Wilde*, traduction par Henriette de Boissard de *Selected Letters*, Gallimard, 1994. Introduction par Diane de Margerie.

### 3. BIOGRAPHIES ET ÉTUDES CRITIQUES

*En anglais*

Douglas Alfred, *Oscar Wilde and Myself*, Londres, 1914.
Douglas Alfred, *Oscar Wilde : A Summing Up*, Londres, 1950.
Ellmann, Richard, *Oscar Wilde*, Londres, 1987.
Holland, Vyvyan, *Oscar Wilde and His World*, Londres, 1978.
Mason, Stuart (C. S. Millard), *Bibliography of Oscar Wilde*, Londres, 1914.
Montgomery Hyde, H., *Oscar Wilde*, Londres, 1976.
Montgomery Hyde, H., *The Trials of Oscar Wilde*, Londres, 1962.
Ransome, Arthur, *Oscar Wilde, A Critical Study*, Londres, 1912.

*En français*

Douglas, Alfred, *Oscar Wilde et quelques autres*, traduit par Arnold Van Gennep, Gallimard, 1930.
Ellmann, Richard, *Oscar Wilde*, traduit par Marie Tadié et Philippe Delamare, Gallimard, 1994.
Gide, André, *Oscar Wilde*, Mercure de France, 1910.

Jullian, Philippe, *Oscar Wilde*, Librairie Académique Perrin, 1967.

Merle, Robert, *Oscar Wilde*, Hachette, 1948.

Merle, Robert, *Oscar Wilde ou la destinée de l'homosexuel*, Gallimard, 1955.

Montgomery Hyde, H., *Les Procès d'Oscar Wilde*, traduit par Pierre Kyria, Mercure de France, 1966.

Ransome, Arthur, *Oscar Wilde*, traduit par G. de Lautrec et Henry-D. Davray, Mercure de France, 1914.

# NOTES

1. La Grosvenor Gallery, ouverte en 1877, se spécialisa très vite dans la présentation de peintres préraphaélites et, pour cette raison, eut droit aux éloges publics de Wilde, qui était alors en fin d'études à Oxford.

2. Il s'agit de la Royal Academy of Painting, Sculpture and Architecture, généralement appelée « *The Academy* » (L'Académie), qui avait été inaugurée en 1769 sur Haymarket, près de Piccadilly Circus.

1. L'italique correspond d'une part aux mots qui, dans l'original, sont en langue étrangère (essentiellement — comme ici — en français), d'autre part, selon l'usage, aux titres d'ouvrages.

1. Sir William Agnew (1825-1910) était un des plus célèbres marchands de tableaux de l'époque.

1. L'« East End » représente la partie de Londres située à l'est de la City. Elle s'est identifiée, au XIXᵉ siècle, avec la zone commerciale et industrielle de la ville, habitée par une population généra-

lement pauvre, et c'est là que trouvait de préférence à s'exercer l'action charitable. C'était aussi, et pour les mêmes raisons — la présence des docks du port de Londres aidant —, la zone la plus malfamée et la plus dangereuse de la capitale.

*Page 75.*

1. Eton, la plus importante et la plus prestigieuse des « *public-schools* » anglaises, se trouve sur les bords de la Tamise, en face de Windsor. Elle fut fondée par Henry VIII.

*Page 90.*

1. On appelait « urnes », à l'époque de George III (fin du XVIIIᵉ siècle), les grandes théières semblables à des samovars dans lesquelles la bonne société préparait le thé.

2. White : il s'agit d'un des clubs (appelés en anglais « *Gentlemen's clubs* ») londoniens, situé dans le quartier de St James. Wilde en était membre et le fréquentait beaucoup.

*Page 95.*

1. « *The Albany* » était un de ces immeubles composés d'appartements que louaient les célibataires fortunés pour ne pas s'embarrasser des charges d'une maison individuelle.

2. Marie-Louise, dite Isabelle II (1830-1904), devint reine d'Espagne en 1833. Menant une politique violemment anti-libérale, elle dut finalement abdiquer en 1868 en faveur de son fils Alphonse XII et se réfugia en France.

3. Juan Prim y Parts (1814-1870), général et homme politique espagnol qui contribua beaucoup à l'abdication d'Isabelle II. Il devint en 1868 Président du Conseil, et mourut deux ans plus tard dans un attentat.

*Page 96.*

1. On appelle « tory », depuis le XVIIIᵉ siècle, tout membre du parti conservateur, par opposition aux « whigs », c'est-à-dire aux membres du parti libéral.

*Page 98.*

1. Située en Belgique, dans la province de Liège, Spa fut long-temps un lieu de villégiature très recherché par la bonne société européenne.

*Page 103.*

1. Michelangelo Buonarroti, dit Michel-Ange, dont les poèmes (*Rime*) ont été publiés après sa mort, en 1623, est resté célèbre à tout le moins pour ses Sonnets, que Hugo Wolf et Benjamin Britten illustrèrent musicalement. On sait que la plupart de ses sonnets s'adressent à Tommaso Cavalieri, jeune patricien romain qu'il rencontra en 1532, à l'âge de cinquante-sept ans.

*Page 105.*

1. Les termes utilisés par Wilde, « *dry goods* », désignent dans l'usage américain des produits vendus en mercerie, et non des fruits secs. On a transposé pour pouvoir rendre le jeu de mots sensible dans l'usage anglais de l'expression.

*Page 108.*

1. Whitechapel est situé au cœur même de l'East End.

*Page 110.*

1. Il s'agit du poète persan Omar Khayyam (1047 ?-1122 ?), dont Edward Fitzgerald avait traduit les *Rubayiat* (1859), recueil de poèmes devenu extrêmement populaire en Angleterre.

*Page 111.*

1. Willis's Rooms était un des restaurants les plus élégants du quartier de St James.

*Page 113.*

1. The Atheneum était l'un des clubs les plus anciens et les plus célèbres du quartier de St James.

*Page 115.*

1. Clodion (Claude Michel, dit), sculpteur français élève de Pigalle, 1738-1814.

2. Les *Cent Nouvelles nouvelles* est un recueil de contes libertins, composé dans l'entourage de Philippe le Bon, duc de Bourgogne, qui fut publié en 1462.

3. Marguerite de Valois, dite la reine Margot (1553-1615).

4. Clovis Eve succéda en 1584 à son père Nicolas dans sa fonction de relieur officiel de la Cour de France ; il est connu pour ses reliures en maroquin rouge semé de fleurs de lys.

*Page 123.*

1. Ce titre de pièce de théâtre a été inventé par Wilde.

*Page 124.*

1. Rosalinde est l'une des héroïnes de *Comme il vous plaira*, tandis qu'Imogène est l'héroïne de *Cymbeline*.

2. C'est évidemment de Juliette qu'il s'agit.

*Page 125.*

1. Nous revenons à *Comme il vous plaira*, comédie dans laquelle Rosalinde se déguise en homme lorsque, le duc Frédéric l'ayant bannie de sa cour, elle se réfugie dans la forêt d'Ardenne.

2. C'est d'Ophélie qu'il s'agit (*Hamlet*, acte IV, scène 5).

3. Desdémone, dans *Othello*.

*Page 130.*

1. On appelle West End le quartier de Londres qui entoure Piccadilly Circus et où se trouvent en effet regroupés la plupart des théâtres londoniens.

*Page 131.*

1. Le « thé » est aujourd'hui, en général, un repas très léger qui se prend vers dix-sept heures. Mais dans certaines régions de Grande-Bretagne, et plus généralement dans les milieux populaires, on nommait parfois ainsi le repas du soir, qui était un repas avec des mets cuits.

*Page 135.*

1. La référence renvoie à un essai de Walter Pater, « Giordano Bruno », publié en août 1889 dans *The Fortnightly Review.*

*Page 137.*

1. Le bismuth était alors utilisé pour la fabrication de certains cosmétiques.

*Page 150.*

1. La statue d'Achille se dresse dans la partie sud-est de Hyde Park.

*Page 167.*

1. Caliban et Miranda sont deux des principaux personnages de *La Tempête.*

*Page 169.*

1. Il s'agit en fait des scènes 4 et 5 du premier acte.

*Page 170.*

1. Acte I, sc. 5, v. 94-97. Comme pour tous les passages qui suivent, la traduction est celle de Pierre Jean Jouve et Georges Pitoëff (*Le Club Français du Livre*, Paris, 1955).

*Page 171.*

1. Acte II, sc. 2, v. 85-87.
2. *Ibid.*, v. 116-122.

*Page 174.*

1. Portia est une des héroïnes du *Marchand de Venise*, Béatrice de *Beaucoup de bruit pour rien* et Cordélia est la plus jeune des filles du Roi Lear.

*Page 178.*

1. Tout près de Covent Garden : c'est-à-dire au marché central de Londres.

*Page 186.*

1. Jermyn Street est une petite rue parallèle à Piccadilly, alors connue pour héberger des usuriers.

*Page 192.*

1. La procédure juridique anglaise impose, après une mort violente, de faire comparaître des témoins devant un jury spécial appelé à rendre un verdict sur les causes présumées de la mort. L'enquête proprement dite ne peut commencer qu'une fois ce verdict rendu.

*Page 193.*

1. Adelina Juana Maria Patti (1843-1919), soprano italienne de renommée mondiale dont la carrière se déroula dans les années 1860 à 1890.

*Page 200.*

1. John Webster (1580-1624), John Ford (1586-1640) et Cyril Tourneur (1575-1626) sont les trois principaux dramaturges de l'Angleterre sous le règne de Jacques I$^{er}$, successeur d'Élisabeth I$^{re}$, et de son fils Charles I$^{er}$.
2. Il s'agit de Desdémone, héroïne d'*Othello*.

*Page 211.*

1. L'expression « la consolation des arts », qui vient en effet de Théophile Gautier, est reprise par Wilde à Walter Pater, qui l'emploie dans un essai intitulé *The English Renaissance*.

*Page 215.*

1. La galerie parisienne fondée en 1882 par Georges Petit rue de Sèze était considérée comme une des plus prestigieuses pour la peinture de l'époque.

*Page 217.*

1. Référence à Antinoüs, aimé de l'empereur Hadrien, qui se noya dans le Nil, en 130 de notre ère.

*Page 218.*

1. La référence est cette fois-ci à Narcisse.

*Page 225.*

1. L'amitié de Montaigne pour La Boétie est bien connue, de même que son refus de ce qu'il appelle la « licence grecque » (*Essais*, I, 28).

2. Voir préface, p. 18, note 1.

3. On sait que les *Sonnets* de Shakespeare s'adressent à un destinataire dont nous ne connaissons que les initiales : W. H. Au moment où il rédigeait *Le Portrait de Dorian Gray*, Wilde publia sur ce personnage un essai en forme de récit intitulé : *Le Portrait de W. H.* (1889). — Tout ce passage annonce, avec quatre ans d'avance, le premier procès de Wilde, au cours duquel il défendit Lord Alfred Douglas qui, dans un poème servant de pièce à conviction contre Wilde, avait parlé de « l'amour qui n'ose pas dire son nom ». Wilde saisit la balle au bond, et renvoya pratiquement à ses juges *Le Portrait de Dorian Gray* : « L'amour qui n'ose pas dire son nom, aujourd'hui, représente l'affection intense d'un aîné pour son cadet semblable à celle qui existait entre David et Jonathan, celle dont Platon fit le fondement de sa philosophie, ou celle que l'on trouve dans les sonnets de Shakespeare et de Michel-Ange. »

*Page 227.*

1. Fonthill est une demeure néogothique que l'auteur de *Vathek* (1787), William Beckford (1759-1844), fit bâtir en 1809 et où il rassembla une importante collection d'œuvres d'art.

*Page 229.*

1. Un *cassone* est un coffre de mariée italien, richement décoré, dont survivent de nombreux exemples, notamment de la Renaissance.

*Page 231.*

1. *The St James's Gazette* était un des plus célèbres quotidiens londoniens.

*Page 233.*

1.  On apprendra par la suite (p. 267) que Victor est français.

2.  Le « livre à couverture jaune » est celui qui avait fait forte impression sur Lord Henry « quand il avait seize ans » (p. 78), c'est aussi le « livre empoisonné » que Dorian Gray reprochera à Lord Henry, à la fin de l'histoire, de lui avoir offert (p. 369). De l'aveu même de Wilde (voir ci-dessus préface, p. 12), ce « roman sans intrigue » s'inspire de l'*À rebours* d'Huysmans, paru en 1884 dans la Bibliothèque Charpentier, dont précisément les couvertures étaient jaunes. Mais les écarts ne manquent pas entre l'*À Rebours* réel et le livre décrit par Wilde : on ne trouvera pas en particulier dans *À Rebours* les deux chapitres annoncés ici (p. 262) sur les dépravations de la Renaissance italienne. Wilde s'inspire néanmoins directement d'Huysmans, non seulement pour la construction de l'œuvre (*À Rebours* est typiquement « un roman sans intrigue à un seul personnage »), pour son « style curieusement orné », mais aussi pour les tendances dominantes du héros (ennui, horreur de la nature, dandysme), enfin et surtout pour les expériences auxquelles il se livre afin de satisfaire ses goûts : parfums, fleurs (en particulier les orchidées), pierres précieuses, ornements sacerdotaux, bibliophilie, etc.

*Page 239.*

1.  Le quartier des docks du port de Londres constituait la partie la plus mal famée de la capitale ; la prostitution et les fumeries d'opium y proliféraient.

*Page 240.*

1.  La citation n'est pas de Dante. Elle se trouve en revanche dans *Marius l'Épicurien*, roman de Walter Pater fort admiré par Wilde, qui l'attribue, prudemment, à « un poète qui vécut bien plus tard ».

2.  La formule « le monde visible existait » se trouve dans le *Journal* des Goncourt, à la date du 1er mai 1857.

*Page 241.*

1.  Caius Petronius Arbiter, dit Pétrone, était un sénateur romain du 1er siècle à qui l'on attribue généralement le *Satiricon*. Il était surnommé « l'arbitre des élégances ».

*Page 244.*

1. La même rumeur courut à plusieurs reprises, s'agissant de Wilde lui-même.

*Page 245.*

1. L'antinomianisme est le rejet explicite de toute loi morale.
2. Le mouvement darwiniste allemand était dirigé par Ernst Heinrich Haeckel (1834-1919).

*Page 247.*

1. Toutes les références musicales de ce passage sont copiées, parfois mot pour mot, d'un manuel intitulé *Les Instruments de musique*, disponible alors au South Kensington Museum (aujourd'hui le Victoria and Albert Museum)...
2. Le Dictionnaire des instruments de musique de Charles Grove (*The New Grove Dictionary of Musical Instruments*, Macmillan, Londres, 1980) est muet sur le *juruparis*.
3. Alfonso de Ovalle (1601-1651) est un jésuite chilien qui évangélisa également le Pérou.
4. *Clarin* : « trompette droite qui peut faire jusqu'à deux mètres de longueur, employée au Pérou, en Équateur et au Chili » (Grove).
5. *Turé* : « trompette aborigène du Paraguay, faite de bambou » (Grove).

*Page 248.*

1. *Teponaztli* : « tambour à fente, fait de bois, qui est un des instruments essentiels des Aztèques » (Grove).
2. *Yotl* : il faudrait dire aujourd'hui « yüullun » : il s'agit de « cloches sphériques utilisées par le peuple Mapuche dans le Chili méridional » (Grove)... Mais il n'y a pas d'Aztèques au Chili.
3. Bernal Diaz del Castillo (1500-1581), conquistador et chroniqueur espagnol qui accompagna Cortés dans sa conquête du Mexique. Son *Histoire véridique de la conquête de la Nouvelle-Espagne* fut traduite en français entre 1877 et 1887 par José-Maria de Heredia.
4. Anne de Joyeuse (1561-1587), duc et pair, amiral de France, mort à Coutras face à l'armée du futur Henri IV. Il fut l'un des « mignons » d'Henri III.

5. Les descriptions qui suivent sont tirées très fidèlement d'un autre manuel du musée de South Kensington, publié en 1882...

*Page 249.*

1. L'expression « de la vieille roche », nous dit Furetière dans son *Dictionnaire universel*, est employée « pour dire excellent, ferme, et de la vertu ancienne ». Littéralement, l'expression signifie que les pierres ont été extraites dans des mines anciennes.

2. Les trois paragraphes qui suivent doivent beaucoup à William Jones, *History and Mystery of Precious Stones*, Londres, 1880.

3. Pierre Alphonse ou d'Alphonse, également nommé Petrus Alfonsi, et qui vivait en Espagne au XIᵉ siècle, s'appelait, avant sa conversion au catholicisme, Moses Sephardi. Rabbin converti, il écrivit d'abord des *Dialogues* entre un juif et un chrétien, puis un texte intitulé *Discipline de Clergie*, rédigé en latin, et qui fut publié pour la première fois dans la *Patrologie* de Migne, en 1854.

4. Émathie (Emathéia en grec) désigne une région de Macédoine.

5. Il peut s'agir de Philostrate dit de Lemnos, qui vivait au IIIᵉ siècle après Jésus-Christ.

6. Bezoard : « pierre médicinale qui est un excellent contrepoison. Elle se trouve dans la fiente d'un animal nommé *pazan*. C'est une espèce de bouc ou de chevreuil qui a le poil court, et un bois presque semblable à celui du cerf » (Furetière, *Dictionnaire universel*).

*Page 250.*

1. Démocrite : philosophe grec qui vécut entre 460 et 370 avant Jésus-Christ.

2. Le Prêtre Jean est un souverain légendaire à qui l'Europe médiévale attribuait un État chrétien aux arrières du monde musulman (Larousse universel).

3. Thomas Lodge (1557-1625), écrivain anglais connu surtout pour avoir, dans sa romance en prose intitulée *Rosalynde* (1590), fourni à Shakespeare la matière d'où il tira *Comme il vous plaira*, a aussi écrit *A Margarite of America*, publié en 1596.

4. Cipango : île ou ensemble d'îles situées au large de l'Asie orientale, décrites par Marco Polo et assimilées aujourd'hui au Japon.

5. Le roi Peroz, ou Firouz, régna sur la Perse sassanide de 459 à 484.

6. Procope : historien byzantin du VIᵉ siècle, qui écrivit des *Histoires* en huit livres, et des *Anecdota* (Histoire secrète) qui sont la chronique scandaleuse de la cour de l'empereur Justinien entre 549 et 562.

7. Vraisemblablement Anastase Iᵉʳ dit le Silentiaire, empereur d'Orient de 491 à 518.

8. C'est-à-dire César Borgia, fils du pape Alexandre VI (1476-1507) que Louis XII, roi de France, fit duc de Valentinois en 1498.

*Page 251.*

1. Richard II (1367-1400) régna sur l'Angleterre de 1377 à la fin de 1399, où il fut déposé par Henry de Lancastre, qui devint ensuite roi sous le nom d'Henry IV.

2. Avant de devenir en 1875 monnaie officielle de l'Empire allemand, le mark (ou marc) avait représenté un certain poids d'argent, variable selon les pays, puis avait donné son nom à diverses monnaies européennes.

3. Edward Hall (1498-1547), historien anglais, auteur d'une très célèbre histoire de la guerre des Deux-Roses, *The Union of the Two Noble and Illustre Families of Lancaster and York*, parue en 1542. Reprise en partie par un historien plus tardif, Raphaël Holinshed, l'ouvrage de Hall a servi de source à Shakespeare pour la plupart de ses pièces historiques.

4. Jacques Iᵉʳ, autrement dit Jacques IV d'Écosse (1566-1625), fils de Marie Stuart qui succéda à Élisabeth Iʳᵉ sur le trône d'Angleterre en 1603.

5. Édouard II (1284-1327), roi d'Angleterre de 1307 jusqu'à son assassinat sur les ordres de sa femme, se laissait dominer par ses favoris, dont Piers (Pierre de) Gaveston fut le plus célèbre. Le dramaturge Christopher Marlowe (1564-1593) lui consacra une de ses plus belles pièces.

6. Henry II Plantagenêt (1133-1189) fut roi d'Angleterre de 1154 à sa mort. C'était l'époux d'Aliénor d'Aquitaine, et le père de Richard Cœur de Lion.

7. Les deux paragraphes consacrés à la broderie doivent beaucoup à un ouvrage français qui venait d'être traduit en anglais, et dont Wilde avait fait un compte rendu élogieux dans la revue qu'il dirigea passagèrement, *The Woman's World*. L'original français, dû à Ernest Lefébure, s'intitulait *Broderies et dentelles* (A. Quantin, Paris, 1887).

*Page 252.*

1. Prêtre du Soleil : c'est là le titre qu'Héliogabale (qui régna à Rome de 218 à 222) s'attribua.
2. Chilpéric I<sup>er</sup> (539-584), roi de Neustrie (nord-ouest de la Gaule) de 561 à 584.
3. Jeanne de Bourgogne (1292-1325 ou 1330) était l'épouse de Philippe V le Long, roi de France de 1317 à 1322.

*Page 253.*

1. Jean III Sobieski (1624-1696), roi de Pologne de 1674 à 1696 ; il repoussa les Turcs sous les murs de Vienne en 1683.

*Page 254.*

1. *Foukousas* : il s'agit d'étoffes de soie brodées.
2. Orfroi : « autrefois broderie employée en bordure, l'équivalent de nos galons. Aujourd'hui, parements des chapes, des chasubles » (Littré).

*Page 255.*

1. Blue Gate Fields, dans le quartier de Limehouse, dans l'East End, était une zone particulièrement malfamée.

*Page 259.*

1. Francis Osborne, *Historical Memories on the Reigns of Queen Elizabeth and King James*, Londres, 1658.

*Page 260.*

1. Macaroni : « une catégorie d'hommes apparue en Angleterre vers 1760, composée de jeunes gens qui avaient voyagé et qui affichaient des goûts et des modes en honneur sur le Continent » (*Oxford English Dictionary*).
2. Il s'agit du futur George IV d'Angleterre (1762-1830), qui assuma la Régence en 1811 quand son père George III fut reconnu fou. Il s'installa à Carlton House en 1783 et devint roi en 1820.

3. Mrs. Fitzherbert devint secrètement, en 1785, l'épouse du Prince régent. Le mariage, considéré comme illégal, fut annulé en 1795.

4. Beauté célèbre, Emma Lyon (1765-1815) devint la maîtresse, puis l'épouse d'un diplomate anglais, Sir William Hamilton, avant de devenir la maîtresse de Nelson — elle l'épousa plus tard — après sa victoire d'Aboukir en 1798.

*Page 261.*

1. Éléphantis fut une femme-auteur grecque, qui vivait à la fin du Ier siècle avant notre ère. Elle aurait écrit un traité, perdu, sur les cosmétiques, mais est surtout connue par des écrits obscènes en vers et en prose (Larousse universel).

*Page 262.*

1. *Taedium vitae*: mot à mot « dégoût de la vie ». C'est également le titre d'un poème de Wilde.

2. Ici, la source des exemples avancés par Wilde se trouve principalement dans *The Renaissance in Italy* de Symonds (voir ci-dessus préface, p. 16, n. 1).

3. Paul II fut pape de 1464 à 1471.

4. Il s'agit de César Borgia, chanté par Machiavel, qui avait assassiné son frère aîné.

5. Pietro Riario (1445-1474) était l'un des « neveux » (sans doute un fils) du pape Sixte IV.

*Page 263.*

1. Ganymède, selon la légende, était un prince troyen que Zeus, épris de sa beauté, enleva pour en faire dans l'Olympe l'échanson des dieux. Quant à Hylas, toujours selon la mythologie grecque, il était si beau qu'Héraclès l'enleva et l'emmena avec lui dans l'expédition des Argonautes.

2. Azzolino III da Romano (1194-1259), condottiere qui aida l'empereur Frédéric II contre les Guelfes. Sa cruauté était si notoire que Dante en fit un des personnages de son Enfer.

3. Giambattista Cibo, c'est-à-dire Innocent VIII, pape de 1484 à 1492.

4. Les Malatesta régnèrent sur Rimini. Sigismond (1417-1468) fut par ailleurs un grand mécène.

5. Il s'agit de Charles VI dit le Fou (1368-1422), roi de France de 1380 à sa mort.

6. Les Baglioni tenaient Pérouse, en Ombrie. En 1500, Carlo et Grifonetto Baglioni résolurent d'assassiner en masse toute leur famille ; un seul membre de celle-ci en réchappa.

*Page 265.*

1. Le mot « ulster », du nom de la province irlandaise, désigne un pardessus d'homme, long et chaud.

*Page 267.*

1. « Sac de voyage ou bagage léger » *(Oxford English Dictionary)*, ainsi nommé par référence au grand homme d'État anglais W. E. Gladstone (1809-1898).

*Page 269.*

1. Galerie de peinture située dans Piccadilly et créée en 1850 par Lord Dudley.

*Page 278.*

1. Voir p. 229, note 1.

*Page 282.*

1. Isaïe, I, 18 (trad. Le Maître de Sacy).

*Page 286.*

1. L'expression « *Blue Book* », employée par Wilde, désignait à l'origine un rapport du législateur ou du Conseil privé ; par extension, il désigne tout annuaire.

*Page 289.*

1. La première édition d'*Émaux et Camées* fut publiée par Théophile Gautier en 1852, la dernière en 1872. L'édition que Charpentier fit paraître en 1881 contient en effet une gravure de Jacquemart de Hesdin, miniaturiste français du XIVe siècle.

2. Le poème, qui s'intitule « Lacenaire », est le deuxième d'une série de deux portant le titre « Études de mains ». Pierre-François Lacenaire (1800-1836), criminel célèbre, mais aussi journaliste et poète, fut guillotiné en 1836.

*Page 291.*

1. Le poème cité par Wilde s'intitule « Sur les lagunes », et représente les strophes 12, 13 et 14 de la deuxième des « Variations sur le Carnaval de Venise ». La phrase qui ouvre le paragraphe fait écho au dernier vers de la strophe 15 : « Tout Venise vit dans cet air. »

2. Il s'agit du poème intitulé « Ce que disent les hirondelles : chanson d'automne » ; « compter leurs grains d'ambre » est un écho précis d'un vers de la strophe 6.

3. « L'Obélisque de Paris », qui est le premier des deux poèmes composant « Nostalgies d'obélisques ». « Larmes de granit » est dans le poème de Gautier, le Nil y est « coiffé de lotus », et « l'ibis rose », et « le gypaète au blanc plumage » y figurent aussi. En revanche les « yeux de béryl » des crocodiles appartiennent en propre à Wilde.

4. Le poème s'intitule « Contralto » (« Est-ce un jeune homme ? est-ce une femme ? / Une déesse, ou bien un dieu ? »).

*Page 292.*

1. En anglais « chemist » désigne aussi bien le chimiste que le pharmacien.

2. Anton Grigorievitch Rubinstein (1829-1894) fut compositeur et directeur du Conservatoire de musique de Saint-Pétersbourg, mais son immense célébrité en Europe lui vint surtout de ses talents de pianiste.

*Page 306.*

1. Homburg, en réalité Bad Homburg, proche de Francfort-sur-le-Main, était, à l'égal de Spa en Belgique, une station thermale très fréquentée par la bonne société internationale.

*Page 308.*

1. L'or moulu (en anglais, *ormolu*) est un alliage de cuivre, d'étain et de zinc, dont l'apparence imite l'or ; son nom scientifique est « chrysocale ».

2. On appelle « chaud-froid » « un mets que l'on prépare à chaud, avec de la volaille, du gibier, et que l'on mange froid, entouré de gelée ou de mayonnaise » (Petit Robert).

*Page 310.*

1. S'il faut reconnaître dans cette Marguerite de Navarre la Marguerite de Valois évoquée plus haut (p. 115), Wilde commet une double inexactitude : d'une part, ce n'est pas au *veuvage* de la reine Margot que renvoie l'allusion (si Marguerite survécut en effet à Henri IV, elle ne fut pas inconsolable), mais à la mort sur l'échafaud d'un de ses amants, Boniface de La Mole, en 1574 ; d'autre part, ce n'est pas le cœur de son amant que Marguerite recueillit, mais sa tête.

*Page 312.*

1. Il s'agit de l'annuaire officiel de l'aristocratie d'Angleterre et d'Irlande, dont le titre complet est *Debrett's Peerage, Baronetage, Knightage and Companionage*.
2. *The Morning Post*, quotidien londonien fondé en 1772, était d'opinion conservatrice, et répandu plutôt dans l'aristocratie.

*Page 314.*

1. Référence au songe de Nabuchodonosor interprété par le prophète Daniel (*Daniel*, II, 31-35).

*Page 316.*

1. Pastilles algériennes : il s'agit de pâtes odorantes, que l'on brûle pour parfumer l'air, à l'image de bâtonnets d'encens.

*Page 317.*

1. Les fumeries d'opium, à cette époque, se trouvaient généralement dans les quartiers chinois situés dans la région des docks.

*Page 318.*

1. Souverain : monnaie d'or anglaise valant une livre sterling.

*Page 334.*

1. Mot à mot : « Tout homme capable d'appeler une bêche, bêche, devrait être forcé d'en utiliser une. »

*Page 339.*

1. L'expression anglaise — « *Greek meets Greek, then* » — renvoie à un vers d'une tragédie de Nathaniel Lee (1653-1692), *The Rival Queens* (1677), qui, légèrement déformé, est devenu proverbial sous la forme : « *When Greek meets Greek, then comes the tug of war* » — mot à mot : « Quand un Grec rencontre un autre Grec, commence la lutte décisive. »

*Page 341.*

1. Les Parthes étaient réputés, dès qu'ils avaient décoché leurs flèches, faire semblant de fuir, pour tromper leurs ennemis et revenir au galop.

*Page 352.*

1. La couronne ducale est décorée de feuilles de fraisier.

*Page 359.*

1. Perdita et Florizel constituent le couple de jeunes amoureux du *Conte d'hiver*, de Shakespeare.

*Page 361.*

1. Waterbury est une localité du Connecticut, aux États-Unis, célèbre alors pour les montres bon marché qui s'y fabriquaient.

*Page 364.*

1. La citation est bien tirée de *Hamlet* (acte IV, sc. 7), d'un passage où le roi interroge Laërte sur l'affection qu'il portait à son père.

*Page 365.*

1. Évangile selon saint Marc (VIII, 36), traduction Le Maître de Sacy.

*Page 367.*

1. À Majorque, où George Sand l'avait conduit en 1838 pour soigner sa tuberculose, Chopin devait composer essentiellement les *Préludes.*

2. Marsyas était, selon la légende, un musicien phrygien qui passe pour avoir inventé l'harmonie et, en simplifiant le chalumeau, la flûte. Ayant osé rivaliser avec Apollon, il fut déclaré vainqueur par Midas et fut par Apollon écorché vif.

*Page 368.*

1. Robert Browning — qui fut avec Tennyson l'un des deux grands poètes victoriens — présente en effet dans « *Bishop's Blougram's Apology* » (publié en 1855 dans *Men and Women*) un thème analogue : « Au moment le plus sûr, un aspect du couchant,/ Le rêve né d'une fleur, la mort de quelqu'un,/ La strophe où se termine un chœur grec d'Euripide —/ Et c'est assez... » (traduction de Louis Cazamian, Aubier, Paris, 1938) *(Just when we're safest, there's a sunset-touch, /A fancy from a flower-bell, some one's death, /A chorus ending from Euripides, /And that's enough...)* (vers 183 à 186).

*Page 369.*

1. Voir ci-dessus p. 90, note 2.

*Le Portrait de Dorian Gray*

*Dossier*

# DU MÊME AUTEUR

*Impression Maury Imprimeur*
*45300 Malesherbes*
*le 5 août 2014.*
*Dépôt légal : août 2014.*
*1ᵉʳ dépôt légal dans la collection : décembre 1991.*
*Numéro d'imprimeur : 191848.*

ISBN 978-2-07-038485-3. Imprimé en France.